DANIELLE STEEL

Américaine née à New York, Danielle Steel a passé son enfance et son adolescence en France, et parle couramment le français. Revenue à New York pour y poursuivre ses études, elle a ensuite travaillé dans la publicité et les relations publiques, avant de se tourner vers l'écriture.
Mère de famille nombreuse, Danielle Steel consacre beaucoup de temps à ses enfants, travaillant le soir et la nuit. Elle est présidente de l'Association américaine des bibliothèques, et porte-parole de plusieurs associations caritatives, dont le Comité de prévention de l'enfance maltraitée. Elle a créé en 1998 à la mémoire de son fils la Fondation Nick Traina, qui a pour vocation de venir en aide aux jeunes en difficulté.
Ses romans restituent avec réalisme des expériences humaines fortes, et sont le fruit d'un long travail de documentation ; son inspiration la conduit souvent à mener de front la rédaction de plusieurs livres. Avec près de cinquante titres publiés, best-sellers mondiaux traduits dans près de trente langues, elle est l'un des auteurs les plus lus au monde.

UN SI LONG CHEMIN

DU MÊME AUTEUR
CHEZ POCKET

COUPS DE CŒUR
UN SI GRAND AMOUR
JOYAUX
DISPARU
LE CADEAU
ACCIDENT
NAISSANCES
PLEIN CIEL
CINQ JOURS À PARIS
LA FOUDRE
MALVEILLANCE
LA MAISON DES JOURS HEUREUX
AU NOM DU CŒUR
HONNEUR ET COURAGE
LE RANCH
LE FANTÔME
LE KLONE ET MOI

DANIELLE STEEL

UN SI LONG CHEMIN

PRESSES DE LA CITÉ

Titre original :
THE LONG ROAD HOME

Traduit de l'américain par
Vassoula Galangau

ISBN : 2-266-11018-7

Aux enfants qui sont morts,
à ceux dont on a su le calvaire
et ceux dont on aurait dû connaître le triste sort.
Et à ceux qui sont revenus de cet endroit atroce
où leurs vies, leurs âmes furent
constamment en péril... les enfants d'une
guerre qui devrait nous faire pleurer
plus que les autres guerres.
Puissions-nous atteindre la sagesse, devenir
assez vaillants pour les protéger... Pour ne plus jamais
laisser d'enfant mourir par notre manque d'amour,
de courage ou de compassion.
Et à Tom, qui m'a incitée à raconter tout cela.
De tout mon cœur, avec toute ma tendresse,

D.S.

1

Le lourd tic-tac d'une pendule égrenait les minutes dans le hall, tandis que Gabriella Harrison se tenait, silencieuse, dans l'obscurité opaque. La penderie était pleine de manteaux. Leurs étoffes rugueuses lui grattaient le visage mais elle y pressait sa silhouette frêle et menue de petite fille de six ans en s'y enfonçant, aussi loin qu'elle le pouvait. Dans sa lente progression vers le fond de la penderie, elle trébucha contre une paire de bottes appartenant à sa mère. Elle ne s'arrêta pas. Avec un peu de chance, personne ne la trouverait là-dedans. C'était une bonne cachette, un endroit où l'on ne songerait jamais à la chercher, encore moins ce jour-là, avec la canicule de l'été new-yorkais.

Il régnait une moiteur étouffante à l'intérieur du placard où, les yeux grands ouverts dans le noir, osant à peine respirer, la petite fille attendait. Des pas étouffés se firent entendre dans le lointain, puis le staccato familier des talons aiguilles de sa mère explosa sur le plancher, comme un train fonçant à grande vitesse, et Gabriella eut la sensation qu'un énorme courant d'air balayait le cagibi encombré. Soulagée, elle s'autorisa à respirer, puis, de nouveau, retint son souffle, craignant d'attirer l'attention de sa mère... Celle-ci possédait des pouvoirs magiques, Gabriella en était persuadée. Elle réussissait toujours à la retrouver. Comme si elle la suivait à l'odeur... L'indestructible lien de la mère à l'enfant... Sa mère aux yeux profonds, d'un noir d'encre, qui voyaient tout, savaient tout. Oui, elle avait le don dc trouver Gabriella qui, pourtant, continuait à se cacher. Il fallait au moins essayer, faire tout son possible pour échapper à son sort.

Elle était trop petite pour son âge. D'un poids largement au-dessous de la moyenne, elle évoquait un elfe, avec ses grands yeux bleus et ses boucles blondes. A sa vue, les gens s'exclamaient qu'elle était jolie comme un ange. Et en effet, elle affichait souvent l'air étonné d'un ange qui se serait égaré sur terre. Et les souffrances qu'elle avait endurées durant les six brèves années de sa vie lui avaient déjà ouvert les portes du paradis.

Sa mère repassa devant la cachette ; de nouveau, ses talons martelèrent le parquet. D'instinct, Gabriella sut que le cercle des recherches s'était rétréci. Elle crut voir son armoire dévastée dans sa chambre, tout comme le débarras sous l'escalier, derrière la cuisine, et le petit cabanon dans le jardin. Ils habitaient une maison d'East Side entourée d'un petit jardin impeccablement entretenu. Sa mère détestait le jardinage mais, deux fois par semaine, un Japonais venait arroser les parterres, tailler les rosiers, tondre le rectangle étriqué de la pelouse. Sa mère détestait un tas de choses. Le désordre, le bruit, la saleté, les mensonges et les chiens. Mais les enfants semblaient focaliser toute sa haine ; Gabriella avait toutes les raisons de le penser. Les enfants mentent, disait-elle, ils sont bruyants, et toujours sales... A cet effet, elle avait donné des consignes très strictes à Gabriella : rester propre, ne pas quitter sa chambre, ne toucher à rien. Elle ne lui permettait pas d'écouter la radio ni d'utiliser des crayons de couleur, car lorsque la fillette coloriait, elle « en mettait partout ». Une fois elle avait taché sa plus jolie robe... C'était à l'époque où son papa était à l'étranger, dans un pays lointain, appelé la Corée. Après deux ans d'absence, il était revenu, un an plus tôt. Son uniforme était accroché quelque part dans une armoire, Gabriella l'avait aperçu un jour où, comme d'habitude, elle s'était cachée. Taillé dans un de ces tissus « qui piquent », il arborait des boutons dorés et brillants.

Elle n'avait jamais vu son père porter l'uniforme. Grand, mince, séduisant, il avait les yeux bleus, de la même nuance que ceux de sa fille, et des cheveux blonds, un peu plus foncés que ceux de Gabriella. Lorsqu'il était revenu de la guerre, on aurait dit le Prince charmant de *Cendrillon* que Gabriella avait tant de fois lu et relu. Et sa mère ressemblait aux reines qui peuplaient les livres : belle, élégante, mais toujours en colère. Le moindre détail l'irritait. Surtout la manière dont Gabriella se tenait à table ; il fallait manger correctement, sans faire de miettes, sans heurter un verre. Une fois, elle avait renversé du jus d'orange sur la robe de sa mère. Elle avait fait un tas de choses interdites ces derniers temps, des bêtises qu'elle n'aurait jamais dû commettre.

Elle se rappelait parfaitement chacune de ces fautes et elle avait essayé à plusieurs reprises de ne pas recommencer, mais c'était plus fort qu'elle. Pourtant, elle ne voulait déranger personne, et encore moins provoquer la colère de sa mère. Elle n'avait pas l'intention de souiller ses vêtements, ni de laisser tomber des objets par terre, ni même d'oublier son bonnet de laine à l'école. Il s'agissait d'accidents qu'elle tentait d'expliquer à sa mère, ses grands yeux bleus implorant sa pitié. Mais d'une certaine manière, malgré ses efforts, elle répétait les mêmes erreurs.

Les talons aiguilles s'approchaient pour la troisième fois de la penderie... Plus lentement, cette fois. Gabriella savait ce que cela signifiait. Les recherches touchaient à leur fin. L'étau se resserrait : sa mère avait visité toutes les cachettes, il n'en restait plus qu'une. La suite n'était plus qu'une question de secondes. L'espace d'un instant, la petite fille aux grands yeux apeurés songea à se rendre, car à plusieurs reprises sa mère lui avait répété que ce geste de courage lui aurait épargné la punition... Seulement, ce courage, elle ne l'avait pas. Elle avait tenté une ou deux fois de sortir de son repaire mais jamais à temps, et sa mère avait alors décrété que si Gabriella avait renoncé à la mauvaise habitude de se cacher, cela aurait été différent. Bien sûr, tout aurait été différent si Gabriella s'était comportée convenablement. Si elle répondait quand on lui posait une question et ne parlait pas à tort et à travers, si elle était plus soigneuse et ne repoussait pas sa nourriture au bord de son assiette, faisant rouler les petits pois sur la table où ils laissaient des taches grasses sur le bois. Oh, si seulement Gabriella pouvait apprendre les bonnes manières, se taire en présence des adultes, ne pas user les talons de ses souliers... La liste de ses fautes était interminable. Elle ne savait que trop bien qu'elle était désobéissante, mauvaise, depuis sa plus tendre enfance. Comme elle savait que papa et maman l'auraient aimée si elle s'était conformée à leurs souhaits, mais c'était une méchante fille, qui avait cruellement déçu ses parents. Cela lui causait une peine incommensurable, dont elle portait le lourd fardeau depuis le début de sa courte existence. Elle aurait voulu changer, correspondre à leur attente, gagner leur approbation et leur tendresse mais elle ne parvenait qu'à les trahir. Sa mère le lui rappelait constamment. C'était le prix qu'elle devait payer pour se racheter.

Les pas s'arrêtèrent devant la penderie et un silence interminable suivit avant que la porte ne s'ouvre brutalement. Un rayon filtra dans l'ombre et Gabriella ferma les paupières pour se protéger de la clarté du dehors. Ce n'était qu'un mince filet de lumière rampant vers elle à travers les formes obscures des manteaux mais il lui fit l'effet d'un soleil brûlant. Le parfum capiteux de sa mère envahit l'espace exigu. Gabriella perçut, tel un avertissement, le bruissement de sa jupe, puis les manteaux furent écartés les uns après les autres, creusant un canyon menant tout droit à la petite fille recroquevillée au fond de la penderie. Pendant un instant interminable, le regard de Gabriella croisa celui de sa mère. Il n'y eut pas un bruit, pas une parole, pas le moindre signe échangé entre elles. Gabriella savait qu'il était inutile de s'expliquer, de demander pardon ou même de pleurer. Ses yeux, devenus immenses, dévoraient son petit visage, tandis qu'elle voyait la rage convulser peu à peu les traits de sa mère. Le bras de celle-ci s'allongea démesurément, puis la petite fille fut tirée de son antre, si vite qu'elle crut que ses poumons se vidaient. Elle atterrit sur ses jambes, devant sa mère. Alors, le premier coup partit. Le souffle coupé, l'enfant tomba à terre. Aucune protestation, aucune plainte ne lui échappa, alors que sa mère la frappait sur la tête encore et encore, après quoi elle la remit sur ses jambes pour lui assener en pleine figure, de toutes ses forces, une gifle terrible, assourdissante.

— Tu te cachais, hein ? vociféra la femme.

Elle était presque belle. Elle l'aurait été en tout cas si la fureur n'avait pas déformé son visage. Ses longs cheveux bruns formaient un chignon lâche sur sa nuque. Elégante, grande, mince et gracieuse, elle avait une admirable silhouette. Sa robe de soie bleu marine, parfaitement coupée, lui seyait à ravir. Elle portait deux lourdes bagues de saphir, qui avaient souvent laissé leur empreinte sur les joues de Gabriella. Une petite entaille sur son cuir chevelu, une tache d'un rouge vif sur la pommette... Eloïse Harrison frappa de nouveau l'enfant sur l'oreille droite, puis la prit par les épaules et se mit à la secouer en hurlant vers la petite figure ravagée :

— Il faut toujours que tu te caches ! Que tu nous crées des ennuis ! Mais de quoi as-tu peur maintenant, espèce de sale petite morveuse ? Qu'est-ce que tu as fait ? Tu as sûrement fait quelque chose... Sinon tu ne te serais pas cachée.

— Je n'ai rien fait... rien...

Les mots expirèrent sur les lèvres de Gabriella, qui essaya de reprendre son souffle. Les coups avaient le don de retirer l'air de ses poumons, d'ôter la vie de son petit corps trop mince. Ses yeux suppliants, brûlants de larmes, se fixèrent sur sa mère.

— Je suis désolée, maman... désolée...

— Mais non, tu n'es pas désolée... Tu n'es jamais désolée ! Tu me rendras folle, à la fin, si tu continues à faire des choses stupides, comme te cacher... Mais qu'est-ce que tu veux de nous, méchante ? Mon Dieu, quand je pense que ton père et moi devrons toujours affronter le même problème !

Ce disant, elle la repoussa si violemment que la fillette glissa sur le parquet bien ciré. Elle tomba par terre, malheureusement pas assez loin pour éviter l'escarpin en daim bleu foncé qui s'enfonça dans sa cuisse avec une malveillance venimeuse... Les hématomes lui marbraient les bras, les jambes, le corps, à des endroits où ils ne se voyaient pas. Les marques sur le visage ne duraient pas plus de quelques heures. Sa mère savait où battre. Une longue pratique lui avait appris à frapper là où il fallait. Et elle cognait dur, depuis des années maintenant... Pratiquement depuis que Gabriella était venue au monde.

A présent, elle la regardait, étendue à ses pieds, sans l'ombre d'un remords, sans un mot de réconfort, sans une excuse ni un geste tendre... La petite fille ne bougeait pas. Se relever trop tôt ranimerait la fureur de sa mère, elle le savait. Elle avait intérêt à se faire toute petite... Alors, elle attendit longtemps, très longtemps, les joues mouillées de larmes silencieuses, toute frissonnante de douleur. Il ne fallait pas non plus lever le regard. La vue de ses larmes aurait suffi à déclencher une nouvelle avalanche de coups. Elle garda donc les paupières hermétiquement fermées. A force de rester par terre, elle pourrait peut-être disparaître...

— Lève-toi !... Qu'est-ce que tu attends ?

Une violente secousse sur le bras... un dernier coup sur la tête...

— Bon sang, Gabriella ! Je te déteste ! Tu es dégoûtante... Sale et dégoûtante ! Regarde-toi... regarde ta figure, hurla-t-elle en découvrant deux taches noirâtres mêlées de larmes sur le visage angélique de sa fille.

Gabriella se taisait. N'importe quel être humain doué d'un minimum de compassion aurait été bouleversé de la voir ainsi. Pas sa mère. Eloïse Harrison était d'un autre monde... Elle était tout sauf une mère... Abandonnée elle-même par ses parents, elle avait grandi auprès d'une tante dans le Minnesota. Son enfance n'avait été qu'une longue traversée triste et solitaire. Sa tante, une vieille fille acariâtre, ne lui adressait la parole que pour lui intimer l'ordre d'apporter des bûches pour la cheminée ou de déblayer la neige devant la maison, dans l'air glacial de l'hiver. Ruinés par la Dépression, les parents d'Eloïse avaient émigré en Europe, en quête d'un meilleur destin... Un destin où, visiblement, leur enfant n'avait pas de place. La diphthérie avait emporté leur fils, le frère d'Eloïse... et celle-ci ne comptait pas. Elle était restée chez sa tante du Minnesota jusqu'à ses dix-huit ans. Ensuite elle était retournée à New York où des cousins l'avaient hébergée... Elle avait rencontré John Harrison quand elle avait vingt ans. Deux ans plus tard, ils étaient mariés... Ils se connaissaient depuis l'enfance, John étant un ami du frère d'Eloïse. Ses parents à lui avaient eu plus de chance. Durant la Dépression, leur fortune était restée intacte. Fils de famille, élevé dans l'opulence, ayant reçu une excellente éducation, John manquait cependant d'ambition et de force de caractère. Il travaillait dans une banque lorsqu'il avait retrouvé Eloïse. Sa beauté l'avait étourdi. Il en était tombé éperdument amoureux.

A l'époque, Eloïse alliait la jeunesse à la beauté... Et à une froideur qui ne tarda pas à plonger son soupirant dans une sorte de transe... Il la suppliait de l'épouser, mais plus il insistait, plus elle prenait ses distances. Il lui fallut près de deux ans pour la convaincre de devenir sa femme. Il lui acheta une superbe maison, et la fierté le submergeait chaque fois qu'il la présentait à des amis ou qu'elle apparaissait en public à son bras. John voulait des enfants et là encore, il dut l'implorer pendant deux ans avant qu'elle y consente. Elle ne l'avait jamais ouvertement avoué mais la maternité ne la tentait pas. Sa propre enfance, si dure, si malheureuse, ne l'incitait pas à donner la vie. L'idée d'avoir des enfants lui répugnait, en fait. Mais John semblait tellement y tenir qu'à la fin elle capitula... et le regretta aussitôt. Une grossesse difficile pendant laquelle elle fut affreusement malade, suivie d'un accouchement horriblement douloureux lui ôtèrent définitivement tout désir de recommencer cette expérience atroce. Dans l'esprit d'Eloïse, le minuscule être rose que l'infirmière lui mit dans les bras le lendemain ne méritait pas ses souffrances. De plus, la tendre attention que John prodiguait au bébé l'agaçait prodigieusement. John avait reporté sa passion pour sa femme sur sa fille. Il ne parlait plus que de Gabriella, ne songeait plus qu'à Gabriella... N'avait-elle pas trop chaud ? Ou trop froid ? Avait-elle mangé ? Eloïse avait-elle remarqué combien elle était adorable lorsqu'elle souriait ?... Et il se réjouissait de ce que Gabriella était le portrait même de sa grand-mère paternelle. Rien que de l'entendre, Eloïse avait envie de hurler chaque fois qu'elle voyait le bébé.

Elle reprit rapidement ses activités : shopping, thés, déjeuners avec des amies. Plus que jamais, elle tenait à sortir tous les soirs. Elle ne s'intéressait guère au bébé. Elle déclarait à ses partenaires de bridge, avec lesquelles elle jouait tous les jeudis après-midi, qu'elle trouvait sa petite fille « terriblement ennuyeuse », voire « repoussante ». Ces propos amusaient les autres femmes... Eloïse était si franche, si drôle, et elle parlait si librement... En fait, elle manquait cruellement de fibre maternelle. John, qui s'en était aperçu, nourrissait le naïf espoir qu'un changement se produirait bientôt. Il se le répétait chaque fois qu'il voyait la mère et la fille ensemble... A l'époque, à vingt-quatre ans, Eloïse était à l'apogée de sa beauté. Un jour, se disait-il, lorsqu'elle serait un peu plus grande et qu'elle prononcerait ses premiers mots, Gabriella gagnerait l'affection de sa mère. Mais ce jour ne vint jamais pour Eloïse. Ni pour Gabriella. Quand la petite fille commença à se déplacer à quatre pattes, sa mère la suivait d'un regard écœuré. Et lorsqu'elle réussit à se mettre debout en prenant appui sur la table de cocktail d'où elle fit tomber un cendrier, Eloïse fut la proie d'une rage indescriptible.

— Seigneur ! Cette gosse finira par tout casser. Elle m'exaspère ! Quelle horreur... ce qu'elle peut être sale !

— Ce n'est qu'un bébé, Eloïse, répondit John gentiment.

Il souleva Gabriella dans ses bras et lui fit des baisers sur le ventre. Eloïse le considéra avec répulsion.

— Arrête ça. C'est dégoûtant.

Contrairement à son époux, elle n'avait jamais touché l'enfant. Entre-temps, John avait embauché une nounou qui n'avait pas mâché ses mots. Eloïse était jalouse du bébé, avait-elle dit à John. Il commença par s'opposer à cette idée ridicule puis, peu à peu, le doute s'immisça dans son esprit. Chaque fois qu'il parlait du bébé ou qu'il le prenait dans ses bras, la colère embrasait le visage d'Eloïse. Quand Gabriella eut deux ans, elle tapait dans ses mains dès que la petite fille s'approchait d'un objet... Elle pensait qu'ils devaient laisser Gabriella dans la nursery.

— Voyons, chérie, on ne peut tout de même pas lui interdire l'accès des autres pièces, objectait John.

Tous les soirs, à son retour du bureau, il trouvait la petite enfermée dans sa chambre.

— Elle casse tout, rétorquait Eloïse, furieuse.

A présent la fureur semblait l'habiter. Un jour où John admirait à haute voix les cheveux blonds et soyeux de sa fille, Eloïse se cantonna dans un silence hostile. Le lendemain, sa mère, accompagnée de la nounou, conduisit Gabriella chez le coiffeur d'où elle revint sans ses boucles... Le soir même, John manifesta sa surprise. Il lui fut répondu qu'une bonne coupe fortifiait les cheveux.

La rivalité se précisa lorsque Gabriella commença à parler. Elle dégringolait les marches en direction du rez-de-chaussée pour accueillir son père en poussant des piaillements de joie. Comme si elle sentait le danger, la fillette ne s'approchait jamais de sa mère. Elle faisait un grand détour quand, par hasard, leurs chemins se croisaient. Eloïse se contenait à grand-peine en assistant aux démonstrations d'affection de son mari vis-à-vis de leur fille. John adorait jouer avec Gabriella. Bientôt, il se mit à critiquer l'indifférence d'Eloïse à l'égard de l'enfant, son refus de lui consacrer un peu de son temps. Dès lors, un gouffre se creusa entre les deux époux, qui ne cessa de s'agrandir. Elle en avait par-dessus la tête de l'entendre « pleurnicher » sur le sort de « son bébé »... A son tour elle l'accusait de faiblesse, de manque de virilité.

Gabriella reçut sa première correction à trois ans. Un matin, elle avait poussé sans faire exprès une assiette ; celle-ci était tombée et s'était brisée. Eloïse, assise à table, buvait son café matinal. Sans la moindre hésitation, sans même réfléchir, elle avait giflé sa fille.

— Ne fais plus jamais cela ! Tu as compris ?

Gabriella l'avait regardée, les yeux pleins de larmes. Son petit visage s'était transformé en un masque d'étonnement et de chagrin.

— Tu m'as entendue ? avait hurlé Eloïse.

L'enfant n'avait pas bougé. Ses magnifiques boucles blondes avaient repoussé, ses grands yeux d'azur scrutaient sa mère avec une sorte de désarroi qui aurait désarmé le cœur le plus endurci. Mais pas celui d'Eloïse...

— Réponds-moi quand je te parle !

— Pardon... maman...

John, qui était entré à ce moment-là, avait contemplé

la scène, incrédule. Il n'avait rien fait, cependant, de crainte que la situation n'empire s'il était intervenu. Il n'avait jamais vu Eloïse en proie à une telle colère. Trois ans de rage contenue, de jalousie et de frustration couvaient en elle, et telle l'éruption d'un volcan, son agressivité avait explosé.

— Si jamais tu recommences, Gabriella, tu auras une très grosse fessée. Tu es une vilaine petite fille... Personne n'aime les enfants désobéissants.

Tout en parlant, Eloïse avait attrapé l'enfant par les bras et l'avait secouée jusqu'à ce que Gabriella se mette à claquer des dents. Son regard se reportait, comme un oiseau apeuré, du visage de sa mère, convulsé de fureur, à celui de son père, qui se tenait toujours sur le seuil de la porte, muet. Dès qu'Eloïse aperçut son mari, elle souleva Gabriella et la porta dans sa chambre. Elle était privée de petit déjeuner, lui signifia-t-elle. Elle repartit, non sans lui avoir administré la fessée promise...

— Tu n'avais pas besoin de te mettre dans cet état, fit remarquer John calmement tandis qu'Eloïse se rasseyait à table et se servait une deuxième tasse de café.

Ses mains tremblaient, elle n'avait pas décoléré.

— Trop d'indulgence nuit à l'éducation. Un jour, on se retrouve avec une jeune délinquante sur les bras et c'est trop tard. Un peu de discipline n'a jamais fait de mal à personne.

Il la regarda sans comprendre. Sa réaction lui semblait excessive. Ses propres parents l'avaient élevé avec tendresse et il n'était pas devenu un vaurien... Or, depuis la naissance de Gabriella, Eloïse avait changé. La présence même de l'enfant l'irritait au plus haut point. Au lieu de faire preuve d'amour maternel, elle ressemblait de plus en plus à une furie. L'espoir de John de fonder une famille nombreuse s'était évanoui depuis longtemps.

— J'ignore ce qu'elle a fait mais ça ne doit pas être si terrible, reprit-il.

— Elle a pris une assiette et elle l'a jetée par terre. Intentionnellement. Je refuse de subir les sautes d'humeur d'une gamine ! répondit Eloïse d'une voix cassante.

— C'était peut-être un accident, suggéra-t-il.

Mais elle ne parut pas y croire. Plus rien ne pouvait la radoucir... Aucun argument ne pouvait défendre la cause de sa fille. Eloïse ne voulait pas en entendre parler.

— Inculquer la discipline à Gabriella est mon devoir, déclara-t-elle. Est-ce que je te dis comment diriger ton service à la banque ?

Elle se leva et quitta la table.

Dans les six mois qui suivirent, les « leçons de discipline » devinrent peu à peu un emploi à plein temps pour Eloïse. Il y avait toujours une bêtise à punir. Par une gifle, une fessée et, de plus en plus souvent, par une « bonne raclée », comme elle disait. Jouer dans le jardin et avoir les jambes pleines d'herbe, se faire griffer par le chat de la voisine constituaient des fautes passibles d'une punition immédiate. Tomber dans la rue, s'écorcher les genoux et souiller de sang sa robe et ses socquettes fut un forfait qui valut à Gabriella une sévère correction à la veille de son quatrième anniversaire. John restait à l'écart. Consoler l'enfant après une punition ne faisait que lui porter préjudice. Eloïse ne manquait jamais de se venger et la sanction suivante n'en était que plus cruelle. John n'eut d'autre solution que d'accepter les explications de sa femme à propos des coups, des gifles et des fessées. A la fin, il cessa de s'en occuper. Il essaya de se convaincre qu'Eloïse avait peut-être raison, et que la discipline était sans doute la base d'une solide éducation.

Ses parents avaient trouvé la mort dans un accident de voiture. Il n'avait personne à qui se confier. Personne à qui oser raconter les mauvais traitements que sa femme infligeait à leur unique enfant.

Certes, Gabriella était une petite fille modèle. C'était

à peine si elle ouvrait la bouche. Elle nettoyait soigneusement la table, pliait ses vêtements et les rangeait dans son armoire, faisait tout ce qu'on lui demandait et ne parlait jamais mal à sa mère... Elle obéissait au doigt et à l'œil. Oui, sans aucun doute, les résultats étaient tout simplement spectaculaires. Le soir, pendant le dîner, elle s'asseyait à table sans un mot. Sage comme une image. Ses grands yeux figés, immobile. Dommage que son père en soit venu à confondre terreur et bonnes manières.

Mais aux yeux suspicieux d'Eloïse, Gabriella avait toujours quelque chose à se reprocher qu'il fallait vite punir. Les fessées devinrent plus fréquentes... si l'on pouvait appeler « fessées » les rudes corrections, les gifles assenées à toute volée, les coups violents, ininterrompus. Parfois, John craignait qu'Eloïse finisse par blesser sérieusement Gabriella. Il se gardait bien de formuler ses inquiétudes. La discrétion, voire le silence, lui parut dès lors la seule réaction qui s'imposait. Persuadé qu'Eloïse ne faisait rien de mal, il finit par ne plus voir les bleus sur le corps de sa fille. Au dire d'Eloïse, la fillette tombait constamment ; elle était si empotée qu'il était hors de question de la laisser prendre des leçons d'équitation ou même faire du patin à roulettes. A l'évidence, sa mère la punissait « pour son bien ». Les bleus, les ecchymoses étaient la preuve de sa maladresse.

Lorsque Gabriella eut six ans, les mauvais traitements étaient devenus une habitude. John faisait semblant de les ignorer, Gabriella vivait dans la peur du prochain coup, quant à Eloïse, elle prenait plaisir à la brutaliser. Si quelqu'un lui en avait fait le reproche, elle aurait poussé les hauts cris. Et elle aurait présenté les châtiments comme une nécessité. Sa fille étant trop gâtée, il s'agissait de lui apprendre à bien se tenir. D'ailleurs, Gabriella elle-même savait qu'elle était une méchante petite fille. Si elle avait été gentille, sa mère n'aurait pas été obligée de la punir... Oui, si elle avait été plus sage, son père aurait peut-être interdit à sa mère de la battre... Ils l'auraient sans doute aimée. Plus que quiconque, Gabriella avait conscience de scs fautes. De ses terribles défauts. Parce que sa mère ne cessait de les lui répéter.

Et tandis qu'elle gisait sur le parquet, en cet après-midi d'été, et que sa mère la traînait par le bras, lui décochant encore un coup vicieux avant de l'envoyer dans sa chambre, Gabriella vit son père sur le seuil de la pièce. Il avait assisté à une partie de la scène mais comme à l'accoutumée, il ne souffla mot. Il n'ébaucha pas un geste de réconfort, n'essaya pas de la toucher. Simplement, il détourna la tête, afin de ne pas voir les yeux de Gabriella, incapable de supporter plus longtemps son regard de petit animal blessé.

— Va dans ta chambre, et restes-y ! hurla Eloïse.

L'ordre fit l'effet d'une sentence de mort à Gabriella. Elle traversa à pas lents le vestibule, ses doigts tremblants sur sa joue, qui lui cuisait. La culpabilité l'écrasait d'un poids insoutenable. Elle savait qu'elle était une grande fille à présent, qu'elle ne devait plus mettre sa mère en colère... Elle se glissa à l'intérieur de sa chambre, referma la porte. Un sanglot lui échappa, et elle courut vers le lit où elle étreignit sa poupée. C'était son unique jouet, un cadeau que sa grand-mère paternelle lui avait offert avant de mourir. La poupée s'appelait Meredith ; elle était la seule amie de Gabriella. Sa seule alliée. Elle la serra contre son cœur, tout en se balançant sur le lit, se posant toujours les mêmes questions : pourquoi sa mère l'avait battue si fort... pourquoi elle-même était si méchante... mais aucune réponse ne lui vint à l'esprit. Tout ce dont elle se souvenait, c'était le visage de son père, lorsqu'elle était passée près de lui. Il paraissait déçu par elle. Oui, Gabriella l'avait trahi. Il avait espéré avoir une enfant sage, pas le monstre que sa mère décrivait. Gabriella la croyait. Elle ne faisait que des bêtises... Pourtant, elle s'efforçait de s'améliorer. Mais elle n'y arrivait pas. Il n'y avait pas moyen de satisfaire ses parents... pas moyen de changer le cours des choses... d'échapper aux punitions... Et tout en berçant sa poupée, elle sut au plus profond de son âme que cela ne s'arrêterait jamais. Elle ne serait jamais assez bonne pour se faire aimer par ses parents. De toute façon, elle ne méritait pas leur amour ; elle ne méritait que souffrances, reproches et chagrin. Elle le savait et pourtant, toujours, elle se demandait pourquoi. Pourquoi sa mère était constamment en colère contre elle... Qu'avait-elle bien pu faire pour s'attirer sa haine... Mais il n'y avait aucune réponse, sauf une, accablante : personne n'avait le pouvoir de la sauver. Pas même son père. Tout ce qu'elle avait au monde, c'était sa poupée Meredith... Elle n'avait pas de grands-parents, pas de tantes, pas d'oncles, pas d'amis ou de cousins. Elle n'était pas autorisée à jouer avec d'autres enfants. Probablement parce qu'elle était trop écervelée... Et de toute façon, les autres enfants ne l'apprécieraient pas. Car qui au monde pouvait aimer quelqu'un comme elle, puisque ses propres parents la détestaient ? Elle ne l'avait dit à personne. Personne n'était au courant de son calvaire. A l'école, quand parfois la maîtresse lui posait des questions sur ses bleus, elle répondait qu'elle était tombée dans l'escalier ou que le chien lui avait fait perdre l'équilibre — bien qu'ils n'aient pas de chien. Il fallait garder le secret, elle en était convaincue. Sinon tout le monde saurait qu'elle était une méchante fille qui mettait sa maman en colère... Elle s'allongea sur le lit, la poupée dans ses bras. D'en bas lui parvenaient les voix de ses parents. Ils se disputaient... et *cela aussi* était sa faute. Souvent, après que sa mère l'avait punie, son père criait, comme maintenant. Elle ne pouvait distinguer les mots, mais leurs querelles tournaient toujours autour du même sujet : Gabriella. Oh, elle était bien pire qu'ils ne l'imaginaient. A cause d'elle, ils se déchiraient ; ils se fâchaient l'un contre l'autre. Elle les rendait malheureux, presque aussi malheureux qu'elle l'était elle-même.

Elle se mit à pleurer, les paupières déjà lourdes de sommeil. Elle se sentit gagnée par une somnolence impossible à réprimer, privée de dîner, tout son corps douloureux. Sa joue lui brûlait, sa cuisse, là où sa mère lui avait décoché un coup de pied, l'élançait... Elle s'efforça alors d'évoquer d'autres images, d'autres lieux... un jardin... ou un parc... rempli de gens heureux... et des enfants qui riaient... et qui voulaient jouer avec elle... Une femme, grande et belle, vint vers elle, lui ouvrit les bras et lui murmura qu'elle l'aimait... Alors une sensation d'une ineffable douceur l'enveloppa, la triste réalité s'estompa et elle sombra dans le sommeil en serrant sa poupée.

— Tu n'as pas peur de la tuer, un de ces jours ? dit John d'une voix exaspérée à sa femme.

Elle se contenta de le regarder, avec un mépris amusé. Il n'en était plus à son premier verre de la journée, car il titubait. Il s'était mis à boire lorsque sa femme avait commencé à maltraiter leur fille. C'était plus facile que de prendre la défense de Gabriella ou de fustiger le comportement d'Eloïse. La boisson avait le don de calmer ses angoisses, de rendre acceptable l'intolérable.

— En tout cas, elle ne sera pas une ivrogne comme son père si je lui inculque dès maintenant le sens du devoir. Cela lui épargnera un tas d'ennuis plus tard.

Elle était assise sur le canapé, très calme, très droite, et elle le jaugeait d'un regard dédaigneux.

John se resservit un Martini.

— Le pire, c'est que tu le crois, dit-il.

— Est-ce que tu suggères, par hasard, que je suis trop dure avec elle ?

La contrariété, la colère flambèrent soudain dans les yeux noirs d'Eloïse.

Trop dure ? La malheureuse enfant est couverte de bleus. Comment se les est-elle faits ?

Elle alluma une cigarette et exhala la fumée par les narines, la tête renversée.

— Ne sois pas ridicule. Si tu veux me rendre responsable de ces marques, c'est raté ! Cette idiote tombe sur la tête chaque fois qu'elle veut lacer ses chaussures.

— Qui essaies-tu de duper, Eloïse ? Toi ou moi ? Ton animosité envers elle est si flagrante... La pauvre petite... elle ne mérite pas ça.

— Moi non plus ! Tu n'as pas idée des difficultés auxquelles je me heurte. Elle est monstrueuse, malgré ses jolies boucles et ses grands yeux bleus candides que tu aimes tant.

Il la regarda comme si le voile qui lui brouillait la vue venait de s'écarter grâce à l'alcool qu'il avait ingurgité.

— Tu es jalouse, n'est-ce pas, El ? Voilà comment tout s'explique : par la jalousie féroce que tu lui voues. Oui, tu es jalouse de ta propre fille.

— Tu es ivre, dit-elle, balayant ces propos d'un mouvement désinvolte de sa cigarette.

— J'ai raison, tu le sais bien. Tu es malade. Je regrette seulement que nous l'ayons eue.

Il estimait qu'il n'était en rien responsable des sévices que sa femme faisait subir à leur fille. Lui-même n'avait jamais levé la main sur Gabriella et il en tirait une grande fierté... A ceci près qu'il n'avait jamais rien entrepris pour la protéger.

— Si j'ai bien compris, tu t'efforces de me culpabiliser. Inutile. Je ne me sens pas coupable. Je sais ce que je fais.

— Vraiment ? Tu la bats sans merci tous les jours. Jusqu'où iras-tu ?

Horrifié, il vida son verre ; puis il attendit les effets apaisants de son quatrième Martini. Mais, parfois, il en fallait bien plus pour noyer ses remords.

— Elle n'est pas une enfant facile, John. De temps à autre, elle a besoin d'une bonne leçon.

— Mais tu lui as déjà donné des centaines de bonnes leçons, El. Je suis sûr qu'elle s'en souviendra toute sa vie.

Il avait les yeux brillants à présent.

— Et tant mieux ! Le laxisme n'a jamais servi qu'à fabriquer des voyous. Les enfants doivent être tenus en laisse... Elle le sait, que j'ai raison. Elle ne proteste jamais, quand je la punis...

— Et pour cause ! Elle sait bien qu'elle n'a pas intérêt à te contrarier. Elle doit avoir peur que tu l'achèves.

— John, pour l'amour du ciel ! Arrête ton cinéma !

Elle croisa ses longues jambes fuselées, et il détourna la tête. Depuis quelques années, tout désir pour elle avait disparu. Il en était venu à la détester. Mais pas assez pour arrêter le cauchemar... ou la quitter... Et ce manque de courage l'incitait peu à peu à se haïr lui-même.

— Nous l'enverrons dans un pensionnat dans un an ou deux, proposa-t-il. Mieux vaut qu'elle soit loin de nous.

— A condition qu'elle acquière les bases d'une éducation correcte, avant.

— Ah, c'est ainsi que tu appelles ce que tu lui fais ? De l'éducation ? As-tu remarqué le bleu sur sa joue, ce soir ?

— Demain matin il n'y paraîtra plus, répondit Eloïse avec nonchalance.

Il hocha la tête. Elle avait probablement raison. Elle possédait l'art de frapper sans laisser de traces sur les parties les plus visibles du petit corps sans défense... Les hématomes s'étalaient, en revanche, sous ses vêtements, sur le dos, le haut des bras et des cuisses... Eloïse était devenue experte en matière de supplices.

— Tu n'es qu'une garce sadique ! hurla John.

Il se leva et quitta le salon. D'un pas chancelant, il se dirigea vers leur chambre... Sa femme était un bourreau d'enfants et il n'y pouvait rien. Son pas ralentit devant la porte entrouverte de la petite chambre d'enfant. Debout sur le seuil, il jeta un regard dans l'obscurité. Il ne décela pas le moindre signe de vie, pas un bruit, pas un souffle. Le lit semblait vide, mais lorsqu'il entra sur la pointe des pieds dans la pièce, afin d'y regarder de plus près, il aperçut une sorte de boule, une toute petite boule au bout du lit. Gabriella dormait toujours ainsi, pelotonnée sous les draps, dans une tentative dérisoire de se rendre invisible aux yeux de sa mère, au cas où celle-ci viendrait la chercher. Des larmes piquèrent les yeux de John, tandis qu'il contemplait la minuscule boule de terreur qu'était sa fille. Il n'osa pas la toucher, ni lui poser la tête sur l'oreiller, de crainte de l'exposer de nouveau à la vindicte d'Eloïse. Il la laissa là, oubliée et solitaire, puis il gagna sa propre chambre. « Que la vie est injuste ! » songea-t-il, puis il se demanda pourquoi un tel malheur avait frappé son enfant. Un malheur qu'il était incapable d'arrêter. Il sut alors qu'il ne parviendrait jamais à la sauver. Que face à Eloïse, il était aussi impuissant que Gabriella. Ce soir-là, il se détesta un peu plus encore.

2

Les invités arrivèrent à la résidence de la 69e Rue Est peu après vingt heures. Des membres de la haute société pour la plupart : un prince russe avec une jeune Anglaise, les amies du club de bridge d'Eloïse, le gouverneur de la banque où John travaillait et son épouse. Des serveurs en veste blanche et nœud papillon faisaient circuler des coupes de champagne sur des plateaux d'argent, tandis que de nouvelles personnes affluaient et que Gabriella, assise en haut de l'escalier, les épiait à travers les élégantes colonnettes de la balustrade.

Sa mère, superbe dans sa toilette de satin noir, accueillait les arrivants. Son père la secondait, très séduisant en smoking. Les robes des femmes chatoyaient sous la lumière du grand lustre, leurs bijoux brillaient de mille feux. Du salon parvenaient un brouhaha de voix, un air de musique... Avant, Eloïse et John recevaient beaucoup. Dernièrement, ils donnaient moins de réceptions mais de temps à autre, ils organisaient des fêtes somptueuses et alors, du haut de son poste d'observation, Gabriella guettait l'arrivée des invités, après quoi, étendue dans sa chambre, elle se laissait bercer par les rires et la musique.

Septembre se signalait par la reprise des mondanités new-yorkaises. Gabriella venait d'avoir sept ans mais la soirée n'avait rien à voir avec son anniversaire... La petite fille reconnut deux ou trois amis de ses parents.

Tous l'aimaient bien ; ils lui témoignaient de la gentillesse, les rares fois où ils la voyaient... Elle ne connaissait pas les autres... Ses parents ne la présentaient pas à leurs relations, ne parlaient pour ainsi dire jamais d'elle. Elle était là, tout simplement, cachée à l'étage, oubliée. Pour Eloïse, les enfants n'avaient aucune place dans l'univers des adultes... Quant à sa fille, elle n'avait pas de place tout court dans son existence. Lorsque, par hasard, on lui demandait des nouvelles de Gabriella, lors d'une sortie ou au club de bridge, elle balayait la question d'un gracieux revers de la main, comme l'on chasse un insecte nuisible. Il n'y avait aucune photo de Gabriella dans la maison. En revanche, des portraits encadrés de John et d'Eloïse agrémentaient le manteau de la cheminée, la console, les tables d'angle... On ne prenait jamais Gabriella en photo... Cela ne les intéressait pas de la voir grandir d'un cliché à l'autre.

Gabriella sourit en voyant entrer dans le hall une jolie dame blonde. Marianne Marks portait une robe de mousseline blanche, qui semblait flotter comme un nuage. Marianne comptait parmi les amis les plus proches de ses parents ; son mari était un collègue du père de Gabriella. Une rivière de diamants étincelait à son cou. D'un geste plein de grâce, elle prit une coupe de champagne sur le plateau d'un serveur. Soudain, comme si elle s'était sentie observée, elle leva les yeux. Elle aperçut Gabriella sur le palier et lui sourit. Son visage semblait inondé de lumière, un halo couronnait ses cheveux... Comme les fées dans les contes... Il s'agissait en fait d'un diadème de diamants...

— Gabriella ! Qu'est-ce que tu fais là-haut ?

La voix de Marianne, douce et chaude, retentit comme une divine mélodie aux oreilles de l'enfant, assise sur la plus haute marche, vêtue d'une chemise de nuit de pilou rose.

— Chut !

Gabriella porta l'index à ses lèvres d'un air inquiet.

S'ils savaient qu'elle était là, elle risquait de gros ennuis.

— Oh...

Marianne Marks comprit le message aussitôt, du moins le crut-elle. Elle gravit rapidement les marches, d'un pas ailé, juchée sur des sandales à talons de satin blanc. On eût dit qu'elle volait... Son mari, qui était resté en bas, souriait à l'attendrissant spectacle de sa femme enlaçant l'adorable petite fille.

— Alors, coquine ! Tu regardes les invités de tes parents ?

— Vous êtes si belle ! s'exclama Gabriella, pleine d'admiration.

Marianne Marks était le contraire de sa mère. Jolie, douce, blonde aux yeux bleus, comme Gabriella. Elle avait un sourire lumineux. C'était un être magique, se dit la petite fille, la dévorant du regard. Souvent, elle s'était demandé pourquoi ce n'était pas Marianne, sa maman. De l'âge d'Eloïse, elle n'avait pas d'enfants. Elle en parlait, parfois, avec tristesse. Peut-être y avait-il eu un malentendu au ciel, peut-être que Gabriella était destinée à Marianne mais qu'elle avait été envoyée à ses parents, par erreur... ou alors exprès, parce qu'elle était méchante et qu'elle devait être punie. On ne pouvait imaginer Marianne infligeant des punitions. Elle était si gentille, si tendre... surtout quand elle vous serrait dans ses bras et vous embrassait... Et elle sentait si bon ! Gabriella huma son parfum — elle détestait le parfum de sa mère.

— Allez, viens un peu au salon avec moi, dit Marianne, prête à soulever la petite fille dans ses bras.

Cette enfant éveillait ses instincts protecteurs et son affection... Marianne avait toujours envie de la toucher, de lui caresser les cheveux... Elle n'aurait pas su dire pourquoi... Peut-être à cause de sa fragilité car, de toute évidence, Gabriella était une petite créature vulnérable et, par là même, touchante. Marianne lui prit la main, une menotte glacée aux doigts frêles, qui s'agrippèrent aussitôt aux siens.

— Non, non, il ne faut pas. Maman se fâcherait très fort... Je devrais être au lit, murmura-t-elle.

Elle connaissait le danger qu'elle encourait pour avoir quitté sa chambre... Eloïse sanctionnait sans pitié toute velléité de désobéissance. Mais comme d'habitude, Gabriella n'avait pu résister à la tentation de regarder les élégants invités qui, peu à peu, remplissaient le hall, avant de disparaître dans le salon. Et ce soir-là, elle avait été récompensée, puisque Marianne était là.

— C'est une vraie couronne ?

A ses yeux d'enfant, la dame blonde incarnait la féerique marraine de Cendrillon. Marianne éclata de rire.

— Cela s'appelle un diadème, expliqua-t-elle.

Gabriella avait reçu des ordres stricts à son sujet. Elle devait l'appeler « tante Marianne » ou « Mme Marks ». Toute familiarité vis-à-vis des amis de ses parents, comme les appeler par leur prénom, était durement réprimée par Eloïse.

— Elle appartenait à ma grand-mère, reprit Marianne.

— C'était une reine ? demanda Gabriella d'une voix solennelle.

Ses grands yeux bleus, si touchants, la scrutaient.

— Oh, non. Ma grand-mère était une vieille dame excentrique de Boston. Mais elle a rencontré une fois la reine d'Angleterre... Ce soir-là, elle portait justement ce bijou. Je me suis dit qu'il serait amusant que je le porte, à mon tour, ce soir...

Ce disant, elle retira l'une après l'autre les épingles qui maintenaient le diadème en place et le posa d'un geste léger sur les boucles blondes de Gabriella.

— Te voilà petite princesse maintenant.

— Moi ? s'étonna Gabriella.

Comment se pouvait-il qu'elle ressemble à une princesse, elle, si méchante, si « rosse », selon les termes de sa mère ?

— Viens, tu vas voir comme tu es belle, lui susurra la jolie dame blonde.

Elle la prit par la main et l'attira vers le grand miroir d'époque qui agrémentait le palier. Les yeux écarquillés, Gabriella contempla son reflet. Elle se vit près de la dame blonde, qui posait sur elle un doux regard rieur, tandis que l'élégant petit diadème brillait sur sa tête.

— Oh... comme c'est beau... et comme vous êtes belle...

Il y avait ainsi de rares moments magiques dans son existence misérable. Gabriella sut que celui-ci en était un, qui se graverait à jamais dans son cœur. Pourquoi Marianne la traitait-elle avec autant de gentillesse ? Comment cela se faisait-il ? Et pourquoi la douce dame blonde était-elle si différente de la cruelle sorcière brune qui tourmentait Gabriella ? Insoluble mystère ! Enigme qui défiait son entendement... Tout ce qu'elle savait, c'était qu'elle n'avait rien fait pour mériter une mère comme la sienne.

Les mains délicates de Marianne reprirent le diadème et l'épinglèrent adroitement sur sa chevelure.

— Tu es une petite fille exceptionnelle, dit-elle, embrassant Gabriella sur le front. Tes parents ont de la chance.

La petite fille retint un cri. « Oh, non, ma bonne fée, vous ne diriez pas cela si vous saviez combien je suis méchante ! » Sa mère aurait certainement entrepris d'ouvrir les yeux à Marianne, si elle avait eu vent de leur conversation.

— Eh bien, je redescends maintenant. Le pauvre Robert m'attend.

Gabriella hocha sagement la tête. Les baisers de Marianne, sa caresse, ses mots gentils lui tiendraient compagnie. Jamais, tant qu'elle vivrait, elle n'oublierait cet instant. Ce présent que le ciel lui avait envoyé.

— Je voudrais tant vivre avec vous !

La phrase avait jailli spontanément, tandis qu'elles regagnaient le haut de l'escalier, main dans la main. Marianne la regarda. Quels propos bizarres dans la bouche d'une enfant ! Et plus particulièrement dans la bouche de Gabriella.

— Moi aussi, répondit-elle.

Soudain, elle détesta l'idée de laisser la petite fille seule sur sa marche. Elle crut déceler un immense chagrin dans les grands yeux bleus qui la fixaient, et elle en eut de la peine.

— Mais ta maman et ton papa seraient tristes, s'ils ne t'avaient pas.

— Non, ils ne seraient pas tristes.

Elle avait prononcé clairement chaque mot. Marianne fronça les sourcils. Sans doute, la petite fille en voulait-elle à ses parents pour une peccadille. Elle avait dû se faire gronder aujourd'hui, et elle boudait... Encore que, dans sa naïveté, Marianne ne voyait pas pour quelle raison ils auraient grondé ce petit ange.

— Je reviendrai te faire un petit coucou, d'accord ? Voudras-tu me faire visiter ta chambre ?

Une promesse était moins pénible qu'un simple au revoir. Une sensation de malaise s'immisçait dans l'esprit de Marianne. Les grands yeux bleus au regard suppliant lui déchiraient le cœur.

Gabriella secoua la tête, d'un air sage.

— Non, ne remontez pas, chuchota-t-elle.

Elle savait qu'elle paierait un lourd tribut pour ce bonheur fugitif si jamais sa mère venait à le découvrir. Eloïse ne supportait pas que ses amis adressent la parole à Gabriella. Elle deviendrait enragée si elle soupçonnait que sa fille avait reçu la visite de Marianne. Elle accuserait Gabriella d'ennuyer ses invités et sa fureur exploserait.

— Ils ne vous laisseront pas, ajouta-t-elle à mi-voix.

— Je verrai si je peux leur fausser compagnie... promit Marianne.

Elle se mit à descendre l'escalier, de sa démarche ailée. Par-dessus son épaule, elle souffla un dernier baiser en direction de Gabriella. A chacun de ses mouvements, sa robe voletait autour de son corps mince... A mi-chemin, elle s'arrêta pour jeter un ultime regard à la fillette, qui la suivait d'un regard triste.

— Je reviendrai, Gabriella... Je te le promets...

Submergée d'une inexplicable mélancolie, elle rejoignit son mari au bas de l'escalier. Robert Marks dégustait sa deuxième coupe de champagne ; il discutait avec un séduisant comte polonais, dont les yeux s'allumèrent dès qu'il vit Marianne. Du haut de sa cachette, Gabriella le regarda s'incliner sur la main tendue de la dame blonde, lui frôlant les doigts d'un baisemain. Oh, elle aurait voulu dégringoler les marches, s'accrocher à Marianne, implorer sa pitié, sa protection. Elle n'en fit rien, bien sûr... Comme si elle avait senti les yeux de l'enfant rivés sur elle, Marianne se retourna, fit un petit signe de la main à la minuscule silhouette, là-haut... Elle disparut ensuite du côté du salon où les autres invités s'amusaient, au bras de son époux. Celui-ci lui dit quelque chose à l'oreille, qui lui arracha un rire cristallin. Gabriella ferma les yeux comme pour mémoriser ce son mélodieux. Et pendant longtemps, assise sur la marche, appuyée à la balustrade, elle joua et rejoua la scène dans son esprit... Elle se revoyait coiffée du diadème, se remémorait l'expression tendre de Marianne, la délicieuse fragrance de son parfum...

Une heure s'écoula avant que les derniers invités n'arrivent. Gabriella restait à sa place, prostrée, silencieuse. Personne ne l'aperçut, personne ne songea même à lever la tête vers elle. Ils entraient, tout sourire, laissaient leurs manteaux au vestiaire, prenaient une coupe de champagne, entraient dans le salon. Ils devaient être une bonne centaine maintenant... L'idée ne viendrait pas à sa mère de monter vérifier si Gabriella se trouvait bien dans sa chambre. Elle devait supposer qu'elle était au lit. Si elle avait su que ses ordres avaient été transgressés, elle aurait sévi. Par chance, elle ignorait que sa méchante fille avait désobéi une fois de plus.

— Reste dans ton lit et ne bouge pas ! Je ne veux même pas t'entendre respirer ! avait été sa consigne.

Mais Gabriella ne s'était pas pliée aux volontés de sa mère. L'attirance que la réception exerçait sur elle était trop forte pour qu'elle réussisse à la surmonter. Si seulement elle avait pu se glisser dans la cuisine... Elle mourait de faim, quand les derniers invités apparurent. La table de cuisine, les comptoirs croulaient sous les friandises, pâtisseries, cakes, gâteaux au chocolat, cookies. Les plats disposés sur le buffet ne se comptaient plus : jambon glacé au whisky, rôtis de bœuf, dinde. Et du caviar à la louche, comme d'habitude... Gabriella n'appréciait pas le caviar. La seule fois où elle en avait goûté, elle avait trouvé que « ça sentait le poisson » et, de toute façon, sa mère lui interdisait d'en manger... Comme elle lui interdisait d'approcher les différents mets qu'elle commandait pour ses soirées. Gabriella aurait payé cher pour un petit cake, un éclair au café, une tartelette aux fraises ou un ou deux choux à la crème, ses préférés. Tout le monde avait été si occupé tout l'après-midi qu'on avait oublié son repas. Elle n'avait pas osé demander. Il ne fallait pas déranger sa mère quand elle se préparait. Eloïse avait passé des heures entières dans son dressing-room. Elle avait pris un long bain, s'était coiffée avec le plus grand soin, avait étalé son fond de teint sur son visage. Elle avait oublié jusqu'à l'existence de sa fille, ce qui, dans un certain sens, était une bonne chose. Mieux valait avoir faim que rappeler sa présence à Eloïse.

La musique jouait plus fort. Elle parvenait par vagues à la petite fille, terrée en haut de l'escalier. On dansait dans le vaste salon dont le centre avait été transformé en piste de danse. La bibliothèque, la salle de séjour débordaient de gens qui discutaient, qui riaient... Gabriella attendait, assise, immobile. De toutes ses forces, elle espérait revoir Marianne, qui ne revint pas. Elle avait probablement oublié. La petite fille était encore là, attendant, quand soudain, sa mère jaillit par la porte du salon dans le hall. Sans une ombre d'hésitation, elle leva le regard. A travers les branches de bronze doré du lustre, elle repéra aussitôt la petite silhouette en chemise de nuit rose. Le cœur de Gabriella cessa de battre. Elle sauta sur ses pieds, glissa sur la première marche, tomba lourdement. L'expression de sa mère ne laissait aucun doute sur ce qui allait suivre.

Sans un mot, Eloïse monta les marches aussi vite que si elle avait eu des ailes, de longues ailes noires, tel un messager de l'enfer. Son fourreau en moire mettait en valeur sa silhouette sculpturale. Tirés en chignon sur sa nuque, ses cheveux noirs brillaient. A ses oreilles scintillaient des diamants assortis à un collier au motif compliqué. Mais tandis que les diamants adoucissaient le visage de Marianne, chez la mère de Gabriella ils soulignaient les traits durs, anguleux. La terreur referma ses doigts glacés sur le cœur de l'enfant, qui voulut reculer.

— Qu'est-ce que tu fais là ? cracha Eloïse dans un chuchotement venimeux. Je t'ai dit de ne pas sortir de ta chambre.

— Pardon, maman... je...

Il n'y avait pas d'excuse. Rien ne pouvait racheter sa faute. Non seulement elle avait reçu Marianne Marks sur le palier mais elle avait eu l'audace d'essayer son diadème... Si sa mère savait cela... heureusement, elle l'ignorait.

— Pas de mensonges, Gabriella !

Eloïse harponna sa fille par le bras, qui en fut tout engourdi.

— Pas un mot ! siffla-t-elle, les dents serrées, tandis qu'elle la traînait vers le couloir, invisible aux regards de ses invités, qui jouissaient de son exquise hospitalité au rez-de-chaussée...

Ils auraient été choqués s'ils l'avaient vue... Ou entendue. Eloïse poursuivit dans un murmure fielleux :

— Au moindre bruit, je t'arrache le bras, sale petit monstre !

Et elle l'aurait fait, Gabriella n'avait aucun doute là-dessus. A sept ans, elle savait sa leçon... Eloïse mettait toujours ses sombres promesses à exécution... La torture était la seule chose pour laquelle on pouvait toujours compter sur elle.

Les pieds de Gabriella quittèrent le sol, tandis que sa mère l'entraînait vers sa chambre, la soulevant par le bras. La porte était ouverte ; elle poussa Gabriella à l'intérieur, où l'enfant atterrit lourdement avec un bruit sourd. Elle se tordit la cheville mais préféra souffrir en silence plutôt que d'émettre ne serait-ce qu'un soupir, et resta par terre, dans le noir.

— Maintenant tu restes ici. Tu ne bouges plus ! Je ne veux plus te voir hors de cette chambre, est-ce clair ? Si jamais tu désobéis, Gabriella, tu le regretteras. Compris ? Personne ne veut de toi... personne ne t'aime... les gens se fichent éperdument que tu sois assise ou non dans l'escalier comme une orpheline. Ils ne te plaignent pas... Les enfants n'ont rien à voir avec les adultes, il va falloir que tu te mettes cela dans la tête une fois pour toutes. Tu m'entends ?

Silence. La douleur irradiait la cheville de Gabriella, son bras la tiraillait, mais la peur et la fierté lui scellèrent la bouche.

— Réponds-moi !

La voix fendit l'obscurité. En elle vibrait une terrible menace. Si jamais elle s'approchait, elle saurait obtenir la réponse par des moyens plus efficaces.

— Je suis désolée, maman...

— Cesse de pleurnicher. Au lit, maintenant.

Eloïse sortit en claquant la porte... Elle ruminait encore ses griefs en regagnant le palier. A mesure qu'elle descendait l'escalier, son visage se transformait. Le souvenir de Gabriella, de ses pleurs silencieux, de son état pitoyable quand elle l'avait quittée s'évanouissait comme par magie. Arrivée au rez-de-chaussée, elle embrassa avec chaleur trois invités qui, leurs manteaux sur le bras, s'apprêtaient à repartir. Ensuite, elle retourna au salon où elle se mit à bavarder, à rire, à danser... Comme si Gabriella n'avait jamais existé...

En prenant congé, Marianne Marks pria la maîtresse de maison d'embrasser « la petite chérie » pour elle.

— Je lui ai promis de remonter la voir, mais le temps a passé... Elle doit dormir à l'heure qu'il est...

— Je l'espère ! répondit Eloïse d'une voix cassante. Pourquoi ? Vous l'avez vue ce soir ?

— Oui, avoua la belle dame blonde, oubliant les avertissements de la fillette auxquels elle n'avait accordé qu'une importance toute relative. (Il y avait un tas de choses qu'elle ignorait sur la mère de Gabriella.) Elle est vraiment adorable ! Elle était assise en haut de l'escalier, dans sa mignonne chemise de nuit rose... Je n'ai pas pu résister à l'envie d'aller l'embrasser, et nous avons bavardé un moment.

— J'en suis navrée, dit Eloïse, l'air ennuyé. Elle n'aurait pas dû faire cela.

Elle s'exprimait sur un ton d'excuse, comme si Gabriella s'était comportée de manière à faire honte à ses parents et, dans l'esprit d'Eloïse, elle avait, en effet, commis cette offense. Elle avait osé se montrer, ce qui, pour sa mère, constituait un délit impardonnable. Mais Marianne Marks ne pouvait le savoir.

— C'est ma faute, Eloïse. Je n'ai pas résisté à ses grands yeux si touchants. Elle voulait voir mon diadème et...

— J'espère que vous ne lui avez pas permis de le toucher.

Quelque chose dans le regard de la femme brune conseilla à Marianne de ne pas en dire plus... Et tandis qu'ils quittaient la résidence Harrison, elle se tourna vers son mari.

— Elle est terriblement dure avec cette enfant, tu ne trouves pas, Bob ? Tu l'as vue ? Elle était furieuse, comme si ce petit bout de chou avait risqué de me voler mon diadème si je le lui avais montré de trop près.

— Peut-être a-t-elle des principes quelque peu démodés en ce qui concerne l'éducation des enfants, concéda Robert Marks. Je crois qu'elle a eu peur que Gabriella t'ait embêtée.

— Comment le pourrait-elle ? protesta naïvement Marianne, alors que leur chauffeur les ramenait chez eux. Gabriella est un ange... si sérieuse... et si jolie... Elle a les yeux les plus tristes du monde. J'aurais voulu avoir une petite fille comme elle.

— Je sais, dit son mari en lui tapotant la main, avant de détourner le regard des yeux embués de sa femme.

Ils étaient mariés depuis neuf ans mais ils n'avaient pas pu avoir d'enfants. Cela avait été une profonde déception pour tous les deux, pour Marianne surtout, et Robert pensait qu'il était grand temps d'accepter leur infortune.

— Eloïse est dure avec John aussi, continua Marianne après un silence pendant lequel elle évoqua en pensée les enfants qu'ils n'auraient jamais et la jolie petite fille qu'elle avait embrassée ce soir.

— Qui ?

Perdu dans ses pensées, Robert avait sorti les Harrison de son esprit.

— Eloïse... John a dansé avec cette Anglaise... tu sais, la jeune femme que nous avons rencontrée à plusieurs reprises avec le prince Orlovski... Tu aurais vu Eloïse ! Toutes griffes dehors... On aurait dit qu'elle était prête à le tuer.

La situation analysée par Marianne fit naître un sourire amusé sur les lèvres de Robert.

— Je suppose que tu n'aurais pas cillé, si c'était moi qui avais dansé avec elle ? dit-il, le sourcil levé, arrachant un rire à sa femme. Elle était à peine vêtue !

L'Anglaise s'était pavanée toute la soirée dans une robe en soie couleur chair qui la moulait comme une deuxième peau. Il ne fallait pas avoir beaucoup d'imagination pour se la figurer entièrement nue. Elle appartenait à cette catégorie de femmes qui ne laissent aucun homme indifférent, et John Harrison l'avait appréciée, tout autant que ses invités.

— Oui, on ne peut pas jeter la pierre à Eloïse, admit Marianne, après quoi elle fixa son mari avec son expression la plus candide. Et tu l'as trouvée jolie, toi aussi, mon chéri ?

Il éclata de rire, tandis que la voiture s'arrêtait devant leur domicile, 79e Rue Est.

— Oh, non, miss Marianne ! Je l'ai trouvée épouvantable ! D'une rare vulgarité... Une tête de harpie... Je me demande comment elle a osé se présenter dans cette tenue ridicule. Décidément, Orlovski est tombé sur la tête pour emmener cette horreur chez ses amis.

Ils éclatèrent de rire. L'humour de Robert constituait une preuve de plus de leur complicité. Tous deux savaient que la maîtresse du prince était une beauté étourdissante et que, de plus, elle était loin de manquer d'esprit. Or Robert n'avait d'yeux que pour sa femme. Il l'adorait. Tout ce qui l'intéressait pour l'instant était de se retrouver seul avec elle... Le reste, y compris la ravissante maîtresse du prince Orlovski, le laissait de marbre.

Il n'en allait pas de même pour John Harrison. Celui-ci était engagé dans une conversation similaire, quoique bien plus tendue, avec Eloïse, dans leur chambre.

— Non mais pourquoi ne lui as-tu pas carrément enlevé sa robe ? demanda platement Eloïse.

Il avait dansé à plusieurs reprises avec la très controversée maîtresse du prince russe. Leur façon de s'enlacer, les figures lascives qu'ils avaient exécutées n'avaient pas échappé au prince et encore moins à Eloïse.

— Pour l'amour du ciel ! J'ai été poli, voilà tout. Elle a bu pas mal...

— Et visiblement, cela t'arrangeait, coupa-t-elle d'une voix acerbe. Je suppose que lorsque la bretelle de sa robe a glissé et que tout le monde a pu admirer son sein, c'était par hasard qu'au même moment tu lui faisais du bouche-à-bouche.

Elle arpentait la pièce, une cigarette entre les doigts, presque aussi ivre que lui d'ailleurs.

— Tu exagères ! Nous dansions, sans plus.

— Sans plus ? Qu'est-ce qu'il te faut ! Tu as failli faire l'amour avec elle sur la piste de danse, tu veux dire ! Tu m'as humiliée devant nos amis...

Oh, elle se vengerait. Elle le punirait.

— Si tu acceptais de faire l'amour avec moi de temps à autre, je n'aurais pas eu envie d'inviter à danser une parfaite inconnue.

Mais faire l'amour supposait un minimum d'attirance. De tendresse. Il n'éprouvait plus ni l'une ni l'autre. Comment aurait-il pu serrer Eloïse dans ses bras après l'avoir vue frapper aussi durement Gabriella ? Les deux époux se faisaient face. Ils parlaient fort mais pour une fois, leur fille ne les entendait pas. Elle dormait à poings fermés dans sa petite chambre. Il était deux heures du matin quand les derniers invités avaient pris congé... Il était près de trois heures maintenant. La dispute avait éclaté dès que les parents de Gabriella étaient restés seuls. Le ton n'avait cessé de monter.

— Tu me dégoûtes ! lança Eloïse.

Elle s'était approchée de lui et le toisait du regard. Tous deux étaient furieux. La vérité était que John aurait volontiers séduit la petite amie du prince Orlovski. Et rien ne laissait présager qu'il n'essaierait pas encore. Son respect, sa fidélité à l'égard d'Eloïse s'étaient volatilisés depuis des lustres. Sa cruauté vis-à-vis de leur enfant, sa froideur vis-à-vis de lui l'avaient éloigné de celle que, jadis, il avait adorée. John estimait qu'il nc lui devait plus rien.

— Tu es un fumier qui s'est entiché d'une putain !

Elle s'efforçait de le blesser, de l'humilier, mais il y avait longtemps qu'il avait cessé de tenir compte de ce qu'elle pensait de lui. Il la détestait, et elle en avait conscience.

— Et toi, Eloïse, tu n'es qu'une garce. Ce n'est plus un secret pour personne. Il n'existe pas un seul homme dans cette ville qui voudrait de toi.

Elle leva la main et le gifla de toutes ses forces, presque aussi fort que s'il se fût agi de leur fille.

— Ne dépense pas ton énergie, je ne suis pas Gabriella, cria-t-il.

Furieux, il la poussa ; elle perdit l'équilibre, tomba à la renverse sur une chaise, qui s'effondra. Elle rampait par terre en essayant de se relever quand il sortit de la pièce en claquant violemment la porte. Sans un regard en arrière. Sans un mot. L'espace d'une seconde démentielle, il souhaita lui avoir fait mal... aussi mal qu'elle leur avait fait, à lui et à leur petite fille. Il ignorait où il irait. A cette heure-ci, la belle Anglaise devait pargager le lit d'Orlovski, il ne pouvait donc lui rendre visite, bien qu'il connût son adresse. Mais il y en avait d'autres... beaucoup d'autres... des professionnelles... des femmes mariées qui ne demandaient pas mieux que de passer un agréable après-midi avec lui, des célibataires qui le dorlotaient dans l'espoir qu'un jour il quitterait Eloïse... Des femmes avec lesquelles il pouvait se permettre de boire jusqu'à plus soif, sans subir leurs reproches... Il n'hésitait pas à tromper Eloïse dès que l'occasion se présentait. Pourquoi se priverait-il ?

Il descendit les marches, sortit, héla un taxi.

Eloïse se dirigea à cloche-pied vers la fenêtre — elle avait perdu une chaussure. Elle suivit du regard le taxi qui disparut dans la nuit. Pas une ombre de tristesse ne passa dans ses yeux, aucun remords ne vint la tourmenter. Elle ne regretta aucune de ses paroles... Son visage n'était plus qu'un masque exprimant le ressentiment, la haine, la colère. En tombant, elle s'était cogné la hanche et maintenant sa fureur ne demandait qu'à exploser. Elle ne connaissait qu'un seul endroit où elle pourrait donner libre cours à sa vengeance. D'un geste rageur, elle retira l'autre chaussure, l'envoya contre le mur, puis sortit de la pièce, pieds nus. Les yeux fixes, elle longea le couloir en direction de la porte familière qu'elle ouvrit d'une poussée. Elle pénétra dans la petite chambre obscure obnubilée par une seule pensée : punir John à son tour.

Elle appuya sur le commutateur. Lorsque la lumière électrique se répandit dans la pièce, elle arracha les couvertures du petit lit. La petite chipie était là, enfouie sous les draps, aussi odieuse et répugnante que son père... Aussi dégoûtante que lui. Eloïse la détestait de toutes les fibres de son être. Elle regarda la silhouette menue vêtue de rose, roulée en boule du côté du pied du lit, sa poupée dans les bras... l'horrible poupée que la mère de John lui avait offerte et qu'elle trimballait partout... Aveuglée par la rage, Eloïse attrapa le jouet et le fracassa contre le mur... La tête de la poupée éclata en mille morceaux. Réveillée brutalement, Gabriella aperçut sa mère, comme dans un éblouissement.

— Maman, non ! Oh, non ! Pas Meredith ! Je t'en supplie...

Elle éclata en sanglots, tandis que sa mère piétinait la poupée avant de tourner sa fureur contre sa propre fille.

— Ce n'est qu'un objet stupide... et toi, tu es un affreux petit monstre... tu as fait en sorte que Marianne monte te voir ce soir, hein ? Et qu'est-ce que tu lui as dit, à Marianne ? Tu t'es mise à pleurnicher ? Ou lui as-tu avoué que tu ne méritais pas mieux que des fessées, parce que tu es une garce, une traînée, et que Papa et moi te détestons parce que tu nous crées des ennuis ? Tu lui as dit, à Marianne, que nous étions obligés de te punir de ta méchanceté ? Allez, parle ! Parle ! PARLE !

Mais Gabriella ne pouvait plus répondre. Des cris avaient remplacé ses sanglots. Sa mère avait commencé par taper avec le corps démantelé de la poupée, puis elle avait continué avec les poings. Elle cognait et martelait comme une forcenée le petit corps sans défense. Le torse, la tête, les côtes. Elle tira les cheveux de Gabriella, en arrachant presque une touffe, l'empoigna, la secoua et la gifla jusqu'à lui couper le souffle. Les coups se succédaient, interminables, implacables, avec une rare violence. Toute sa hargne contre John, l'humiliation qu'elle avait éprouvée quand il était parti, après l'épisode de l'Anglaise, se déchaînaient contre leur enfant. Etourdie par cette avalanche de brutalité, Gabriella ne se demanda pas ce qu'elle avait pu faire pour mériter cela. A ceci près qu'au fond de son subconscient, elle savait que sa méchanceté naturelle lui avait sans doute valu le ressentiment de sa mère.

Elle était presque inconsciente quand les coups cessèrent. Il y avait du sang sur sa tête et, comme une lame de couteau, la douleur la transperçait à chaque respiration. Elle avait deux côtes cassées, bien que personne ne le sache encore. L'air ne passait plus dans ses poumons, elle n'arrivait pas à bouger, et elle éprouvait un besoin pressant. Si elle se soulageait dans le lit, sa mère la tuerait pour de bon. Les restes de sa poupée avaient disparu. Eloïse les avait ramassés et les avait jetés dans la corbeille avant de quitter la petite chambre, épuisée, rassasiée. Sa fureur contre John s'était apaisée... Elle avait nourri le monstre tapi en elle. Le monstre qui avait dévoré, mâché, broyé Gabriella avant de la recracher sur le lit étroit où elle gisait, inerte. Demain les bleus sur sa peau seraient pires que jamais. C'était la première fois que sa mère lui brisait les os et, terrifiée, la petite fille se doutait que ce ne serait pas la dernière.

Gabriella demeura sur le lit, immobile, après le

départ de sa mère. Elle ne pleurait pas, car cela faisait trop mal. Elle se mit à trembler violemment de tous ses membres. Un froid mortel l'enveloppait. Ses lèvres avaient enflé et il n'y avait pas une seule partie de son corps qui ne la fasse souffrir atrocement. Et toujours ce déchirement terrible, dès qu'elle essayait de respirer ! Elle se dit qu'elle mourrait peut-être cette nuit-là... mais auprès de ce qu'était sa vie, la mort lui apparaissait comme une douce délivrance. Pourquoi continuer à vivre ? Pour qui ? Il n'y avait plus rien, plus personne. Sa poupée était morte. Et un jour, elle subirait le même sort que Meredith, entre les mains de sa mère. Ce n'était plus qu'une question de temps...

Eloïse s'endormit dans sa toilette de satin, trop fatiguée pour se déshabiller. Et Gabriella resta étendue dans son sang en attendant que l'ange de la mort vienne la chercher. Elle s'efforça de penser à la dame blonde, aux doux instants qu'elles avaient partagés quelques heures plus tôt, mais en vain. Les souvenirs se dérobaient. Seules la souffrance et la haine pour sa mère remplissaient son esprit. Oui, une haine si profonde, si impétueuse, qu'elle effaçait tout le reste, rendant la douleur presque supportable. Et tandis que Gabriella gisait sur son lit, au même moment, son père se trouvait dans les bras d'une ravissante Italienne, une jeune prostituée qu'il allait fréquemment retrouver au Lower East Side. Gabriella ignorait où il était, tout comme Eloïse, et de toute façon, ni l'une ni l'autre ne se posa la question. Eloïse se fichait éperdument de savoir où son mari passait la nuit. « En enfer ! » pensa-t-elle méchamment, et de toute façon, elle comptait bien lui mener une vie d'enfer quand il reviendrait... Gabriella, elle, savait que, où qu'il soit, il serait incapable de la sauver. Il n'essaierait même pas. Elle était seule au monde, sans sauveur, sans amis, sans même sa poupée. Elle n'avait plus rien. Personne. Et tandis qu'elle n'osait remuer, terrassée par la douleur, elle sentit son urine couler et sut avec une certitude absolue que le lendemain, lorsque sa mère s'en rendrait compte, elle la tuerait. Mais l'enfant accueillit cette idée sereinement. Ce serait une façon comme une autre de ne plus souffrir. Elle se demanda ensuite comment ce coup de grâce arriverait, si la douleur serait plus forte, ou si elle n'aurait plus mal du tout... et alors qu'elle y réfléchissait et qu'elle souhaitait mourir, elle glissa peu à peu dans une bienfaisante obscurité, noire comme de l'encre.

3

La porte de la maison se referma doucement sur la 69e Rue, peu après huit heures du matin, le lendemain de la réception. John Harrison gravit lentement les marches de l'escalier. Il marqua une brève pause devant la chambre de Gabriella, qui était probablement réveillée à cette heure-là. Mais lorsqu'il jeta un coup d'œil à l'intérieur, elle ne bougeait pas. Ses yeux étaient fermés ; elle était étendue sur le dos, au-dessus de la couverture, ce qu'il interpréta comme un bon signe. Au lieu de se cacher, de se rouler en boule, elle avait préféré se coucher à découvert. Cela voulait dire, sans doute, que sa mère ne l'avait pas importunée... Après leur querelle, Eloïse avait dû s'endormir. Elle avait trop bu pour songer à perdre du temps avec Gabriella. Du moins, pour une fois, l'enfant n'avait pas été punie pour les péchés de son père. Voilà ce qu'il pensa tout en se dirigeant vers la chambre conjugale.

En effet, Eloïse dormait à poings fermés. Elle portait encore sa robe du soir et son collier de diamants. Ses boucles d'oreilles gisaient sur l'oreiller. Elle ne remua pas lorsqu'il se glissa entre les draps, à son côté. Il la connaissait suffisamment pour présumer de la suite : quand elle se réveillerait, elle ne ferait pas mention du départ précipité de son mari. Elle n'en parlait jamais ou très rarement... Elle se contentait de lui battre froid, de garder ses distances pendant un jour ou deux, puis une fois le combat terminé, la vie reprenait comme si de rien n'était... Mais elle n'oubliait rien. Et ses reproches muets contre lui ne faisaient que croître.

Comme il l'avait prévu, Eloïse se réveilla à dix heures. Elle s'étira paresseusement et jeta à John un regard dépourvu de surprise. Il somnolait encore, cherchant à rattraper la nuit sans sommeil qu'il avait passée dans l'appartement de Lower East Side. Il possédait plusieurs adresses comme celle-ci, qu'Eloïse ignorait. Si elle avait des soupçons, elle n'avait jamais posé la moindre question.

Elle se leva, laissa ses bijoux sur la coiffeuse. Sans un mot, elle disparut dans sa salle de bains personnelle. Elle se rappelait parfaitement ce qui s'était produit dans la nuit, surtout la deuxième partie, après le départ de John. Mais à quoi bon en parler ? Cela ne méritait aucun commentaire.

Gabriella était toujours dans sa chambre lorsque Eloïse descendit au rez-de-chaussée où elle prépara le petit déjeuner. Les employés du traiteur avaient nettoyé et rangé la cuisine et aujourd'hui, dimanche, c'était le jour de congé de la gouvernante. Tranquille, effacée, celle-ci travaillait pour les Harrison depuis des années. Elle n'aimait pas beaucoup la maîtresse de maison, à qui elle témoignait, néanmoins, une extrême politesse. Eloïse n'en demandait pas plus. L'important, c'était qu'on ne se mêle pas de ses affaires. Et tout en désapprouvant la façon dont elle inculquait la discipline à Gabriella, la gouvernante n'avait jamais soufflé mot.

Eloïse remplit un pot de café, s'assit à table et déplia le journal. Elle était en train de le parcourir, sirotant à petites gorgées son café dans une tasse en porcelaine de Limoges, quand John apparut.

— Où est Gabriella ? Encore au lit ?

— Elle s'est couchée tard, hier soir, répondit Eloïse d'une voix glaciale, sans lever le regard de sa lecture.

— Tu veux que j'aille la réveiller ?

Elle répondit par un haussement d'épaules. Il se servit à son tour une tasse de café et se plongea dans la rubrique financière du *Sunday Times* que sa femme ne lisait jamais... Une demi-heure passa avant qu'il ne remarque de nouveau l'absence de Gabriella.

— Tu crois qu'elle est malade ?

Il affichait un air inquiet. Mais pas un instant il ne soupçonna la vérité. Il aurait dû, pourtant. Oui, il aurait dû comprendre qu'Eloïse se vengeait sur la petite fille chaque fois qu'il quittait la maison à une heure indue, après une dispute. Mais, comme à l'accoutumée, il préféra ne rien savoir. Il était environ onze heures lorsqu'il monta finalement à l'étage.

Il la trouva dans sa petite chambre. Elle avait entrepris de changer les draps et se déplaçait difficilement, avec une sorte de maladresse douloureuse. Mais là encore, il ne parut pas s'en apercevoir.

— Tu vas bien, ma chérie ?

Elle opina lentement, les paupières gonflées de larmes contenues. Elle pensait à Meredith avec l'impression que quelqu'un était mort. Et c'était vrai. Sa poupée était morte, et elle aussi, lui semblait-il. Sa mère lui avait administré la plus sévère correction de sa vie. Les sévices qu'elle avait subis hier soir avaient tué en elle tout espoir de survie. Elle ne pouvait s'attendre qu'au pire. Un jour ou l'autre sa mère achèverait son œuvre destructrice. Gabriella ne se faisait plus d'illusion là-dessus. Ses rêves étaient réduits à néant, il ne lui restait plus que le chagrin, cette douleur aiguë au côté, et le souvenir affreux de la poupée sauvagement cognée à coups répétés contre le mur... Sa mère aurait bien voulu que Gabriella fût à la place du jouet, mais elle n'avait pas osé lui briser le crâne... enfin, pas encore.

— Tu veux que je t'aide ?

John offrit de remettre la couverture sur le lit mais sa fille secoua la tête. Elle ne savait que trop bien ce qu'elle encourait si sa mère les voyait. Elle l'accuserait de « pleurnicher », de « manipuler » son père, d'essayer de « se le mettre dans la poche »...

— Tu ne viens pas déjeuner ?

La vérité était que Gabriella n'avait nulle envie de voir sa mère. Elle n'avait pas faim. Peut-être même n'aurait-elle plus jamais faim. Et de toute façon, cela lui était égal de ne plus manger. Rien n'existait plus à présent, en dehors de la douleur. Chaque fois qu'elle respirait, une flamme la brûlait, un poignard s'enfonçait dans sa cage thoracique. Elle aurait du mal à descendre l'escalier, à s'asseoir à table près d'Eloïse, à avaler quoi que ce soit.

— Non, merci, papa. Je n'ai pas faim.

Ses yeux semblaient plus immenses, plus tristes que d'habitude. « Elle a l'air fatiguée », se dit-il, refusant de regarder la réalité en face : l'étrange lenteur de ses mouvements, le sang coagulé sur ses cheveux, sa lèvre inférieure enflée. A ce sujet, il se racontait toujours des histoires, depuis le début.

— Allez, viens. Je vais te préparer des pancakes, dit-il d'une voix douce, comme s'il avait quelque chose à se faire pardonner.

Il ne poursuivit pas. S'il s'autorisait à comprendre que sa fille avait été battue une fois de plus, il se sentirait trop coupable. Il avança de quelques pas dans la pièce. Gabriella portait un sweater par-dessus sa robe, observa-t-il. C'était signe qu'elle avait les bras couverts de bleus — un signe qu'il reconnaissait toujours. Même à sept ans, Gabriella s'ingéniait à se couvrir, afin de ne pas offenser ses parents en exposant aux yeux des autres les preuves de « sa méchanceté ». Son père se garda bien de lui demander si elle avait froid ou pourquoi elle avait mis le sweater. Parfois, elle enfilait une chemise à manches longues ou elle se couvrait d'un châle à la plage, pour les mêmes raisons. John ne lui posait pas de questions. Il s'agissait d'une sorte d'accord tacite entre eux.

— Où est Meredith ? demanda-t-il.

Il avait remarqué soudain que la poupée n'était plus là.

— Partie, murmura Gabriella, les yeux baissés, s'efforçant de retenir ses larmes.

Le son horrible de la poupée qui se brisait contre le mur lui emplit les oreilles... Un bruit que jamais elle n'oublierait, un spectacle qu'elle ne pardonnerait pas à sa mère, jusqu'à la fin de ses jours. Meredith avait été son bébé.

— Qu'est-ce que ça veut dire ? interrogea John innocemment.

Il s'interrompit, recula d'un pas, trop mal à l'aise pour continuer.

— Il faut que tu manges quelque chose, ma chérie. Dans une heure, nous irons à la messe... Nous avons tout notre temps, ajouta-t-il plaisamment.

Là-dessus il se hâta de regagner le rez-de-chaussée. Il dégringola les marches, soulagé d'avoir échappé au regard intense de sa fille, à son insondable tristesse. Il était sûr maintenant que quelque chose s'était produit en son absence mais ne voulait pas le savoir. Surtout pas de détails. Aujourd'hui était un jour comme un autre. John Harrison ne voulait rien voir, rien entendre à moins qu'il ne fût forcé d'assister aux mauvais traitements subis par sa fille, et même alors, il n'intervenait pas.

Gabriella descendit l'escalier lentement, prudemment, une marche après l'autre. Elle s'accrochait à la rampe, haletante. Sa cheville l'élançait, ses bras, sa tête lui faisaient mal, la douleur de ses côtes brisées irradiait dans tout son corps. Silencieuse, elle se glissa à sa place, à la table de cuisine. Elle avait enfoui les draps souillés dans le panier à linge après les avoir soigneusement rincés. Le lit était changé, propre. La petite fille avait une chance que sa mère ne découvre pas son « accident » de la nuit précédente. Oh, elle l'espérait de toutes ses forces.

— C'est à cette heure-ci que tu te lèves ? dit Eloïse sans même lever les yeux de son journal.

— Je te demande pardon, maman, murmura Gabriella.

Parler intensifiait singulièrement la douleur qui la submergeait.

— Si tu as faim, tu n'as qu'à te servir un verre de lait. Fais-toi un toast.

La petite fille hocha la tête sans bouger. Elle avait trop mal. Son père se leva. Peu après il posa devant Gabriella un petit déjeuner. Eloïse baissa le journal d'un air furibond.

— Tu la gâtes trop ! Pourquoi la sers-tu, maintenant ?

Elle le fusilla d'un regard plein de reproches qui n'avaient pas grand-chose à voir avec le petit déjeuner de Gabriella. Mais ses griefs finissaient toujours par se retourner contre sa fille... Elle ne supportait pas que John soit gentil avec l'enfant.

— C'est dimanche, dit-il, comme si cela pouvait répondre à la question de sa femme. Désires-tu une autre tasse de café ?

— Non, merci, rétorqua-t-elle d'une voix cassante. Je dois m'habiller pour l'église... Et toi aussi, ajouta-t-elle, furieuse, à l'adresse de Gabriella.

Celle-ci frissonna. Se changer, ôter ses vêtements pour en passer d'autres, raviverait l'insoutenable douleur. Elle refoula une impérieuse envie de pleurer.

— Tu mettras ta robe à smocks et le chandail assorti.

Les indications étaient on ne peut plus claires. A l'évidence, le moindre écart serait sanctionné sans pitié.

— Reste dans ta chambre jusqu'à ce que nous soyons prêts à partir. Et essaie de rester propre, pour une fois.

Gabriella acquiesça. L'instant suivant, elle quittait la pièce, comme une ombre. Elle n'avait pas pris son déjeuner car il lui faudrait davantage de temps aujourd'hui pour exécuter les ordres de sa mère. Son père la suivit du regard, sans desserrer les lèvres. La complicité du silence était toujours de rigueur entre ses parents.

Gravir les marches fut plus pénible encore que les descendre. Gabriella réussit à se traîner jusque dans sa chambre. Elle ouvrit la porte de la penderie, en extirpa la robe exigée par sa mère. La trouver avait été facile. La passer constitua une rude épreuve qui dura une heure entière. Chaque mouvement qu'elle esquissait la faisait tressaillir, mais elle s'obligea à aller jusqu'au bout. Des larmes jaillissaient de ses yeux. Elle les essuyait et continuait... Enfiler le chandail fut un véritable calvaire. Pourtant, Gabriella était assise sur son lit, habillée, quand son père vint la chercher. De nouveau l'escalier. Elle retint son souffle et suivit John docilement. Dans sa robe à smocks rose, avec le chandail, les petits souliers vernis et les socquettes blanches, Gabriella ressemblait à un adorable petit ange.

— Oh, mon Dieu, avec quoi t'es-tu coiffée ? Avec un couteau et une fourchette ? l'apostropha sa mère dès qu'elle la vit.

Ce fut à peine si un soupir franchit les lèvres closes de Gabriella. La douleur avait fulguré lorsqu'elle avait voulu lever les bras pour se coiffer. Elle avait abandonné, espérant naïvement que sa mère ne le remarquerait pas.

— J'ai oublié, marmonna-t-elle.

Du moins, sa mère ne pouvait pas l'accuser de mentir.

— Monte immédiatement dans ta chambre et brosse-toi les cheveux. Mets aussi ton ruban de satin rose.

Oh, non ! Des larmes emplirent les yeux de Gabriella. Pour une fois, son père vint à la rescousse. Il sortit un peigne de sa poche de poitrine et le passa lui-même dans les boucles soyeuses de l'enfant. En une seconde, elle fut présentable... Le sang avait séché sur ses cheveux mais il feignit de ne pas le voir.

— Elle n'a pas besoin de ruban, déclara-t-il à sa femme.

Gabriella le regarda, le cœur gonflé de gratitude. Dans son costume sombre égayé d'une chemise blanche et d'une cravate à rayures bleues et rouges, il paraissait plus séduisant que jamais. La mère de Gabriella portait un tailleur de lainage gris à col de fourrure, un élégant bibi à voilette, des gants d'un blanc immaculé. Ses chaussures étaient en daim noir, et elle tenait avec une grâce infinie un sac en croco, noir également. Elle ressemblait à un de ces mannequins que l'on voit sur les couvertures glacées des revues de mode... Sans son expression coléreuse, sa beauté aurait été resplendissante... Bizarrement, elle ne se disputa pas avec John au sujet du ruban. Sans doute avait-elle jugé que cela n'en valait pas la peine.

Ils arrivèrent juste à temps à l'église, en taxi. La messe venait de commencer. Ils prirent place sur un banc. Gabriella était assise entre ses parents. Cela voulait dire qu'elle devait se tenir sur ses gardes car, chaque fois que son comportement déplaisait à sa mère, celle-ci lui pinçait cruellement le bras ou la cuisse.

La petite fille demeura donc parfaitement immobile... en dépit de la douleur atroce qui la brûlait à chaque respiration. Elle suivit le service, hébétée, prostrée, comme une petite malade à l'agonie. Sa mère, les yeux fermés, semblait prier avec ferveur. De temps à autre, elle laissait filtrer entre ses paupières mi-closes un regard vers Gabriella. Mais elle ne put rien surprendre, rien déceler. La petite fille se tenait droite, figée, retenant son souffle.

Après la messe, elle suivit ses parents sur le parvis où ils échangèrent des salutations avec des amis. Certains exprimèrent leur admiration pour la beauté de Gabriella. Eloïse fit la sourde oreille. Elle ignorait les compliments qui s'adressaient à sa fille. Chaque fois que Gabriella était présentée à quelqu'un, elle devait lui serrer la main en ébauchant une révérence. Elle le fit, ce qui lui causa de nouvelles souffrances mais, de toute façon, elle n'avait pas le choix.

— Quelle petite fille sage ! s'exclama quelqu'un. Elle est parfaite.

John approuva de la tête tandis qu'Eloïse ne parut pas entendre. La perfection était ce vers quoi elle tendait pour Gabriella et aujourd'hui, il était vrai que la petite fille faisait de son mieux pour correspondre à cette image idéale.

L'enfant crut qu'une éternité s'était écoulée avant qu'ils ne repartent. Ils allèrent au Plaza. Le restaurant du luxueux hôtel bourdonnait de rires, de voix et du son cristallin des verres, sur un fond de musique. Des canapés variés s'alignaient sur d'élégants plateaux d'argent. Le père de Gabriella lui commanda une tasse de chocolat, qui arriva accompagnée d'un pot de crème fouettée. Les yeux de l'enfant se mirent à briller mais à ce moment-là, sa mère repoussa le pot à l'autre bout de la table.

— Pas de ça, Gabriella. Ce n'est pas sain. Il n'y a rien de plus laid que les enfants obèses !

Gabriella ne risquait pas de grossir, tous les trois le savaient. Elle rappelait plutôt un de ces petits Hongrois sous-alimentés dont sa mère lui rebattait les oreilles lorsqu'elle n'arrivait pas à terminer son repas. Gabriella baissa la tête. Elle avait conscience mieux que quiconque qu'elle ne méritait pas la crème fouettée. La nuit précédente, elle avait rendu sa mère furieuse... Aucun doute ne subsistait dans son esprit : tout ce qui lui arrivait, c'était par sa faute, même si elle ne parvenait pas toujours à bien le comprendre.

Ils restèrent au Plaza tout l'après midi. Ses parents saluaient leurs relations, s'amusaient à observer des inconnus. Normalement, Gabriella aurait apprécié cet endroit feutré, mais pas aujourd'hui. Elle avait trop mal. Lorsque ses parents se levèrent pour s'en aller, elle se sentit soulagée. Son père sortit le premier, à la recherche d'un taxi. Gabriella resta en arrière. Elle avançait lentement derrière sa mère qui traversa d'une démarche distinguée le hall de l'hôtel. Comme d'habitude, tandis qu'elle passait, toutes les têtes se tournèrent vers elle. Gabriella la scruta, avec une admiration mitigée de ressentiment. Puisqu'elle était si belle, pourquoi ne se montrait-elle pas plus gentille ? Il s'agissait d'un mystère dont elle n'aurait jamais la solution... Une de ces énigmes qui restent à jamais sans réponse... Plongée dans ses réflexions, elle trébucha sur le perron de l'hôtel et son soulier heurta le talon de la chaussure en daim noir de sa mère. Un frisson glacé la parcourut. Elle se figea, morte de peur. La réaction d'Eloïse fut immédiate. En se retournant, elle foudroya Gabriella d'un regard méprisant. Son doigt pointa vers sa chaussure et une expression outragée se peignit sur son visage.

— Arrange-moi ça ! ordonna-t-elle dans un chuchotement traînant, qui sonna aux oreilles de Gabriella comme la voix du diable en personne.

La petite fille jeta alentour un coup d'œil affolé. Sa mère continuait à montrer sa chaussure d'un geste impérieux et, comme d'habitude, personne ne semblait rien remarquer d'anormal.

— Pardon, maman.

Ses yeux n'étaient plus que deux lacs de regrets et de chagrin.

— Je t'ai dit de m'arranger cela tout de suite ! répéta sa mère.

Gabriella n'avait rien pour nettoyer le daim noir, à part ses doigts. Elle s'agenouilla et se mit à frotter frénétiquement l'escarpin afin d'éliminer la tache de poussière. A un moment donné, elle pensa utiliser le bas de sa robe... ou la manche de son chandail... mais elle n'osa pas, de crainte de s'attirer de nouvelles foudres. Alors, elle se contenta de frotter, de frotter, avec ses petits doigts gourds. La poussière disparut mais Eloïse refusa de l'admettre. Elle obligea Gabriella à recommencer, encore et encore, à genoux sur le trottoir, devant l'hôtel.

— Lève-toi, maintenant. Et ne t'avise pas de recommencer ! Compris ? dit-elle durement.

Gabriella remercia le ciel de l'avoir aidée à venir à bout de la tache. Sinon, elle aurait été battue une fois de plus. Encore que, savait-on jamais ? La journée était loin d'être terminée.

Ils rentrèrent tous les trois à la maison en taxi. La douleur qui torturait Gabriella devenait de plus en plus insupportable. Elle était blanche comme un linge, ses mains tremblaient. Elle les joignit sur ses genoux, afin que sa mère ne s'en aperçoive pas. Bizarrement, le stratagème fonctionna. Pour une raison inconnue, Eloïse semblait de bonne humeur. Sans aller jusqu'à accorder de l'intérêt à sa fille, elle témoignait une gentillesse à peine croyable à son mari. Cependant, elle ne lui présenta pas d'excuses. Elle ne s'excusait jamais... Et, selon elle, la responsabilité de leur querelle de la nuit passée incombait entièrement à John. Elle n'y était pour rien. En conséquence, elle ne lui devait aucune explication.

Dès qu'ils arrivèrent, elle envoya Gabriella dans sa chambre. Elle détestait sa présence ; la voir errer dans la maison sans raison apparente l'exaspérait. Elle préférait la savoir dans un espace confiné, assise sur une chaise, à attendre son bon vouloir. Gabriella s'exécuta. Elle avait hâte de se mettre à l'abri. Elle monta dans sa chambre où elle resta un long moment. Ses côtes cassées lui faisaient si mal qu'elle aurait obéi à n'importe quel ordre. Mais ses pensées se tournaient sans cesse vers Meredith, la poupée que sa mère avait brisée en mille morceaux. Meredith manquait à Gabriella. Elle avait été sa seule amie, sa confidente, son âme sœur. Et maintenant, Gabriella n'avait plus personne au monde.

Tandis qu'elle se remémorait les tristes événements de la veille, des rires lui parvinrent du couloir, devant sa porte. Ses parents plaisantaient, s'aperçut-elle, étonnée. Sa mère ne riait que très rarement. Mais elle émit un nouveau rire, un gloussement de jeune fille. Les voix s'éloignèrent, puis la porte de leur chambre se referma lourdement. Gabriella fronça les sourcils. Elle n'avait aucune idée de ce qui se passait et se demanda avec angoisse s'ils n'étaient pas de nouveau en train de s'affronter. Non, cela n'en avait pas l'air. Ils semblaient heureux, si elle en croyait leurs éclats de rire. Pendant très longtemps, Gabriella attendit. Ils allaient bien penser, à un moment ou à un autre, à préparer son repas.

A la tombée du soir, ils n'avaient pas réapparu. L'enfant savait qu'elle n'y pouvait rien. Il était hors de question de frapper à leur porte, de leur parler à travers le battant clos. Encore moins de leur demander pourquoi ils l'avaient laissée livrée à elle-même ou pour quelle raison ils avaient oublié son dîner.

Elle ne les revit pas, cette nuit-là. Ils avaient conclu une trêve dont ils goûtaient les plaisirs dans le secret de leur alcôve. Chose rare, Eloïse avait passé l'éponge sur l'incartade de son époux. La surprise, le fait qu'elle était très en beauté ce jour-là avaient ranimé la flamme que John croyait éteinte. De plus, les apéritifs qu'il avait bus au Plaza avaient estompé ses griefs à l'égard de cette femme que, normalement, il détestait. Tous deux, d'ailleurs, se sentaient singulièrement radoucis. Mais aucun de leurs bons sentiments retrouvés n'englobait leur fille. John savait qu'il s'agissait d'une paix temporaire, tout comme Eloïse, mais après tout, ces retrouvailles méritaient d'être fêtées. Eloïse avait décidé de profiter pleinement de cette trêve ; se lever pour nourrir Gabriella ne lui traversa pas l'esprit.

Gabriella n'avait pas le courage de descendre à la cuisine. Les restes de la réception étaient empilés dans le réfrigérateur mais elle n'osait imaginer à quelle punition elle s'exposerait si elle allait se servir. Mieux valait rester sur sa chaise. Et attendre. Cela ne durerait pas si longtemps. Ses parents discutaient dans leur chambre. Et ils avaient fermé leur porte. La petite fille attendit encore. Six heures sonnèrent, sept, huit... neuf, puis dix... Visiblement, ils l'avaient oubliée. Gabriella se coucha, reconnaissante. La journée s'était écoulée sans qu'un nouveau malheur n'arrive. Bien sûr, cela pouvait encore se produire, comme la veille, si son père mettait sa mère en colère, s'il l'abandonnait, s'il ressortait comme il en avait pris l'habitude... Alors, Gabriella paierait pour toutes les faiblesses, toutes les fautes de son père. Mais cette fois-ci, rien ne se passa. John n'alla nulle part, les deux tourtereaux continuèrent à roucouler dans leur chambre, et Gabriella finit par s'endormir, le ventre vide.

4

A l'âge de neuf ans, ayant survécu deux ans de plus à la cruauté de ses parents, Gabriella avait trouvé refuge dans un monde à elle. Elle écrivait des poèmes, des récits, des lettres à des amis imaginaires. Elle s'était construit un univers dans lequel elle pouvait se laisser aller pendant une heure ou deux, loin de ses parents et des tortures qu'ils lui infligeaient. De sa plume surgissaient des personnages heureux, vivant dans des contrées radieuses où seuls des événements merveilleux se produisaient. Elle n'écrivait jamais un mot sur sa famille ou sur les punitions que sa mère continuait à lui faire subir dès que l'envie lui en prenait. L'écriture constituait pour elle une évasion, la seule issue, son unique raison d'être. Gabriella savait mieux que personne que ni son art, ni la fortune de ses parents, ni l'origine sociale élevée de leurs familles ne pouvaient la protéger d'une réalité qui, pour d'autres, aurait été un affreux cauchemar. L'élégance de sa mère, ses bijoux, sa superbe garde-robe ne signifiaient rien. Gabriella était à même de comprendre son caractère, les amères contradictions qui tissaient sa personnalité. Depuis son plus jeune âge, elle savait ce qui avait de la valeur, et ce qui n'en avait pas. L'amour comptait par-dessus tout. Elle en rêvait et brodait des histoires sur ce thème, ce cadeau que la vie lui avait obstinément refusé.

Les relations de ses parents s'extasiaient toujours sur

sa beauté, ses bonnes manières, son éducation, son obéissance absolue. Jamais elle ne se rebellait, jamais elle ne répondait mal à son père ou à sa mère. Les amis de ses parents, ses maîtres à l'école ne cessaient de chanter ses louanges : quels magnifiques cheveux elle avait, quels jolis yeux, mais quel dommage qu'elle ne parle que si rarement... Ses notes étaient excellentes. Ses professeurs se désolaient cependant de son silence. En classe, elle ne répondait qu'aux questions qu'on lui posait, ne prenait jamais d'initiatives. Malgré cela, elle était très en avance par rapport aux enfants de son âge. Gabriella lisait sans cesse. Elle avait appris très tôt à lire et à écrire. Comme ses récits, ses lectures la transportaient loin, à des années-lumière de la terre. A présent, lorsque sa mère voulait la tourmenter, elle lui confisquait ses livres, ses stylos, ses cahiers. Elle s'efforçait de stopper toute tentative d'évasion. Mais rien ne peut entraver les pensées... Gabriella se retranchait dans ses rêves, quelque part où on ne pouvait ni la toucher ni la maltraiter. Evidemment, ses parents ne s'en étaient pas rendu compte, mais d'une certaine manière, la petite fille avait maintenant acquis la certitude qu'elle survivrait.

Souvent, Eloïse envoyait Gabriella aider à la cuisine, faire la vaisselle ou astiquer l'argenterie. Elle se plaignait toujours que sa fille était trop gâtée. Aussi avait-elle décrété que la moindre des choses était que Gabriella se rende utile. Celle-ci se pliait aux corvées sans un mot. Elle lavait son propre linge, le repassait, nettoyait sa chambre, se baignait et s'habillait toute seule. Contrairement aux autres enfants de son âge qui avaient le droit de se promener, de s'amuser, d'avoir des jouets et des livres, Gabriella n'avait droit à rien, pas même au repos. Son existence se résumait à un combat permanent pour survivre et à mesure qu'elle grandissait, les règles du jeu se transformaient. Son but consistait à déjouer les pièges de sa mère. A échapper à ses ruses, à déjouer ses menaces. Il fallait pour cela deviner son humeur du moment, ne pas la contrarier, faire tout son possible pour nc pas s'attirer sa fureur.

Les sévices se poursuivaient tout aussi fréquemment mais ses cours la retenaient plus longtemps à l'école, ce qui lui permettait de respirer un peu. Inévitablement, l'interminable liste de ses fautes s'était allongée avec le temps. Ses péchés étaient également devenus plus graves : devoirs d'école oubliés, vêtements perdus, une assiette cassée pendant qu'elle faisait la vaisselle. Elle ne se donnait plus la peine de demander pardon. Elle s'armait de courage et attendait que l'ouragan passe. Elle avait l'art et la manière de dissimuler les marques de ses mauvais traitements à ses professeurs et aux rares enfants avec lesquels elle jouait à l'école. La plupart du temps, elle était seule. Elle n'avait pas le droit de nouer des amitiés. Elle n'aurait pas pu voir ses amis en dehors de l'école, encore moins les recevoir chez elle. Eloïse avait formellement interdit l'accès de sa demeure aux camarades de sa fille. Elle s'estimait suffisamment malheureuse avec une « sale gosse » sur les bras ! Elle n'avait nul besoin que d'autres viennent s'y ajouter !

A deux reprises seulement, ses professeurs remarquèrent que quelque chose ne tournait pas rond chez Gabriella. Une fois, sa jupe s'était relevée, alors qu'elle sautait à la corde pendant la récréation, dévoilant d'énormes bleus sur ses cuisses. Aux questions de ses maîtres, elle répondit qu'elle était tombée de bicyclette dans le jardin de ses parents. Ils compatirent, car étant donné la taille des hématomes, elle avait dû se faire vraiment très mal, puis l'incident fut oublié. La seconde fois s'était produite au début de l'année scolaire en cours. Elle avait les bras couverts de bleus, un poignet foulé. Son visage était resté, comme toujours, remarquablement impassible et ses yeux reflétaient une innocence absolue, tandis qu'elle racontait une mauvaise chute de cheval... Elle avait été dispensée des exercices écrits jusqu'à ce que son poignet soit guéri.

Le soir, elle avait quand même fait ses devoirs, afin de ne pas éveiller les soupçons de sa mère, et les avait cachés dans son pupitre à l'école, le lendemain.

Son père laissait faire, comme toujours. Depuis deux ans, ses absences étaient de plus en plus fréquentes. Il voyageait pour le compte de sa banque... Intuitivement, Gabriella s'était aperçue que quelque chose avait changé entre ses parents. Elle n'aurait pas su dire quoi exactement. Mais il y avait six mois qu'ils dormaient dans des chambres séparées. Sa mère semblait plus furibonde que jamais quand le père de Gabriella rentrait à la maison.

Eloïse sortait presque tous les soirs « avec des amis ». Elle s'habillait et laissait sa fille seule à la maison. Gabriella ignorait si son père était au courant. Les apparitions de John se faisaient de plus en plus rares et, lorsqu'il était là, Eloïse ne sortait pas. Leurs rapports s'étaient énormément détériorés. Eloïse faisait sans cesse des remarques acerbes à son mari ; elle n'hésitait pas à l'insulter devant Gabriella. Elle parlait de femmes qu'elle appelait des « traînées » ou des « putains ». Elle l'accusait de « vivre à la colle » avec quelqu'un, expression dont Gabriella ne put percer la signification. Son père ne répondait pas aux insultes mais il avait singulièrement augmenté ses doses d'alcool. Lorsqu'il avait bu, il quittait la maison, et Eloïse faisait alors irruption dans la chambre de Gabriella comme une furie.

Gabriella dormait toujours roulée en boule sous les couvertures, au pied du lit. C'était plus une habitude qu'une stratégie, car elle n'avait aucune chance de convaincre sa mère qu'elle n'était pas là. Eloïse savait où la trouver. Elle ne se trompait jamais. Gabriella ne se cachait même plus... Elle endurait les sévices comme une fatalité, avec résignation. Son but dans la vie consistait à survivre, elle le savait.

Comme elle savait que c'était elle, sûrement, qui était la cause de l'éloignement de son père. Bien que sa mère ne l'ait pas dit, elle sentait qu'elle était responsable des ennuis de ses parents. Sa mère lui avait suffisamment fait comprendre qu'elle était à la source de tous leurs problèmes, et cela aussi elle avait fini par l'accepter.

Vers Noël, cette année-là, son père ne vivait pratiquement plus sous le même toit que sa mère. Il venait de plus en plus rarement à la maison et quand il apparaissait, Eloïse se mettait dans des rages folles. Il y avait un prénom maintenant qu'elle lui lançait constamment à la figure. Et toujours les phrases mystérieuses : « ta putain », ou « la catin avec laquelle tu t'envoies en l'air »... Le prénom était Barbara, Gabriella l'avait retenu, sans savoir de qui il s'agissait. Il n'y avait aucune Barbara parmi les amies de ses parents. Or chaque fois que sa mère prononçait ce nom, son père devenait plus froid, plus distant. Il ne supportait plus Eloïse. Il adressait à peine la parole à Gabriella. Chaque fois qu'il se montrait, il était ivre. Il ne faisait plus aucun effort pour s'en cacher.

Le jour de Noël, Eloïse ne sortit pas de sa chambre. John, parti depuis la veille, ne rentra pas avant le lendemain, tard dans la nuit. Il n'y avait pas de sapin, cette année, pas de guirlandes, pas de décorations. Et pas de cadeaux. La soirée se déroula dans un silence morne et Gabriella dîna d'un sandwich. Elle avait pensé préparer un plat pour sa mère, mais la peur la retint. Il aurait fallu frapper à sa porte et, donc, attirer son attention. Il lui parut plus sage de rester dans l'ombre. Sa mère devait être dans tous ses états, puisque son père brillait par son absence, particulièrement en ce jour de Noël. Il était vingt et une heures, et John n'était toujours pas là. A neuf ans, Gabriella commençait à mieux cerner le problème. Pourtant, la haine que ses parents se vouaient ne lui semblait pas encore très claire. Elle avait fini par comprendre que la raison de cette haine avait pour nom Barbara. Cela ne l'avait pas empêchée de se sentir coupable. C'était aussi sa faute, de toute évidence. Il en avait toujours été ainsi.

Lorsque John rentra enfin, la dispute qui éclata n'eut pas lieu uniquement dans leur chambre comme les autres fois. Ils se poursuivirent à travers la maison en hurlant et en se jetant des objets à la figure. Son père cria qu'il n'en pouvait plus et sa mère menaça « de les tuer tous les deux ». Elle lui assena une gifle et, pour la première fois, il la frappa. Enfermée dans sa chambre, Gabriella tremblait comme une feuille. Elle savait que, quelle que soit l'issue de la querelle, elle allait en payer le prix. La petite fille aurait voulu se cacher quelque part, demander du secours, mais où ? Et à qui ? Elle était bien placée pour savoir qu'il n'y avait pas de sauveurs dans sa vie misérable.

Finalement, son père repartit et c'est alors que sa mère monta la trouver. Tout cela n'était que trop prévisible. Eloïse fondit sur la petite fille comme un grand oiseau noir. Ses cheveux flottaient sur ses épaules et dans son dos. D'emblée, elle se mit à frapper avec les poings. Les coups semblaient plus forts, plus insistants que jamais. Gabriella ressentit une douleur fulgurante dans l'oreille. Elle reçut un coup à la tête, plusieurs coups à la poitrine. Pour la première fois, sa mère s'empara d'un bougeoir et la frappa à la jambe. Gabriella chancelait. Elle se dit obscurément que le bougeoir allait s'abattre sur son visage ou sur sa tête... Miraculeusement, Eloïse l'épargna. Après le choc des premières minutes, le reste ne fut plus que brouillard. La colère qui animait Eloïse était telle que Gabriella sut d'instinct que tout effort pour se défendre lui coûterait la vie.

Elle ne fit rien pour éviter l'avalanche de coups. Simplement, elle attendit que la tempête passe, et lorsque celle-ci reflua et que sa mère repartit, la laissant par terre, Gabriella n'eut même pas la force de se traîner jusqu'à son lit. Elle resta là, oscillant entre la conscience et l'obscurité, surprise de constater qu'elle n'avait mal nulle part. Elle ne sentait plus rien cette fois, et durant la nuit, elle eut la vision de halos lumineux autour d'elle. Elle crut aussi entendre des voix lui parler, sans distinguer les mots. Et au matin, elle réentendit une voix qui, comme les voix nocturnes, n'articulait pas les mots... Elle ne comprit jamais que c'était son père. Elle ne vit pas ses larmes, n'entendit pas son cri d'horreur lorsqu'il découvrit ce qu'Eloïse avait fait à leur enfant... Gabriella gisait dans une mare de sang, les cheveux collés sur la tête, les yeux vitreux, une plaie béante à l'intérieur d'une jambe. John pensa appeler une ambulance mais la peur l'en empêcha. Sans réfléchir davantage, sans chercher à revoir Eloïse, il enveloppa Gabriella dans une couverture, la souleva dans ses bras et sortit précipitamment, à la recherche d'un taxi.

Lorsqu'ils arrivèrent à l'hôpital, il n'était plus sûr qu'elle respirait encore. Il se rua à l'intérieur, la posa sur un chariot vide. En larmes, il expliqua au personnel des urgences que sa fille était tombée dans l'escalier... C'était une histoire crédible, compte tenu de l'étendue des dégâts. En tout cas, on ne lui posa aucune question. Ils appliquèrent un masque à oxygène sur la petite figure blême de Gabriella et emmenèrent le chariot entouré d'infirmières aux visages inquiets, sous le regard incrédule de John.

Il resta pendant des heures dans une salle d'attente. Il était quatre heures de l'après-midi quand un interne vint l'informer que Gabriella survivrait. Elle avait subi une commotion cérébrale, avait trois côtes cassées, un tympan percé, une sérieuse blessure à la jambe. Ils avaient recousu la plaie, bandé les côtes. Après quelques jours à l'hôpital, elle irait mieux. L'interne demanda ensuite à John combien de temps s'était écoulé, selon lui, entre la chute et le moment où il l'avait trouvée. Il répondit « plusieurs heures », tout en admettant qu'il n'était pas certain qu'elle soit « tombée » et sans préciser qu'il était sorti.

— Ça va aller, le rassura l'interne.

Les infirmières promirent de prendre soin d'elle. Il se rendit au chevet de sa fille, qui dormait, mais n'y resta pas. Il reprit un taxi, avec une sensation de vertige. Il chercha en vain une solution, mais il n'y avait pas moyen d'arrêter Eloïse... Il n'y pouvait rien, à part sauver sa propre peau. Il avait laissé Gabriella entre des mains compétentes. C'était un miracle qu'elle ait survécu aux sévices de la nuit précédente.

Il entra dans la maison dans un état de violente agitation. Un immense soulagement l'envahit lorsqu'il trouva la chambre d'Eloïse vide. Elle était sortie. Il ignorait où elle se trouvait et du reste, il s'en fichait. Il se servit un alcool fort dans la bibliothèque, se laissa tomber dans un fauteuil et attendit. Que lui dirait-il ? Et à quoi bon ? Elle n'était pas humaine. C'était une bête, un être malveillant venu d'une autre planète, une machine à détruire. Il se demanda comment il avait pu l'aimer, comment il avait pu s'abuser au point de penser qu'elle serait bonne épouse et bonne mère. Il ne souhaitait plus qu'une chose : la fuir. Il aurait voulu passer la nuit chez Barbara mais, pour une fois, il ne céda pas à son envie. Il devait affronter Eloïse, une dernière fois.

Elle rentra peu après minuit, dans une robe de soirée bleu foncé. En la voyant, il ne put penser qu'à la méchante reine des contes. La Reine des Ténèbres. Il était affalé sur le divan de la bibliothèque, éméché, et elle le foudroya d'un regard méprisant.

— Comme c'est gentil de me rendre visite, John, dit-elle d'une voix glaciale, pleine de haine. Mais que me vaut cet honneur ? Oh, je vois ! Barbara est sans doute occupée avec un de ses autres clients !

Elle entra lentement dans la pièce en balançant son petit sac de soie rebrodé de perles. Il faillit lui jeter le contenu de son verre à la figure mais réussit à se refréner. Aucune flèche, aucun mot n'avait le pouvoir de blesser Eloïse. Elle était hors d'atteinte.

— Sais-tu où est notre fille ce soir, Eloïse ?

La phrase avait jailli spontanément. Soudain, il savait ce qu'il avait à dire. Après tant d'années, c'était clair comme du cristal. Il regrettait seulement d'être resté si longtemps. Barbara lui avait insufflé le courage nécessaire. Et le calvaire de Gabriella l'avait conforté dans ses résolutions.

— Non, mais je sens que tu vas me le dire, John. Tu l'as emmenée quelque part ? Abandonnée, devrais-je plutôt dire ?

Elle affichait une expression vaguement amusée et pas du tout concernée. « Le monstre ! » pensa-t-il, et une fois de plus il se demanda comment elle avait pu le duper pendant si longtemps. Mais il avait voulu croire à quelque chose qui n'existait pas.

— Tu aurais aimé cela, n'est-ce pas ? Que je l'abandonne, j'entends. Pourquoi nous ne l'avons pas mise à l'assistance publique dès sa naissance ou simplement laissée sur les marches d'une église ?

Il ravala ses larmes, tandis que le petit corps supplicié de Gabriella allongée sur sa civière lui revenait en mémoire. Cette vision le hanterait toute sa vie.

— Epargne-moi tes discours larmoyants, John. Où est-elle ? Chez Barbara ? Projettes-tu de la kidnapper ? Si c'est le cas, je serai au regret d'appeler la police.

Elle avait posé son réticule, s'était assise face à lui avec élégance. Elle était encore belle. Belle et mauvaise. Une créature sans âme. Un iceberg. Cruelle, au-delà de tout entendement. La femme avec laquelle il vivait maintenant était peut-être moins belle, mais elle l'aimait. Elle n'appartenait pas à l'aristocratie, mais elle avait un cœur. Il avait hâte d'oublier. Oublier Eloïse, la vie qu'elle lui avait fait mener, fuir à toutes jambes, loin, très loin. Il avait hésité pendant un an à cause de Gabriella, et cela n'avait servi à rien. On ne pouvait la sauver des griffes de ce monstre. Il ne lui restait plus qu'à se sauver lui-même.

— Gabriella est à l'hôpital, dit-il d'une voix sombre. Je l'ai trouvée ce matin. Elle était inconsciente.

Il fixa Eloïse, tremblant de colère. Pourtant, quelque chose en elle le terrifiait. Sachant de quoi elle était capable, s'il perdait le contrôle de lui-même, il pourrait la tuer. Elle ne méritait pas de vivre.

— Quelle chance que tu sois arrivé à temps ! Quelle bénédiction pour elle, rétorqua froidement Eloïse.

— Elle aurait pu mourir si je n'étais pas revenu. Elle souffre d'une commotion cérébrale, elle a des côtes cassées, un tympan éclaté...

Eloïse le considéra avec indifférence. Tout cela n'avait aucune importance. Elle n'éprouvait pas l'ombre d'un remords.

— Tu veux me faire pleurer ? Elle l'a bien mérité.

Elle alluma une cigarette, souffla la fumée et regarda son mari de ses yeux froids.

— Tu es folle ! s'exclama-t-il d'une voix rauque.

Il se passa nerveusement les doigts dans les cheveux. C'était plus dur qu'il ne l'avait imaginé. Avec son calme inébranlable, sa cruelle désinvolture, son refus de se sentir coupable, Eloïse était une redoutable adversaire. Elle était beaucoup plus forte que lui, il le savait.

— Mais non, je ne suis pas folle. Toi, en revanche, tu as l'air d'un poivrot. Regarde-toi, ricana-t-elle.

Les yeux de John lancèrent des éclairs.

— Tu as failli la tuer !

— Mais je ne l'ai pas fait. J'ai eu tort, peut-être. Elle est la source de tous nos problèmes. Si je ne t'aimais pas autant, je ne me fâcherais pas contre elle. Rien de tout cela ne nous serait arrivé si elle n'existait pas. Si tu ne l'aimais pas autant.

Elle n'en démordait pas. Dans son esprit pervers aucun doute ne subsistait : Gabriella était la seule fautive et il fallait la punir. Toute tentative pour la persuader du contraire s'avérerait vaine, John le savait. Cependant, il essaya.

— Elle n'est pour rien dans ce qui nous arrive, Eloïse. Tu es monstrueuse. D'une jalousic maladive. Tu détestes notre petite fille. Si tu dois t'en prendre à quelqu'un, c'est à moi, bon sang, pas à elle. Déteste-moi pour mes erreurs, mes infidélités, mes faiblesses... mais je t'en supplie... je t'en supplie... ajouta-t-il, fondant en larmes, dans l'espoir qu'elle entendrait la vérité... n'accuse pas Gabriella !

— Tu ne vois donc pas ce qu'elle nous a fait ? Elle t'a complètement transformé ! Tu m'aimais avant qu'elle vienne au monde. Nous nous aimions... Regarde-nous maintenant... vois ce qu'elle a fait.

Pour la première fois depuis qu'il la connaissait, il vit des larmes dans les yeux d'Eloïse.

— C'est à cause de toi et de toi seule, s'écria-t-il, indifférent à ses pleurs. J'ai cessé de t'aimer quand j'ai compris que tu la détestais... quand j'ai vu que tu la battais... oh, Seigneur, un jour elle nous détestera.

— Elle n'a eu que ce qu'elle méritait !

Eloïse restait sûre de son bon droit, convaincue d'avoir raison.

— Je ne regrette rien, reprit-elle. Elle m'a tout pris... Notre mariage... et notre amour...

— Tu l'as détestée dès sa naissance. Comment as-tu pu ?

— Je savais ce qui allait arriver.

— Tu dois arrêter, Eloïse, avant de la tuer, l'implora-t-il. Veux-tu passer le reste de ta vie en prison ?

— Elle n'en vaut pas la peine, déclara fermement Eloïse.

Elle y avait déjà pensé. Et elle faisait toujours attention à ne pas dépasser certaines limites, pour se protéger, pas pour sauvegarder l'enfant. Or la nuit précédente, elle avait dangereusement atteint les limites. John le savait mieux qu'elle. Il avait vu Gabriella à l'hôpital, avait entendu les commentaires des médecins. Ils n'avaient pas songé à l'accuser de mauvais traitements. A leurs yeux, c'était inconcevable. Ses bonnes manières, son nom, son adresse dans les beaux quartiers le mettaient à l'abri des soupçons. Même s'ils avaient subodoré quelque chose, ils n'auraient pas osé l'offenser par des questions insidieuses.

— Je ne la tuerai pas, dit Eloïse.

Une promesse vide de sens, de la part d'un être sans âme.

— Je n'aurai pas à le faire, poursuivit-elle. Cela dépend d'elle. Gabriella sait ce que j'attends d'elle. Elle connaît la différence entre le bien et le mal.

— Mais pas toi.

Elle se redressa.

— Je suis fatiguée. Et tu commences à m'ennuyer. Vas-tu dormir ici ou rentres-tu chez ta putain ? Quand cette histoire prendra-t-elle fin ?

Jamais ! se promit-il en silence. Pas même dans un million d'années ! Son histoire avec Barbara ne se terminerait pas. Et il ne reviendrait pas vers cette femme qui le glaçait jusqu'aux os. Il devait pourtant rester, afin de la calmer, jusqu'à ce que Gabriella rentre à la maison. Peu importait combien il détestait Eloïse, il devait au moins cela à Gabriella.

— Je reste. Je monterai dans un moment, dit-il en se servant un dernier verre.

Heureusement qu'ils avaient des chambres séparées. Il s'en félicitait. Dormir dans le même lit que sa femme l'aurait exposé à toutes sortes de dangers. Il la savait maintenant capable de l'assassiner... Il avait mis Barbara au courant, et elle avait répondu qu'Eloïse ne lui faisait pas peur. Parce qu'elle n'imaginait pas quel monstre Eloïse était en vérité. Personne ne pouvait l'imaginer. En dehors de lui, et de Gabriella bien sûr...

— Je suppose que tu dormiras dans ta chambre, ce soir, dit-elle avant de quitter la pièce.

Il suivit du regard la traîne de la robe du soir, qui glissait sur le parquet. Il ne prit pas la peine de répondre. De nouveau, l'image de Gabriella le hantait. Il n'avait plus la force de poursuivre la discussion... Il se contenta de regarder Eloïse gravir lentement les marches de l'escalier.

Lorsque Gabriella rouvrit les yeux, elle commença par se demander où elle était. Autour d'elle s'étendait un univers blanc, immaculé, dépouillé. Des ombres remuaient au plafond, une petite lumière lui parvenait d'un coin de la pièce. Une infirmière, une coiffe amidonnée sur la tête, se penchait sur elle. Dès que les paupières de la petite fille frémirent, la jeune femme lui sourit... Elle avait des yeux gentils... Une vision surprenante pour Gabriella.

— Je suis au ciel ? s'enquit-elle avec conviction, heureuse d'être enfin morte.

— Non, Gabriella. Tu es à l'hôpital Saint-Matthew. Tout va bien. Ton papa vient de partir. Il a dit qu'il reviendrait te voir demain.

Gabriella aurait voulu demander si sa mère était toujours fâchée et si elle devait retourner un jour à la maison. Si son état ne s'améliorait pas, pourrait-elle rester ici pour toujours ? Un million de questions se bousculaient dans son esprit. Elle n'en posa aucune, mais se contenta de hocher la tête... Ce simple mouvement lui fit mal. Très mal.

— Essaie de ne pas remuer, dit la jeune infirmière, qui l'avait vue tressaillir.

La commotion cérébrale provoquait de fortes migraines et du sang s'écoulait encore de l'oreille de la petite blessée.

— Ton papa nous a expliqué que tu es tombée de l'escalier. Tu as de la chance qu'il t'ait trouvée à temps. Nous allons prendre soin de toi pendant ton séjour à l'hôpital.

Malgré la douleur, Gabriella acquiesça de nouveau, débordante de reconnaissance. Ensuite, ses yeux se refermèrent.

Elle cria dans son sommeil, puis l'équipe de nuit remplaça l'équipe de jour et une infirmière plus âgée pénétra dans la minuscule pièce blanche. Elle vérifia l'état de la patiente, changea le pansement de sa jambe. Une vilaine plaie, se dit-elle, et son regard remonta, songeur, vers le visage de la petite fille endormie. Des questions lui vinrent à l'esprit, que personne n'oserait poser. Elle avait déjà vu des lésions comme celles-ci sur des enfants battus, des enfants pauvres pour la plupart. Ils rentraient chez eux, puis revenaient avec de nouvelles blessures. Elle se demanda si Gabriella reviendrait, elle aussi, ou si ses parents, effrayés par l'énormité de leurs actes, la laisseraient en paix. C'était difficile à dire.

Gabriella dormit profondément jusqu'au matin. Elle dormit presque tout le temps pendant les jours qui suivirent. Son père lui rendit visite deux fois. Il expliqua aux médecins et aux infirmières que sa femme, clouée au lit, n'avait pu l'accompagner. Ils lui exprimèrent leur sympathie et lui firent mille compliments sur sa petite fille. Gabriella était si douce, si gentille, si bien élevée... Elle ne demandait jamais rien, ne causait aucun ennui, les remerciait de leurs soins. Elle ne parlait jamais à personne, mais observait les allées et venues du personnel. Un sourire éclairait ses traits fins chaque fois qu'elle apercevait son père.

Il vint la chercher le jour de l'an. Il avait apporté des vêtements, un manteau bleu marine, une robe de lainage gris, des chaussettes blanches et des chaussures rouges. John avait oublié le chapeau et les gants, et elle paraissait trop menue et trop pâle, lorsqu'elle quitta le service, après avoir dit merci à tout le monde. Dans l'ascenseur, avant que la porte se referme, elle sourit et agita la main. Les infirmières étaient toutes d'accord pour trouver qu'elle était l'enfant la plus charmante du monde. Dommage qu'il n'y en ait pas d'autres comme elle. La veille, elle avait déclaré, à leur surprise, qu'elle regrettait de devoir repartir.

— Ça, c'est la meilleure ! s'était écriée une des infirmières en riant, avant de se précipiter vers un petit garçon qui toussait, puis vers un autre qui souffrait de graves brûlures.

Gabriella était la préférée du pavillon de pédiatrie et ce ne fut pas sans tristesse que les internes et les infirmières lui dirent au revoir. Ils étaient toutefois bien moins tristes qu'elle-même. Sa peur, après s'être calmée, s'était réveillée d'un seul coup. Elle savait qu'elle quittait un paradis sécurisant pour se retrouver dans l'enfer de la vie.

Sa mère les attendait à la maison. La mine sombre, les sourcils froncés, l'œil accusateur. Elle n'était pas allée une seule fois à l'hôpital voir sa fille, et n'avait cessé de répéter à John que choyer les enfants était une honte. Il ne répondait rien. Le jour où il ramena Gabriella à la maison, la petite fille était très pâle et avait une démarche incertaine, en raison des lésions de son oreille interne.

— Eh bien, tu es contente d'avoir joué à la malade ? demanda Eloïse d'un ton désagréable.

John était monté dans la chambre de Gabriella pour y poser ses affaires et refaire le lit. Le médecin de garde lui avait conseillé du repos.

— Je suis désolée, maman.

— Et à juste titre, petite sotte !

Ce disant, Eloïse pivota sur ses talons et s'éclipsa.

Le soir, Gabriella dîna avec ses parents. Sa mère semblait franchement furieuse, quant à son père, il était perdu dans un autre monde. Une fois de plus, il avait bu trop d'apéritifs. Gabriella fit tomber un peu d'eau sur la table. Ses mains tremblaient, tandis qu'elle épongeait la petite mare rapidement, avec un mouchoir en papier.

— Ton éducation ne s'est pas améliorée depuis la semaine dernière. Qu'est-ce qu'ils t'ont fait exactement ? Ils t'ont nourrie à la petite cuillère ? demanda Eloïse d'un air méchant.

Les yeux baissés, Gabriella garda le silence. Elle ne desserra pas les lèvres de tout le repas. Dès qu'elle eut avalé la dernière bouchée de son dessert, sa mère lui ordonna de monter dans sa chambre. Sentant qu'une dispute ne tarderait pas à éclater entre ses parents, Gabriella s'empressa d'obéir.

Elle se coucha aussitôt, éteignit la lumière. Dans le noir, elle les entendit s'insulter. Des pas dans sa chambre la réveillèrent plus tard. Rien d'étonnant ! Certaine qu'il s'agissait de sa mère, elle s'arma de courage. La couverture fut lentement retirée. Le corps tétanisé, les yeux hermétiquement clos, Gabriella attendit le premier coup... qui ne vint pas. Il y avait bien une présence, mais elle ne discernait pas le parfum familier... Et pas un bruit, pas un son, rien. Au bout d'un moment, l'attente devint insupportable. La petite fille rouvrit les yeux.

— Bonsoir... tu ne dors pas ?

C'était son père. Son haleine sentait le whisky.

— Je suis juste venu voir... si tu allais bien.

Elle acquiesça, étonnée. Cela n'était pas dans ses habitudes.

— Où est maman ?

— Elle dort.

Gabriella poussa un soupir de soulagement mais tous deux savaient qu'il ne fallait pas se réjouir trop vite.

— Je voulais te voir, Gabriella, reprit-il en s'asseyant doucement sur le lit. Je suis désolé. Pour l'hôpital... pour tout... D'après les infirmières, tu as été très courageuse.

Mais cela, il le savait. Elle était bien plus courageuse que lui.

— Elles étaient très gentilles, murmura-t-elle en contemplant son visage parfaitement visible dans le clair de lune qui entrait par la fenêtre.

— Comment te sens-tu ?

— Ça va. J'ai encore un peu mal à l'oreille. Mais ça va aller.

Elle n'avait plus de migraine depuis deux jours, ses

côtes étaient toujours bandées et le resteraient pendant deux semaines encore.

— Prends soin de toi, Gabriella. Tu es très forte, tu sais.

Pourquoi disait-il cela ? se demanda-t-elle. Elle n'était pas « forte ». Elle était « méchante ».

Il aurait voulu lui dire qu'il l'aimait, mais les mots se dérobaient. Car s'il l'avait aimée tant soi peu, il n'aurait jamais permis à sa mère de lever la main sur elle. Gabriella ignorait ce qu'il avait en tête. Il se remit debout, la regarda un instant, puis remonta la couverture sur elle. Ensuite, il partit, sans un mot de plus. Sur le seuil de la chambre, il ralentit le pas une fraction de seconde, sous le regard de Gabriella. Il referma la porte aussi doucement qu'il le pouvait. Ni l'un ni l'autre ne voulaient réveiller Eloïse... Le silence retomba dans la maison, et elle n'entendit plus rien. Pas même le pas de son père qui s'éloignait sur la pointe des pieds... Gabriella dormait encore le lendemain matin quand la porte s'ouvrit d'une poussée, livrant passage à sa mère.

— Lève-toi ! hurla la voix familière.

La petite fille, encore à moitié endormie, bondit hors du lit. Ce mouvement trop brusque fit irradier la douleur entre ses côtes. La migraine lui vrilla de nouveau les tempes, son oreille blessée se remit à l'élancer.

— Tu le savais, toi, hein, espèce de petite garce ! Il te l'a dit, hein ? Avoue qu'il te l'a dit.

Eloïse avait attrapé Gabriella par les bras. Elle la secouait sans ménagement, sans penser qu'elle sortait de l'hôpital.

— Je savais quoi ? Non, maman, je ne sais rien...

Malgré elle, elle se mit à pleurer. Sur le visage de sa mère, elle pouvait lire qu'une catastrophe s'était produite. Pour la première fois de sa vie, Eloïse avait perdu tout contrôle : elle n'était pas coiffée, et semblait en proie à une sorte de frénésie.

— Mais si, tu sais... Il ne t'a rien dit à l'hôpital ? C'est ça, n'est-ce pas ? Qu'est-ce qu'il t'a dit au juste ?

Elle la secouait toujours.

— Rien, balbutia Gabriella. Il ne m'a rien dit. Qu'est-il arrivé à papa ?

Etait-il blessé ? Malade ? Que s'était-il passé ? Elle n'arrivait plus à réfléchir, comme si son esprit avait cessé de fonctionner. Sa mère lui cracha alors chaque mot à la figure :

— Il est parti, et tu le savais. C'est ta faute... tu nous as créé tant d'ennuis qu'il nous a quittées. Tu croyais qu'il t'aimait, peut-être ? Eh bien, pas du tout. Il t'a laissée comme une vieille chaussette. Et il m'a laissée, moi aussi. Il ne veut plus de nous, pauvre idiote. Voilà ce que tu as fait ! Il est parti parce qu'il te déteste comme il me déteste.

Elle assena à la petite fille une gifle en pleine figure.

— Oui, il est parti à cause de toi... A présent, il n'y a personne pour te protéger.

Et tandis qu'Eloïse s'acharnait sur sa victime, celle-ci commença lentement à comprendre. L'attitude de son père, ces derniers temps. Sa visite nocturne. Il avait voulu la revoir une dernière fois... lui dire au revoir... Il était parti, il l'avait abandonnée à son sort. Aux coups et aux mauvais traitements qui seraient maintenant sa destinée. « Sois courageuse », avait-il dit, puis il avait ajouté qu'elle était forte. Elle n'aurait plus que ces quelques mots pour compagnie, se dit-elle, tandis que les poings de sa mère se levaient et retombaient avec une rage inouïe. Gabriella lutta vaillamment contre ses larmes mais elles jaillirent malgré ses efforts. Elle pleurait sans retenue, sans plus pouvoir s'arrêter. Il ne lui restait plus rien, rien que ce cauchemar. D'après sa mère, son père la détestait. Jusqu'à présent, elle ne l'avait pas crue. Mais peut-être était-ce la triste réalité ? Il ne l'avait jamais protégée, jamais aidée, jamais sauvée de la férocité de sa mère. Et maintenant, il l'avait quittée. Et Gabriella ressentait, montant dans sa gorge comme de la bile, une peur immense.

5

Le reste de l'année, jusqu'au dixième anniversaire de Gabriella, ne fut qu'un sombre kaléidoscope aux formes changeantes et aux couleurs variées, revenant sans cesse au même dessin initial, aux mêmes terreurs.

Son père avait disparu, aussi sûrement que s'il s'était évanoui dans les airs. Elle ne le revit plus. Pas un coup de fil, pas une carte postale, pas une visite. Et aucune explication sur sa décision.

Lorsque sa mère reçut une lettre de son avocat, elle fut si furieuse qu'elle se vengea rageusement sur Gabriella. Elle frappa encore et encore, jusqu'à l'épuisement. Pendant les semaines qui suivirent, elle ne montra pas plus de pitié pour sa fille. Elle la rendait responsable de tout, comme toujours. Elle criait qu'elle la détestait, que son père la détestait. Il allait se remarier, précisa-t-elle, et sa deuxième femme avait deux petites filles qui allaient remplacer Gabriella.

— Elles ne sont pas comme toi ! ajoutait-elle d'une voix venimeuse, chaque fois qu'elle en parlait, c'est-à-dire dix fois par jour. Elles sont belles, gentilles, bien élevées. Bref, elles sont tout ce que tu n'es pas. Et il les aime !

La seule fois où Gabriella eut le tort de prendre la défense de son père, bien que sa défection la fît douter de ses sentiments, sa mère s'empara de la brosse de cuisine et du savon de Marseille, et lui lava la bouche. L'eau savonneuse lui brûla la gorge ; Gabriella vomit.

Au goût du savon se mêlait celui, plus amer, de ses regrets et de son désespoir. Mais son père l'avait aimée, se disait-elle... Ou alors, n'était-ce qu'un rêve ? A la fin, elle ne sut plus quoi penser.

Elle passait le plus clair de son temps seule, à la maison, à lire et écrire. Elle écrivait aussi des lettres à son père, puis elle les déchirait. Elle ignorait où il vivait. Un jour, profitant d'une sortie de sa mère, elle fouilla partout dans l'espoir de trouver son adresse, sans résultat. Une autre fois, elle téléphona à son travail. On lui répondit que M. Harrison avait quitté la banque et qu'il était à Boston. Autant dire dans une autre galaxie... Et quand, le jour de ses dix ans, il ne donna pas signe de vie, elle sut qu'elle l'avait perdu pour toujours.

Une vague de panique la submergeait, chaque fois qu'elle y pensait. Elle se rappelait cette dernière nuit, dans sa chambre, le revoyait dans le clair de lune... Si elle lui avait dit, alors, combien elle l'aimait, peut-être ne serait-il pas parti. Oui, peut-être ne lui aurait-il pas préféré les deux petites filles dont sa mère parlait... celles qui étaient tellement supérieures à elle... celles qu'il aimait maintenant. Peut-être que si elle s'était donné plus de mal, si elle avait essayé, si elle avait obtenu des notes plus brillantes à l'école... bien qu'il eût été difficile de faire mieux... Ou alors si elle n'était pas allée à l'hôpital... Si sa mère ne les détestait pas tous les deux par sa faute, oui, peut-être serait-il resté... Peut-être aussi était-il mort, et tout cela n'était-il qu'un mensonge. Peut-être avait-il eu un accident et Gabriella ne le savait pas. A cette seule pensée, elle suffoquait... Que deviendrait-elle si, vraiment, elle ne le revoyait plus ? Si elle oubliait son visage ? Parfois, elle regardait ses photos. Il y en avait deux sur le piano, plusieurs dans la bibliothèque. Jusqu'au jour où sa mère la surprit. Elle sortit les photos des cadres et les déchira en mille morceaux. Gabriella avait une dernière photo de lui dans sa chambre, qui datait de ses cinq ans ;

elle avait été prise à Easthampton, un été. Sa mère la découvrit et la déchira comme les autres.

— Oublie-le ! Il se fiche pas mal de toi. Pourquoi perdre ton temps à penser à lui ? Il ne te sauvera pas maintenant, ricana-t-elle, tandis que des larmes remplissaient les yeux de Gabriella.

Plus forte que les coups, la certitude qu'elle ne reverrait plus son père, qu'il ne l'aimait pas, comme sa mère le lui répétait constamment, avait cruellement atteint Gabriella. Au début, elle se refusait à le croire. Puis, peu à peu, elle dut reconnaître que c'était sans doute vrai. Son silence le confirmait. S'il l'aimait, il finirait par lui donner de ses nouvelles. Elle n'avait plus qu'à attendre.

Un an après le départ de son père, Noël fut bien solitaire dans la vaste maison de la 69e Rue. Sa mère passa la journée avec des amis et la soirée avec un homme. Il venait de Californie. Grand, brun, séduisant, il ne ressemblait pas à John. Il revint chercher Eloïse pour l'emmener dîner. Une ou deux fois, il adressa gentiment la parole à Gabriella mais Eloïse lui signifia qu'il n'était pas nécessaire de parler à sa fille. Gabriella était foncièrement mauvaise, lui expliqua-t-elle en restant dans le vague, si odieuse qu'elle préférait ne pas lui donner de détails... Il comprit qu'il était inutile de gagner l'amitié de l'enfant pour s'attirer les faveurs de la mère. Et il jugea qu'il était plus sage d'éviter Gabriella. Alors, il ne lui dit plus un mot.

Beaucoup d'hommes invitaient Eloïse à dîner. L'homme de Californie fut le plus assidu. Il s'appelait Frank. Franklin Waterford. Installé à San Francisco, il était de passage à New York où il comptait passer l'hiver. Gabriella n'en savait pas plus. Elle ne comprenait pas pourquoi il voyageait, mais il parlait souvent de San Francisco. Eloïse allait adorer la Californie, disait-il... Peu après, sa mère décréta qu'elle irait à Reno pendant six semaines. Gabriella n'avait aucune idée de l'endroit où se trouvait Reno, ni pourquoi sa mère voulait s'y rendre. Elle et Frank en parlaient constamment sans jamais lui donner d'explication. Ils en discutaient avec animation, tard dans la nuit, assis dans la bibliothèque en buvant et en riant ensemble. Gabriella craignait de prendre du retard à l'école, quand sa mère et elle partiraient à Reno. Evidemment elle n'osa poser aucune question à Eloïse, craignant de la mettre en colère.

Elle n'avait plus qu'à attendre que sa mère veuille bien l'informer de ses projets. Chaque jour, de retour de l'école, Gabriella triait le courrier dans l'espoir d'y voir une lettre de son père dans laquelle il lui dirait où il était. Mais la lettre n'arrivait pas. Jusqu'au jour où sa mère l'aperçut fouillant dans la boîte aux lettres. L'inévitable se produisit. Mais les sévices semblaient moins violents ces derniers temps. Et moins fréquents. Eloïse était trop occupée par elle-même pour penser à l'éducation de sa fille. La plupart du temps, elle se contentait de déclarer à Gabriella qu'elle était « incorrigible ». D'ailleurs, son père l'avait fort bien compris, n'est-ce pas ? Et puis elle n'avait guère envie de perdre du temps à lui apprendre les bonnes manières... C'était peine perdue... Maintenant, elle laissait Gabriella seule, livrée à elle-même. La petite fille préparait ses propres repas, à condition qu'il y eût quelque chose, car souvent le réfrigérateur était vide.

Jeannie, la gouvernante, partait à dix-sept heures pile. Quand elle le pouvait, elle laissait un plat dans le four pour Gabriella... Elle savait que si elle faisait « trop de chichis » selon les termes de sa maîtresse ou si elle « gâtait » trop la petite fille, celle-ci le paierait cher. Alors, Jeannie feignait l'indifférence et s'efforçait de ne pas songer aux mauvais traitements qu'endurait Gabriella quand elle se retrouvait seule avec sa mère. Elle avait les yeux les plus tristes du monde, pensait Jeannie, le cœur serré, et faisait peine à voir. Mais personne ne pouvait l'aider... Son propre père l'avait abandonnée. Il l'avait laissée seule face à sa mère, et aux yeux de la gouvernante, Eloïse incarnait le démon. Mais Gabriella était malgré tout sa fille. Jeannie n'y pouvait rien, à part lui préparer un bol de soupe de temps à autre, ou poser une compresse froide sur une ecchymose que la petite fille prétendait s'être faite en tombant dans la cour de l'école. Mais Jeannie n'était pas dupe. On ne se blesse pas tous les jours à l'école. On n'est pas couvert de bleus de cette taille... à des endroits toujours cachés. Une fois, elle aperçut la marque d'une main sur le dos de Gabriella. On eût dit que quelqu'un l'avait dessinée sur sa peau. Jeannie n'eut aucun mal à en deviner l'origine. Parfois, elle se prenait à souhaiter que Gabriella fasse une fugue. Elle aurait été mieux dans les rues qu'avec sa mère. Ici elle avait un toit, des vêtements propres. Et rien d'autre. Aucune chaleur humaine, aucune affection, presque pas de nourriture... Mais Jeannie ne se faisait pas d'illusions. Même si la petite fuguait, la police la retrouverait et la ramènerait à sa prison. Les autorités ne s'interposent jamais entre un enfant et ses parents, si cruels soient-ils. Gabriella aussi le savait bien... Elle avait compris depuis longtemps qu'il n'y a rien à attendre des adultes. Que personne ne vous vient en aide. Qu'aucun sauveur n'apparaît jamais sur son beau cheval blanc... Les adultes l'avaient cruellement déçue ; ils feignaient de ne rien voir, de ne rien comprendre. Ils fermaient les yeux, lui tournaient le dos. Comme son père.

Mais tandis que les mois passaient, et qu'à l'hiver succédait le printemps, les colères d'Eloïse se changeaient en indifférence. Du moment qu'elle n'avait pas Gabriella sous les yeux, elle ne s'intéressait plus du tout à elle. La seule fois où elle la battit, ce fut sous prétexte qu'elle « avait fait la sourde oreille », alors qu'elle l'avait appelée. Elle ne croyait pas si bien dire. L'ouïe de Gabriella avait singulièrement diminué à une oreille. Cela dépendait des sons, des angles, des registres des voix, mais elle ne distinguait plus les mots aussi clairement qu'auparavant. Elle ne se plaignait jamais de cette infirmité, due à des sévices anciens, même quand il lui arrivait de ne pas bien suivre les professeurs à l'école. Du reste personne ne s'en était rendu compte. Excepté sa mère.

— Gabriella, il n'y a pas plus sourd que celui qui ne veut pas entendre ! hurlait-elle, avant de fondre sur sa fille comme un rapace sur sa proie.

Heureusement, Frank venait de plus en plus souvent. En sa présence, Eloïse se gardait bien de lever la main sur Gabriella. Mais il suffisait qu'il ne se montre pas ou qu'il oublie de lui téléphoner pour que le monstre en elle se réveille. Alors, elle accusait sa fille.

— Il te déteste, petite ordure ! C'est à cause de toi qu'il n'est pas là ce soir.

Gabriella n'en doutait pas. Et parfois elle se demandait, apeurée, ce qui lui arriverait si jamais les visites de Frank s'arrêtaient. Elle l'avait entendu dire qu'il rentrerait à San Francisco en avril. Et ce futur départ semblait préoccuper Eloïse, dont la nervosité était toujours synonyme de sombres menaces pour Gabriella.

En mars, chaque fois que Frank franchissait le seuil de la maison, ils se retiraient dans la bibliothèque où ils parlaient à mi-voix. Ou alors ils s'enfermaient dans la chambre d'Eloïse pendant des heures. Il était difficile d'imaginer ce qu'ils faisaient car là, ils restaient silencieux... Ensuite, Frank repartait. Lorsqu'il passait devant la chambre de Gabriella, il lui souriait, sans plus. Jamais il ne s'arrêtait pour bavarder un peu, ou même pour la saluer. Eloïse le lui avait interdit. Gabriella était traitée comme une lépreuse dans sa propre maison.

Il retourna à San Francisco en avril, comme prévu. Au grand étonnement de Gabriella, Eloïse n'eut pas l'air affectée. Au contraire, elle paraissait plus occupée, plus heureuse que jamais. Elle n'adressait plus la parole à Gabriella, ce qui était une bénédiction. Mais elle passait des jours entiers à de mystérieux préparatifs. Elle parlait des heures durant au téléphone avec ses amis et baissait toujours la voix quand Gabriclla entrait dans la pièce.

Trois semaines après le départ de Frank, elle commença à sortir des valises de la cave et demanda à Jeannie de l'aider à les monter dans sa chambre. Ensuite elle se mit à rassembler ses affaires comme si elle allait emporter tout ce qu'elle possédait. Gabriella se demandait quand elle ferait ses bagages, elle aussi. Deux jours plus tard, sa mère lui ordonna de préparer une valise.

— Où allons-nous ? demanda Gabriella avec un intérêt prudent.

D'habitude elle ne posait pas de questions. Mais elle voulait savoir quels vêtements choisir.

— Je vais à Reno, répondit sa mère simplement.

Ce qui ne disait rien à Gabriella. Elle n'osa pas demander où se trouvait cette ville ni combien de temps elles y resteraient. Elle se dirigea vers sa chambre, en espérant prendre les bons vêtements. Et Frank ? Serait-il à leur arrivée ? Elle ignorait ce qu'elle éprouvait pour lui. Elle le connaissait à peine. Tout ce qu'elle savait, c'était qu'il était grand, beau, et très gentil avec sa mère. Ils ne se disputaient pas, ne s'insultaient pas comme ses parents par le passé, mais cela ne voulait rien dire non plus... Elle avait du mal à imaginer s'il allait l'accepter ou si elle allait le décevoir comme tous ceux qu'elle connaissait. Gabriella vivait avec cette peur. Si elle aimait quelqu'un, fatalement il la détesterait et l'abandonnerait comme son père. Car si son propre père l'avait rejetée, pourquoi les autres n'en feraient-ils pas autant ? Frank était peut-être différent. Qui pouvait le dire ?

Elle y avait déjà longuement réfléchi. Afin de conjurer sa peur, elle s'était mise à écrire des histoires ayant Frank pour héros. Un jour sa mère était tombée dessus par hasard. Elle avait déchiré les feuillets, avait traité Gabriella d'« allumeuse » et de « coureuse », des termes nouveaux dans son habituel chapelet d'injures. Gabriella n'avait pas compris la raison pour laquelle sa mère s'était emportée. Dans un de ses récits, elle avait décrit Frank comme le Prince charmant. Et elle avait été sauvagement battue pour cela... Frank en aurait été malade s'il l'avait su mais, bien sûr, il n'était pas au courant. Il était déjà en Californie à ce moment-là.

Par un beau samedi matin, deux semaines après Pâques, sa mère la regarda par-dessus sa tasse de café et lui sourit pour la première fois de sa vie. C'en était presque effrayant. La flamme qui brillait dans ses yeux noirs avertissait Gabriella qu'au moindre écart, elle aurait de graves ennuis. Mais Eloïse dit :

— Je pars pour Reno, demain. (Elle semblait heureuse.) Est-ce que ta valise est prête, Gabriella ?

La petite fille opina en silence. Après le petit déjeuner, sa mère monta avec elle dans sa chambre. Elle ouvrit l'unique bagage, puis hocha la tête. Une sensation de soulagement envahit Gabriella. Elle n'avait donc commis aucune erreur impardonnable dans le choix des vêtements. Elle vit sa mère inspecter la chambre du regard. Là non plus, elle ne trouva rien à redire. Aucune image ne décorait les murs — il n'y en avait jamais eu en dehors de la photo de son père, qui avait été confisquée depuis longtemps. Aucun ornement n'égayait la pièce. Il y avait seulement le lit, une chaise, une armoire. Un simple voilage blanc masquait la fenêtre. Jeannie et Gabriella nettoyaient à la brosse le sol en linoléum tous les mardis après-midi.

— Tu n'auras pas besoin de beaux vêtements, Gabriella. Retire la robe rose de la valise, fut le seul commentaire d'Eloïse.

Gabriella s'empressa d'obéir.

Et n'oublie pas l'uniforme de l'école.

Les instructions prêtaient à confusion mais la petite fille s'exécuta. Une fois de plus, elle se demanda si leur séjour à Reno serait long mais elle garda le silence. Alors, sa mère la dévisagea de cet air sarcastique que Gabriella connaissait si bien.

— Ton père se marie en juin. Je suis sûre que tu es contente de l'apprendre.

Le soulagement de le savoir vivant se mêla à la triste certitude de ne plus jamais le revoir. Ainsi, il ne s'était pas tué dans un accident, ce qui aurait expliqué son silence. Elle avait écrit une histoire à ce propos et le fameux accident semblait si vrai qu'elle avait eu peur d'avoir, sans le vouloir, décrit la réalité.

— Tu n'entendras plus jamais parler de lui, affirma sa mère pour la énième fois. Il se fiche pas mal de nous. Il ne nous a jamais aimées. Ni toi, ni moi. Je veux que tu t'en souviennes, Gabriella. Il ne s'est jamais soucié de toi.

Eloïse la regarda et un éclair de colère traversa ses prunelles. Elle attendait sans doute une réponse.

— Tu le sais, n'est-ce pas ?

Gabriella acquiesça en silence. Elle aurait voulu crier que non, ce n'était pas vrai, mais son instinct de survie fut le plus fort. Elle se tut. En son for intérieur, elle voulait croire que son père l'aimait. Evidemment, son attitude prouvait le contraire. Si elle n'avait pas été aussi « vilaine », peut-être serait-il resté... Peut-être... Elle n'oublierait jamais son regard, lors de cette dernière nuit, dans sa chambre. Ses yeux lui avaient dit qu'il l'aimait, et peu lui importaient les inventions de sa mère.

Le soir, Eloïse sortit avec des amis. Gabriella se confectionna un sandwich qu'elle mangea dans la cuisine. La maison était calme, paisible. Longtemps, elle essaya de se figurer le mystérieux voyage qu'elles allaient entreprendre le lendemain. Ce qui les attendait à Reno, pourquoi elles y allaient, restait une énigme. Elle devait s'armer de patience. Sur place, elle aurait la réponse à ses interrogations. C'était inquiétant de ne rien savoir du tout et, bizarrement, elle se sentait triste de devoir quitter la maison. C'était ici qu'elle avait vécu toute sa vie, avec son père. Elle pouvait encore l'imaginer, montant lentement les marches. Ici régnaient encore l'écho de sa voix, la fragrance de son after-shave. Elle avait peur de quitter ses souvenirs. Mais, se rassura-t-elle, cela ne serait pas long. Le voyage prit, dès lors, l'allure d'une merveilleuse aventure. Frank serait sûrement là. Et cette fois-ci, il lui parlerait... Il se pourrait même qu'il lui témoigne un peu d'amitié, et si elle faisait très très attention, si elle se montrait très très gentille, si elle ne le mettait pas en colère, peut-être la trouverait-il sympathique. Tout en gravissant l'escalier elle se promit d'essayer, de faire tout son possible.

Elle dormait quand sa mère rentra. Gabriella ne l'entendit pas longer le couloir. Eloïse se souriait à elle-même, tout en se déshabillant dans sa chambre. Une nouvelle vie l'attendait. Une vie pleine de promesses. Elle avait enfin l'occasion de tourner la page, de fermer la porte sur ses anciennes déceptions. Elle avait hâte que le jour se lève. Elle comptait prendre le train de nuit le lendemain, mais elle ne l'avait pas encore annoncé à Gabriella, qui ne savait toujours pas à quelle heure elles partaient.

Soucieuse de ne pas se mettre en retard, la petite fille se leva à l'aube. Quand sa mère descendit à la cuisine, elle avait préparé le café. Elle posa devant Eloïse une tasse pleine avec une attention soutenue, craignant d'en renverser une goutte. Heureusement, rien ne se passa. Elle avait appris sa leçon à la perfection. Le café avait exactement la température que sa mère aimait. Eloïse ne souffla mot, ce qui était bon signe : elle n'était pas de mauvaise humeur. Enfin, pas encore. Car à tout instant, comme dans un ciel d'été, la foudre pouvait tomber.

Une demi-heure passa avant que sa mère ouvre la bouche. Elle voulait savoir si Gabriella était prête. Elle l'était. Elle avait fermé sa valise avant de descendre, elle avait revêtu un sweater blanc sur une jupe grise, plié soigneusement son blazer bleu marine qu'elle avait posé sur la chaise de sa chambre, en même temps que son béret assorti et les gants blancs qu'elle portait toujours lorsqu'elles sortaient. Ses souliers en cuir noir étaient impeccables. Cirés, polis, sans une égratignure. Elle portait des socquettes d'un blanc immaculé, retournées sur la cheville, comme sa mère le souhaitait. Avec ses cheveux blonds tirés en queue de cheval et ses grands yeux bleus, elle aurait fait fondre le cœur le plus irascible. Mais pas celui de sa mère. A dix ans, c'était encore une petite fille adorable. Elle n'était plus dégingandée, ne faisait plus « bébé » et l'on pouvait aisément deviner qu'elle deviendrait une véritable beauté, ce qui ne réjouissait pas sa mère.

Eloïse se dirigea vers l'entrée, tandis que Gabriella montait à l'étage. Elle mit son béret, ses gants, son blazer, redescendit avec sa valise. Sa mère n'avait pas bougé. Et elle n'avait pas descendu ses bagages. Aussitôt, Gabriella fit demi-tour et se remit à monter les marches.

— Où vas-tu encore ? s'enquit Eloïse, exaspérée.

Elle avait mille choses à faire aujourd'hui.

— Chercher tes valises, répondit solennellement Gabriella.

— Laisse, je m'en occuperai plus tard. Dépêche-toi maintenant.

Encore ces directives incompréhensibles ! Gabriella n'eut pas le courage de demander une explication, même en cet instant où elles allaient quitter la maison. Elle remarqua alors que sa mère portait un vieux pull noir sur une jupe grise. Contrairement à sa fille, Eloïse n'avait pas mis de tenue de voyage. Elle n'avait même pas pris la peine de mettre un chapeau, chose rare lorsqu'elle sortait. Sans un mot, Gabriella la précéda sur le perron en soulevant son petit bagage. Elle se retourna, jeta un coup d'œil à la maison où elle avait tant souffert. Une étrange terreur l'étreignit... Quelque chose ne tournait pas rond, elle le savait, mais quoi ?

Cela semblait insensé de le penser et pourtant elle ne pouvait s'en empêcher. Soudain, elle n'eut plus qu'une envie : faire demi-tour, s'élancer vers la demeure, aller se cacher au fond de la penderie du couloir. Elle ne s'était pas cachée depuis près de deux ans. L'expérience lui avait appris que les sévices n'en étaient que plus cruels. Mieux valait se soumettre à la torture. Et maintenant, elle aurait préféré n'importe quelle punition plutôt que de suivre aveuglément sa mère vers un destin inconnu, peut-être pire que son calvaire familier.

— Ne traîne pas les pieds, Gabriella ! Je n'ai pas toute la journée ! grommela Eloïse.

Elle traversa d'un pas alerte la contre-allée sur ses chaussures à talons, héla un taxi. « Elle n'a pas pris ses bagages », se répéta Gabriella. Elle sut alors avec certitude que, où qu'elle aille, sa mère n'irait pas avec elle. Mais où pouvait-elle bien l'emmener un samedi matin, avec sa valise ?

Eloïse donna au chauffeur une adresse dans East Forties, qui ne disait rien à Gabriella. Le cœur de la petite fille se mit à battre la chamade, tandis que la voiture filait vers le quartier de Downtown. L'incertitude quant à leur destination l'emplissait peu à peu d'une sombre terreur. Elle ne demanda rien, sachant qu'elle paierait cher sa curiosité. Sa mère ne semblait guère encline à la conversation. Elle regardait par la fenêtre, perdue dans ses pensées, des pensées agréables si l'on en jugeait par son expression. Une ou deux fois, elle consulta son bracelet-montre d'un air satisfait. Son emploi du temps se déroulait comme prévu. Le taxi s'arrêta devant un immeuble trapu en pierre grise dans la 48e Rue, près d'East River. Les mains de Gabriella tremblaient, une nausée lui révulsa l'estomac. Elle avait dû commettre une terrible faute cette fois, et sa mère l'emmenait à la police ou dans une maison de correction où elle serait punie par quelqu'un d'autre. Rien n'était impossible dans une existence aussi malheureuse que la sienne. Elle ne se sentait en sécurité nulle part.

Sa mère régla la course et descendit de voiture. Gabriella suivit. Elle se déplaçait avec lenteur, soulevant à contrecœur sa valise. Rien sur la façade de l'immeuble ne lui donna la moindre indication. Sa mère appuya sur la sonnette avant de frapper à la porte à l'aide d'un lourd heurtoir de bronze. La petite fille leva le regard vers la bâtisse. Elle lui parut particulièrement austère et imposante. Ses yeux cherchèrent en vain ceux de sa mère, puis elle se concentra sur ses chaussures pour cacher ses larmes. Ses jambes flageolaient sous l'emprise d'une indicible terreur. Enfin, au bout d'une éternité, la porte s'entrouvrit sur une moitié de visage, dont l'œil les scruta.

— Oui ?

Etait-ce un homme ou une femme ? Gabriella ne put le déterminer. Le visage inconnu semblait sans âge et sans sexe.

— Je suis Mme Harrison. Je suis attendue, dit Eloïse d'un ton cassant... Et je suis pressée, ajouta-t-elle, irritée par toute cette lenteur.

La lourde porte se referma avec un bruit sourd sur la figure étrange, sans doute repartie vérifier l'exactitude de ces informations.

— Maman... murmura la petite fille apeurée. Maman...

Il aurait été plus sage de garder le silence, mais elle ne pouvait plus se taire. Eloïse se retourna vivement.

— Reste tranquille, Gabriella ! Ce n'est ni l'endroit ni le moment de montrer tes mauvaises manières... On ne va pas te ménager ici comme à la maison.

C'était donc vrai ! Elles étaient à la prison... Ou alors au commissariat... Un lieu de punition où Gabriella allait expier dix années de fautes qui avaient provoqué le départ de son père. Des larmes lui piquèrent les yeux et elle eut l'impression d'attendre une sentence de mort... Qu'était devenu leur voyage à

Reno ? A moins que Reno soit ici... derrière ces murs épais de pierre grise.

Les griffes de la peur l'étouffèrent quand la porte, qui semblait peser une tonne, roula de nouveau sur ses gonds. Une vieille femme voûtée apparut sur le seuil, devant une sorte de caverne sombre. Avec sa canne et son châle noir par-dessus ses vêtements noirs également, elle faisait penser à la fée Carabosse. Elle leur fit signe d'avancer. Gabriella déglutit péniblement. Malgré ses efforts, un sanglot la secoua. Sa mère l'attrapa par le bras et la poussa à l'intérieur. La porte se referma alors, dans un fracas de fin du monde. Puis ce fut le silence, brisé seulement par les sanglots de Gabriella.

— Mère Gregoria vous recevra dans un instant, dit la vieille femme à Eloïse, sans même regarder Gabriella.

Eloïse décocha un regard furibond à sa fille.

— Arrête ! Tout de suite ! ordonna-t-elle, et elle lui secoua l'épaule sans obtenir de résultats. Cesse de pleurnicher. Tu pourras verser toutes les larmes de ton corps quand je serai repartie mais de grâce, épargne-moi cette scène ridicule. Je ne suis pas ton père ! Et les religieuses non plus ! Tu sais ce qu'elles font aux enfants qui se conduisent mal ?

Elle ne donna jamais la réponse à sa question. Gabriella leva le regard vers un gigantesque Christ qui agonisait sur la croix, et cette vision ne fit qu'accroître sa terreur. Elle se mit à sangloter plus fort. C'était le pire jour de sa vie. Elle préférait mourir sur-le-champ plutôt que subir le châtiment de ses fautes. Combien de temps resterait-elle chez les religieuses ? Elle l'ignorait. La valise qu'elle portait, néanmoins, lui prouvait qu'il s'agissait d'un long séjour.

Ses sanglots hachés devinrent incontrôlables. Aucun des avertissements de sa mère ne parut l'impressionner. Elle ne pouvait plus s'arrêter. Elle pleurait encore quand la vieille nonne revint leur annoncer que la Mère supérieure les attendait. Elles s'engagèrent à sa suite dans un long couloir sombre éclairé chichement par de faibles ampoules. On eût dit un donjon. Dans le lointain, on entendait un chant lugubre... Ces voix, que le son grave de l'orgue rendait encore plus sinistres, portèrent la frayeur de Gabriella à son paroxysme. Elle aurait préféré être sous terre plutôt que rester ici une minute de plus.

La vieille religieuse s'arrêta devant une porte étroite. Elle leur fit signe d'entrer, puis s'éloigna en boitillant, prenant appui sur sa canne. Malgré son âge canonique et son infirmité, elle semblait voler sur le sol de pierre, du moins Gabriella le crut-elle, et une fois de plus, la peur la figea. Sa mère l'attrapa par le bras, la propulsant en avant. La vue de la pièce dans laquelle elle pénétra lui arracha de nouveaux sanglots. Une nonne se leva de derrière un bureau branlant pour les accueillir... Un visage comme taillé dans le granit, des yeux de glace... Un bandeau amidonné d'un blanc immaculé lui enserrait le front. Le reste disparaissait sous un voile noir. Elle était très grande. Les bras croisés, elle posa un regard indéchiffrable sur Eloïse et sa fille. Le plus effrayant, c'était qu'elle n'avait pas de mains... Ou plutôt si, se rendit compte Gabriella, mais elle les avait enfouies dans les replis de ses manches. Un lourd rosaire en bois lui tenait lieu de ceinture. Aucun signe ne la distinguait des autres religieuses mais Eloïse savait qu'elle était, en effet, la Mère supérieure du couvent. Elle l'avait rencontrée deux fois et lui avait exposé ses projets concernant Gabriella. Et maintenant, la religieuse fronçait les sourcils. Elle trouvait bizarre que l'enfant soit aussi bouleversée. Elle avait supposé que sa mère l'aurait mise au courant de la situation.

— Bonjour, Gabriella, dit-elle d'une voix solennelle. Je suis mère Gregoria. Tu vas rester avec nous pendant un certain temps, comme tu le sais.

Il n'y avait pas l'ombre d'un sourire sur ses lèvres, mais son regard était doux. Malheureusement Gabriella était incapable de s'en apercevoir... Elle secoua misérablement la tête en sanglotant. Non elle ne le savait pas. Elle ne savait rien.

— Tu resteras ici pendant que je serai à Reno, expliqua Eloïse d'une voix plate.

La supérieure scruta ses visiteuses d'un air désapprobateur. Il était facile de deviner qu'Eloïse Harrison n'avait pas prévenu sa fille, qui, toute tremblante, demandait :

— Pour combien de temps ?

Si profonde que fût sa haine à l'encontre de sa mère, celle-ci était tout ce qui lui restait au monde. D'ailleurs, elle était punie maintenant pour l'avoir détestée pendant si longtemps. Oui, très certainement, on allait l'enfermer dans une cellule, afin qu'elle soit châtiée pour ses vilaines pensées.

— Six semaines, répondit Eloïse d'un ton tranchant, sans ajouter un mot de réconfort.

— J'irai à l'école ?

Des hoquets entrecoupaient les sanglots de Gabriella. Les larmes mouillaient son petit visage blême et elle avait du mal à respirer.

— Tu étudieras avec nous, dit la supérieure d'une voix calme, qui n'apaisa pas, toutefois, les craintes de la petite fille.

Elle avait peur des voiles noirs, elle avait peur de tout. Etre battue à la maison lui paraissait infiniment plus rassurant. Si elle avait eu le choix, elle serait rentrée et se serait soumise aux coups et aux mauvais traitements sans mot dire. Hélas, elle n'avait pas ce choix. Sa mère allait partir à Reno.

— Il y a deux autres jeunes filles ici, reprit la supérieure. Deux sœurs un peu plus âgées que toi. L'une a quatorze ans, l'autre dix-sept. Je crois qu'elles te plairont. Elles sont très heureuses avec nous.

Elle se garda d'ajouter qu'elles étaient orphelines. Leurs parents s'étaient tués dans un accident d'avion un an plus tôt. Leur grand-mère, à qui elles avaient été confiées, était morte brutalement à Noël. Elles étaient cousines d'une des religieuses et c'était pourquoi la supérieure avait accepté de leur offrir l'hospitalité, jusqu'à ce qu'une solution soit trouvée. Pour Gabriella, c'était différent. Il s'agissait d'une mesure temporaire. Deux mois, trois au maximum, avait dit Eloïse Harrison, qui ne donna pas cette précision à sa fille, même maintenant. Il existait un étrange malaise entre elles, se dit la supérieure en les observant de plus près. En fait, on aurait dit que l'enfant avait peur de sa mère... Le père les avait abandonnées, la supérieure le savait. Il allait se remarier bientôt. Et Eloïse ne lui avait pas dévoilé ses propres projets de mariage. Elle avait simplement prétendu qu'elle devait se rendre à Reno pour obtenir le divorce. Et sans l'approuver pour autant, mère Gregoria avait accepté d'offrir un toit à Gabriella... Gabriella qui continuait à sangloter.

Eloïse regarda son bracelet-montre.

— Je dois partir maintenant.

Une petite main jaillit. Des doigts minces s'accrochèrent à sa jupe.

— Oh, non, maman, ne t'en va pas... s'il te plaît... Je serai sage... Je le jure... Je t'en supplie, maman, ne t'en va pas... laisse-moi venir avec toi.

— Ne sois pas ridicule !

Eloïse réussit à se dégager et recula farouchement sans parvenir à dissimuler sa répugnance. Se trouver si près de Gabriella et subir en plus ses effusions lui donnait envie de prendre ses jambes à son cou.

— Reno n'est pas un bon endroit pour les enfants, coupa la supérieure avec fermeté... Pas plus que pour les adultes.

Et encore, elle ignorait que Frank s'était occupé des réservations. Qu'il allait rejoindre Eloïse dans un luxueux ranch où il lui donnerait des leçons d'équitation.

— Ta mère reviendra bientôt, Gabriella. Tu verras, le temps passera très vite, dit-elle gentiment.

Elle voyait bien que sa future élève était en proie à une peur panique et que sa mère n'en avait que faire — si tant est qu'elle l'ait remarqué. D'un léger signe de tête, la supérieure donna congé à Eloïse, qui s'empressa de saisir son sac, après quoi elle jeta un dernier coup d'œil à sa fille. Un léger sourire jouait sur ses lèvres comme si elle ne pouvait pas dissimuler son plaisir de la laisser. Elle ne désirait plus que sa liberté.

— Sois sage, fut tout ce qu'elle dit. Ne fais pas tes caprices habituels. Je le saurai, si tu ne te conduis pas comme il faut.

Elles se regardèrent. Toutes deux savaient ce que cela voulait dire, mais Gabriella n'en tint pas compte. Elle noua ses bras autour de la taille de sa mère et se remit à pleurer. Elle pleurait sur la mère qu'elle n'avait jamais eue, le père qu'elle avait perdu pour toujours. Elle se sentait au bord d'un précipice sans fond, d'un gouffre de peur et de solitude. Son désespoir, sa détresse, l'expression de ses yeux touchèrent le cœur de la supérieure. La vieille religieuse attendit un instant : elle voulait voir si Eloïse allait embrasser son enfant, si elle allait la consoler, mais non ! Elle se dégagea des bras fluets noués à sa taille, puis repoussa fermement la petite fille.

— Au revoir, Gabriella, dit-elle froidement.

Gabriella la regarda de ses yeux trop mûrs pour son âge. Elle avait compris ce que ces mots voulaient dire et, une fois de plus, elle éprouva la sensation d'être abandonnée. Elle resta figée, encore secouée de sanglots, malgré ses efforts pour les refouler, et regarda sa mère... Elle ne prononça plus un mot, tandis qu'Eloïse sortait de la pièce et refermait la porte sans un regard.

Pendant une seconde, un instant infime, Gabriella mesura, anéantie, l'étendue de sa solitude. Ses yeux rencontrèrent ceux de la vieille religieuse. Et elles se regardèrent comme deux âmes qui reviennent de loin, après avoir traversé de rudes épreuves... trop précoces pour ce qui concernait Gabriella. Celle-ci restait debout, avec de petits sanglots à vous briser le cœur. Mère Gregoria s'avança alors vers elle. Sans un mot, elle la prit dans ses bras et la serra contre elle...

Elle aurait voulu protéger Gabriella d'un monde qui l'avait mortellement blessée. Tout ce que mère Gregoria sentait, croyait, pensait ou souhaitait était exprimé par la seule force de ce geste. Gabriella la fixa, étonnée. Puis elle ferma les paupières. Elle comprit alors, au-delà des mots, qu'elle était arrivée à bon port. Les larmes brûlantes coulèrent à nouveau de ses yeux. Blottie contre la Mère supérieure, elle pleura sans retenue. Elle pleurait sur ce qu'elle avait perdu, sur la peine, le chagrin, la peur que la vie lui avait donnés en partage... Mais quoi qu'il advienne, elle savait, avec toute la sagesse de ses dix ans, qu'elle était enfin en sécurité.

6

Le premier repas de Gabriella au couvent Saint-Matthew ressemblait à un rituel qui d'abord la déconcerta, puis lui apporta un étonnant réconfort. C'était un des rares moments de détente de la journée. Les sœurs avaient le droit de se parler après avoir rejoint la Mère supérieure à la chapelle où la congrégation se réunissait au grand complet pendant une heure pour prier en silence. Gabriella avait été frappée par leur nombre et leur austérité. Mais une fois dans la vaste salle à manger, la foule sans visage s'était divisée en joyeux groupes de femmes, qui riaient et bavardaient autour des longues tables du réfectoire.

Beaucoup étaient très jeunes, remarqua Gabriella. Elles étaient près de deux cents, dont une bonne cinquantaine de postulantes et de novices qui n'avaient pas vingt ans. Certaines avaient l'âge de la mère de Gabriella, d'autres l'âge de la supérieure. Enfin, il y avait une poignée de religieuses d'âge canonique. La plupart des nonnes enseignaient à l'école Saint-Stephen, située à proximité, ou travaillaient comme infirmières à l'hôpital Mercy. Pendant le dîner, les conversations sautaient de la politique aux progrès de la médecine en passant par des anecdotes sur les élèves ou sur des incidents amusants de la vie domestique. Elles plaisantaient, se taquinaient, se donnaient des surnoms. A la fin du repas, chacune alla dire un mot gentil à Gabriella. Même la vieille religieuse qui leur avait ouvert la porte le matin même et qui lui avait fait tellement peur. Elle s'appelait sœur Mary Margaret et était très aimée au sein de la congrégation. Ancienne missionnaire d'Afrique, elle s'était retirée au couvent Saint-Matthew depuis plus de quarante ans. Elle arborait volontiers un large sourire édenté...

— Elle déteste porter son dentier ! expliqua une jeune novice, avec un rire espiègle.

Gabriella était dépassée par les événements. Elle avait l'impression d'avoir été parachutée dans une famille de deux cents femmes gentilles et aimantes... Pour le moment, elle n'avait rencontré aucun visage renfrogné, aucune expression revêche. Après dix ans passés dans un champ miné où elle s'épuisait à esquiver les sautes d'humeur et les fureurs dévastatrices de sa mère, elle flottait sur un doux nuage cotonneux. Et tandis que les religieuses venaient spontanément vers elle et se présentaient, elle s'efforçait vaillamment de retenir leurs noms... Sœur Timothy, sœur Isabel de l'Immaculée Conception, sœur Ave Regina, sœur Andrew, dite « Andy », sœur Joseph, sœur John... et une dont le nom se grava instantanément dans la mémoire de la petite fille, sœur Elisabeth, que toutes appelaient sœur Lizzie, belle jeune femme au teint de lys, dont les grands yeux verts se mirent à sourire dès qu'elle aperçut Gabriella.

— Tu es un peu jeune pour prendre le voile, Gabbie... Mais le Seigneur accepte tous les fidèles sans discrimination de sexe, de race ou d'âge...

Personne ne l'avait encore appelée « Gabbie » ; les grands yeux verts lui parurent alors les plus tendres, les plus doux, les plus radieux du monde... Elle aurait voulu continuer à parler avec sœur Lizzie jusqu'à la fin des temps. Celle-ci était postulante. Bientôt, elle deviendrait novice. Sa vocation datait de ses quatorze ans lorsque, clouée au lit par la rougeole, elle avait eu la vision de la Sainte Vierge.

— Ce sont des choses qui arrivent, tu sais, confia-t-elle à Gabriella, même si cela paraît bizarre.

Aujourd'hui, à vingt et un ans, elle était aide-soignante à l'hôpital Mercy... D'emblée, sœur Lizzie avait éprouvé un élan de tendresse pour la petite fille aux grands yeux tristes. Il y avait dans son regard une longue et pénible histoire qui se passait de mots. Des malheurs qu'elle aurait du mal à partager avec les autres et qui l'avaient marquée d'une empreinte indélébile.

Mais la rencontre avec la Mère supérieure, le matin même, quand sa propre mère l'avait quittée, était ce qui comptait le plus dans l'esprit de Gabriella. Les mots lui manquaient pour décrire ses émotions mais elle avait la conviction d'avoir enfin trouvé l'affection maternelle qu'elle n'avait jamais eue... Elle ignorait qu'à ce moment même, de sa place, la supérieure l'observait avec bienveillance, tandis que les autres religieuses l'entouraient. « Une enfant timide, fragile », pensait-elle. Mais forte, par certains côtés, avec une sorte de profondeur qui démentait étrangement son jeune âge. Pour une femme de l'expérience de mère Gregoria, il n'y avait pas de mystère. Gabriella portait en elle des blessures impossibles à cicatriser. L'origine en était facile à deviner, il n'y avait qu'à entendre sa mère parler. Oui, la mère constituait bien la source de la tristesse que l'enfant portait comme un voile qui l'isolait du reste du monde... Cette petite fille était descendue en enfer. Dieu seul savait comment elle en était revenue. La supérieure se demanda si cette belle âme n'était pas destinée à une vie d'abnégation, comme tant d'autres, qui étaient arrivées au couvent tout aussi abîmées que cette enfant, pour ne plus jamais repartir. Le chemin de la guérison était long et pénible, mère Gregoria le savait. Comme elle savait qu'une force intérieure habitait Gabriella. Pour une enfant aussi jeune, elle dégageait une présence extraordinaire.

Les religieuses lui présentèrent les deux autres pensionnaires du couvent, les jeunes orphelines qui habitaient là depuis Noël. La cadette, à quatorze ans, renâclait devant les règles de la communauté, trop strictes à son goût... Nathalie était une fille ravissante qui ne pensait qu'aux garçons et aux jolies robes. Elle était folle d'un jeune chanteur du nom d'Elvis... Sa sœur aînée, Julie, dix-sept ans, était son contraire. Aux turpitudes du monde extérieur, elle préférait la sécurité de la vie monacale. D'une timidité maladive, elle ne s'était pas remise du choc de la mort brutale de ses parents. Julie souhaitait entrer dans les ordres. Des mois durant, elle avait supplié mère Gregoria de leur permettre, à elle et à sa sœur, de rester pour toujours au couvent. Si Julie ne fut guère bavarde lorsqu'on la présenta à Gabriella, Nathalie la noya sous un flot de chuchotements, de rires et de secrets. Mais Gabriella, vraiment trop jeune pour apprécier pleinement les avantages d'une telle amitié, resta sur sa réserve. Et peu après, Nathalie confiait à sœur Lizzie que « la petite nouvelle » n'était qu'un « bébé », mais que c'était « d'accord », elle et Julie seraient gentilles avec elle. De toute façon, ajouta-t-elle, elle ne lui donnait pas plus de vingt-quatre heures pour réclamer ses parents à cor et à cri.

Mais ce n'est pas à eux que songeait Gabriella, cette nuit-là. Elle pensait à la femme qui l'avait serrée sur son cœur et l'avait consolée, le matin. Elle se rappelait comment les bras puissants de mère Gregoria l'avaient tenue étroitement enlacée, et quelle délicieuse sensation de sécurité s'était glissée en elle, après dix ans de malheur. Gabriella n'avait jamais connu quelqu'un comme la supérieure et, à l'instar de Julie, elle commençait à se demander si elle ne pourrait pas rester définitivement.

Elle partageait la chambre des deux autres pensionnaires. Une pièce de dimensions modestes, presque nue, dont la minuscule fenêtre donnait sur le jardin du couvent. Etendue sur son lit, silencieuse, elle contemplait la lune dans un pan de ciel encadré par les montants de la petite fenêtre. Ses pensées se tournèrent vers sa mère, qui avait sans doute pris le train à destination de cet endroit mystérieux appelé Reno. Quand reviendrait-elle, elle l'ignorait. Mais aussi longtemps qu'elle resterait absente, Gabriella savait, avec une certitude absolue, que pour la première fois de sa vie, elle n'avait rien à craindre : ni mauvais traitements, ni punitions. Pas d'accusations et pas de haine. L'espace d'un instant, elle se revit devant la porte monumentale, morte de peur, croyant qu'elle avait été amenée là pour expier ses fautes. A présent, elle envisageait son séjour au couvent comme une bénédiction.

Le sommeil la surprit alors qu'elle souriait au souvenir des religieuses qui, tout à l'heure, avaient formé autour d'elle un cercle, comme une nuée de moineaux... Sœur Lizzie... sœur Timothy... sœur Mary Margaret... sœur John... puis la grande femme aux yeux pleins de sagesse, qui l'avait tenue contre son cœur sans un mot, tel un petit oiseau aux ailes brisées. Et déjà, alors qu'elle se roulait en boule sous la couverture, comme à son habitute, elle sentit les morceaux de son cœur se ressouder.

Le lendemain on vint les réveiller, selon la règle, à quatre heures du matin. Les trois jeunes filles passèrent les deux premières heures à la chapelle, où les religieuses priaient en silence. Juste avant le lever du soleil, une hymne limpide s'éleva sous les voûtes. Gabriella n'avait jamais rien entendu d'aussi beau que ces voix s'élevant à l'unisson à la gloire d'un Dieu qu'elle-même avait imploré des années durant et dont elle avait fini par douter. Mais ici, dans la lumière de leur foi, Son amour et Sa protection se répandaient, irrésistibles. Quand, plus tard, elle entra avec ses compagnes dans la salle à manger pour le premier repas de la journée, une paix étrange se glissa en elle...

Le petit déjeuner, silencieux, contribuait, grâce à la contemplation et à la concentration, à préparer les religieuses aux problèmes qui ne manqueraient pas de se présenter hors des murs du couvent, à l'école ou à l'hôpital. Ce moment de paix leur insufflait la force d'apporter consolation et guérison aux malades auxquels elles prodiguaient leurs soins, avec l'aide de Dieu. Avant de partir vaquer à leurs occupations, elles se saluèrent par des signes de tête et des sourires. Celles qui travaillaient s'en furent, les autres se retirèrent dans leur cellule ou leur dortoir, suivant leur âge et leur statut. Les plus âgées avaient des cellules individuelles tandis que les postulantes et les novices partageaient de petits dortoirs, exactement comme Gabriella et les deux autres pensionnaires. Les trois jeunes filles devaient aujourd'hui étudier avec deux vieilles religieuses, anciens professeurs à la retraite. Une petite pièce leur tenait lieu de classe, et les trois élèves se plongèrent dans des livres et des cahiers de sept heures trente à midi. Chacune dut résoudre des exercices appropriés à son niveau et à son âge. Elles prirent leur déjeuner dans le vaste réfectoire, en compagnie d'une poignée de nonnes qui ne travaillaient pas au-dehors.

Gabriella ne vit pas mère Gregoria de la journée. Mais, dès qu'elle l'aperçut au dîner, les yeux de l'enfant s'illuminèrent, comme ceux de la supérieure. Gabriella s'avança vers elle timidement.

Mère Gregoria lui demanda avec un sourire chaleureux comment s'était passée sa première journée.

— As-tu bien travaillé ?

La petite fille acquiesça. Cela avait été plus dur qu'à son école habituelle. Il n'y avait eu ni pauses, ni jeux, ni récréation mais, bizarrement, elle ne sentait aucune fatigue. Elle aimait être ici, en ce lieu apaisant où l'on pouvait tout partager. Chacune des religieuses semblait avoir un emploi, un but, une mission à accomplir. Ce n'était pas l'absence du monde extérieur que l'on remarquait mais, d'emblée, la présence de quelque chose de plus, une autre façon de vivre qui consistait à donner plutôt que de se contenter de survivre ou de prendre. Ces femmes étaient venues ici dans un vrai but, et chaque jour elles se donnaient à fond pour d'autres personnes. Et, au lieu de les épuiser, leur altruisme les fortifiait. Même les plus jeunes, Julie, Nathalie et « Gabbie », comme la moitié du couvent l'appelait à présent, s'en rendaient compte. Et Gabriella se surprit à aimer ce petit nom affectueux.

Tout semblait si différent de ce qu'elle avait vécu auparavant. Les femmes, qui bavardaient et riaient pendant le dîner, représentaient exactement le contraire de sa mère. Dépourvues de vanité, d'égocentrisme, de colère, de cette rage démentielle qui habitait Eloïse, elles se vouaient à l'amour, à l'harmonie, au service de l'humanité souffrante. La sérénité faisait rayonner tous les visages. Et, pour la première fois de sa vie, Gabriella saisit le sens du mot « bonheur ».

Ce soir-là, deux prêtres vinrent pour la confession. Ils passaient quatre fois par semaine, et les religieuses formaient des files silencieuses dans la chapelle après dîner. Sœur Lizzie demanda à Gabriella si elle voulait se joindre à elles. Elle avait fait sa première communion quatre ans plus tôt, et à ce titre elle pouvait recevoir les sacrements, même si ce n'était pas aussi souvent que les sœurs, qui communiaient tous les jours. La plupart des confessions étaient courtes, quelques-unes plus longues. Et les prières qui suivaient duraient une éternité : immobiles, toutes s'abîmaient dans la contemplation de leurs péchés et faisaient pénitence.

Les aveux de Gabriella furent aussi brefs qu'intéressants. Après avoir dit au prêtre depuis quand elle ne s'était pas rendue au confessionnal, elle avoua qu'elle détestait sa mère.

— Pourquoi, mon enfant ?

Des deux confesseurs, c'était le plus âgé. Un homme profondément gentil, prêtre depuis quarante ans, qui éprouvait une grande affection pour les enfants. A travers la grille lui parvenait une voix de petite fille. Il savait par mère Gregoria qu'une nouvelle pensionnaire se trouvait parmi eux. Lui-même ne l'avait pas encore rencontrée.

— Pourquoi as-tu succombé à la tentation du Malin de détester ta mère ?

Un silence interminable suivit.

— Parce qu'elle me hait, répondit la petite voix, tremblante mais convaincue.

— Une mère ne déteste pas son enfant. Jamais. Dieu ne le permettrait pas.

Pourtant, Dieu avait permis des tas de choses en ce qui la concernait, des choses horribles dont Il n'accablait personne d'autre, apparemment. Mais peut-être était-elle si mauvaise que Dieu lui-même la détestait, encore qu'ici, à Saint-Matthew, c'était difficile à croire.

— La mienne me déteste. Je le sais, répéta-t-elle.

De nouveau, il réfuta son affirmation. Il l'incita à réciter dix Ave Maria, à penser à sa mère avec amour pendant la pénitence et à essayer de se persuader que celle-ci l'aimait en retour. Gabriella ne le contredit pas. Elle venait de comprendre que détester sa mère constituait un péché supplémentaire, plus grave qu'elle ne l'avait pensé. Mais elle ne pouvait pas s'en empêcher...

Elle récita sa pénitence en silence, au milieu des religieuses, puis regagna sa chambre. Nathalie feuilletait un magazine qu'elle avait acheté en catimini. Elle se plongea bientôt dans la lecture d'un article intitulé *Tout sur Elvis*, pendant que Julie menaçait de la dénoncer à sœur Timmie. Gabriella les laissa à leurs chamailleries. Elle s'assit, perdue dans sa méditation... Le prêtre avait été formel. Elle avait commis un péché. Irait-elle rôtir en enfer parce qu'elle avait détesté sa mère ? Mais l'enfer, elle l'avait déjà vécu sur terre. Et si Dieu l'avait vue souffrir, Il lui avait sûrement réservé une place au paradis.

Cette nuit-là, elle dormit en boule, au pied du lit, comme d'habitude. Et au petit matin, alors qu'elles s'habillaient pour aller à la chapelle, ses deux camarades de chambre la taquinèrent pour sa manie, mais sans malice. Elles dirent simplement que c'était drôle, sa façon de se coucher, comme s'il n'y avait personne dans le lit. Une habitude qui du reste ne lui avait pas servi à grand-chose.

Elle passa une deuxième journée à l'école. Puis une autre. Elle s'adaptait fort bien à sa nouvelle vie. Elle allait étudier avec ses deux compagnes, se rendait à la chapelle. Elle avait appris les hymnes, les psaumes des vêpres et des matines. Elle s'agenouillait sur le sol de pierre au premier son de cloche invitant à la prière, exactement comme les religieuses. Vers la mi-mai, elle les connaissait toutes par leur prénom, savait leurs habitudes. Elle souriait spontanément, bavardait aisément pendant le dîner, et chaque fois que cela lui était possible, elle se mettait à côté de mère Gregoria sans un mot, juste pour être près d'elle.

Le mois de mai s'achevait quand la supérieure la convoqua dans son bureau exigu. Cela faisait tout drôle de la revoir dans la pièce même où elle l'avait rencontrée pour la première fois. Mais cette scène paraissait tellement lointaine maintenant. Voilà six semaines qu'elle était arrivée à Saint-Matthew, et elle n'avait eu aucune nouvelle de sa mère, pas même une carte postale. Or elle savait que le retour d'Eloïse était imminent.

Elle entra dans le bureau en se demandant si elle avait commis une faute et si la supérieure allait la gronder. Sœur Mary Margaret était venue la chercher en classe et dès lors, la convocation avait revêtu un caractère officiel qui avait alarmé Gabriella.

— Es-tu heureuse ici, mon enfant ? demanda mère Gregoria en lui souriant.

Les yeux bleus de la petite fille la fixaient, graves, solennels. Une fois de plus, la supérieure remarqua dans son regard quelque chose de profond, en contradiction avec son âge et son innocence. Gabriella souriait plus spontanément maintenant, avec moins de réserve. Mais on sentait une distance entre elle et les autres. La peur sournoise subsistait toujours, tapie au fond d'elle-même. Par moments, elle s'enfermait dans sa coquille. Elle se rendait souvent au confessionnal, avait remarqué la supérieure, qui se demandait si la petite fille était parvenue à vaincre ses démons intérieurs... Des démons dont elle ne parlait jamais, car Gabriella était secrète.

— Te sens-tu chez toi, avec nous ?

— Oui, ma mère, répondit Gabriella. (Mais ses yeux restèrent anxieux.) Est-ce que j'ai commis une faute ?

Elle s'attendait visiblement à un châtiment et avait hâte de mettre un nom dessus... Il n'y avait rien de plus terrifiant pour elle que d'ignorer la punition qui l'attendait.

— Mais non, Gabbie, n'aie pas peur. Tu n'as rien fait de mal. Pourquoi es-tu si inquiète ?

La supérieure interrompit le flot de ses questions. Il était trop tôt encore pour apprivoiser cette âme blessée et farouche, prisonnière de sombres secrets.

— J'ai peur que vous soyez fâchée contre moi. Lorsque sœur Mary Margaret m'a dit que vous vouliez me voir, j'ai cru que...

— Je voulais juste te parler de ta mère.

Un frisson glacé parcourut aussitôt Gabriella. La seule mention de sa mère l'emplissait d'effroi... Pourtant, d'une certaine manière, Eloïse lui manquait. La petite fille avait lutté courageusement contre la haine qu'elle éprouvait à son endroit ; elle avait récité d'innombrables Ave. Pourvu que ses confesseurs n'aient pas révélé ses péchés à la supérieure ! Assise à son bureau, la vieille religieuse observait d'un air songeur les ombres qui se succédaient sur le petit visage soucieux. Mais elle n'avait qu'une très vague idée des terreurs qui hantaient Gabriella.

— J'ai eu de ses nouvelles, hier. Elle m'a téléphoné de Californie.

— De Reno ?

La supérieure sourit.

— Il va falloir que nous révisions tes notions de géographie. Non, pas de Reno. Cette ville se trouve dans le Nevada. La Californie est un Etat différent.

— Frank vit là-bas...

La supérieure hocha la tête. Elle était au courant. Eloïse l'avait éclairée lors d'une longue conversation téléphonique. La supérieure avait tenté de la convaincre d'annoncer elle-même ses nouveaux projets à sa fille. En vain. Sa correspondante avait été catégorique : il était hors de question qu'elle annonce quoi que ce soit à Gabriella. A contrecœur alors, la supérieure avait accepté de s'en charger.

— Apparemment...

Elle prit une longue inspiration, pesant chaque mot qu'elle allait prononcer, afin de choquer le moins possible Gabriella.

— Apparemment, ta mère et ce Frank, que tu sembles connaître...

De nouveau elle s'interrompit, puis elle sourit chaleureusement à la petite fille, cherchant sur son visage des indices de suspicion ou de malaise, mais ne découvrant qu'une expression de frayeur.

— Ta mère et Frank, donc, se marient demain.

— Oh... murmura Gabriella déconcertée.

Elle n'avait jamais dit plus de dix mots à Frank, qui l'avait toujours plus ou moins ignorée. Et voilà que sa mère épousait cet étranger. Son père avait disparu. Gabriella n'avait pas encore perdu l'espoir de le revoir. Un espoir qui s'amenuisait chaque jour davantage... Sans lui, elle était seule au monde, pensa-t-elle avec une sensation d'étouffement.

La supérieure ne l'avait pas quittée des yeux. Le moment était venu d'accomplir la partie la plus pénible de sa mission.

— Ils vont vivre à San Francisco.

Gabriella tressaillit comme sous l'effet d'un coup de

poignard. Ainsi, elle partirait d'ici pour aller dans une ville inconnue et continuer à lutter sans répit, jour après jour, pour sa survie. Cela voulait dire qu'elle changerait d'école, qu'elle y nouerait des amitiés nouvelles... ou pas du tout. Elle serait obligée de vivre avec sa mère qu'elle détestait, qu'elle redoutait, et un étranger. Et il lui faudrait quitter toutes ces femmes merveilleuses qu'elle en était venue à aimer sincèrement.

— Quand dois-je y aller ? demanda-t-elle d'une voix blanche.

Elle avait, tout à coup, un regard mort, nota la supérieure. Le même qu'à son arrivée au couvent.

Une autre pause suivit, plus longue, pendant laquelle la religieuse pesa de nouveau ses mots, les yeux rivés sur Gabriella.

— Ta mère pense que tu serais plus heureuse si tu restais ici avec nous, Gabbie.

C'était une manière douce de lui transmettre le véritable message d'Eloïse. Celle-ci ne s'en était pas cachée. Elle tenait énormément à son propre bonheur ; elle n'avait pas l'intention de « gâcher » sa vie davantage, pas plus que d'imposer une gosse dont elle n'avait jamais voulu à son nouveau mari. Elle s'était exprimée ouvertement, avec une franchise brutale, puis avait proposé à la supérieure de payer la pension de sa fille « aussi longtemps qu'elle resterait au couvent ». Probablement pour toujours, avait alors pensé la religieuse, et elle ne s'était pas trompée. Eloïse ne ferait jamais venir son enfant à San Francisco, pas même pour une journée. Les scrupules ne l'étouffaient pas. Elle n'éprouvait aucun remords. Et quand la supérieure lui avait demandé si le père de Gabriella ne pouvait pas l'accueillir, Eloïse avait déclaré qu'il n'en voulait pas non plus... Mère Gregoria avait su alors pourquoi la petite fille avait des yeux si tristes. Ses parents ne l'aimaient pas, la supérieure l'avait compris depuis longtemps. Et hier, elle en avait eu la confirmation.

— Elle ne veut pas de moi, n'est-ce pas ? demanda Gabriella d'un air inexpressif.

Ses grands yeux exprimaient à la fois peine et soulagement.

— Tu ne devrais pas considérer les choses sous cet angle, Gabriella. Ta maman ne sait pas où elle en est. Ton père l'a quitté, elle ne s'en est pas encore remise. Et maintenant qu'elle va recommencer une nouvelle vie, je crois qu'elle voudrait s'assurer que tout va bien avant de te reprendre, et en cela elle a raison... Elle voudrait que sa fille, qu'elle aime, soit heureuse et c'est pourquoi, pour le moment, elle préfère te confier à nous.

Cela partait d'un bon sentiment, du souci de ne pas la blesser, mais les subtilités de ce discours n'avaient pas échappé à Gabriella.

— Mes parents se haïssaient. Et ma mère m'a souvent répété qu'ils ne m'aimaient pas.

— Je ne crois pas une chose pareille. Et toi ? fit mère Gregoria avec gentillesse.

Elle craignait d'en avoir trop dit, d'avoir été trop loin. Mais la petite ne se trompait pas. Eloïse ne s'était pas gênée pour déclarer ouvertement au téléphone :

— Je ne veux pas d'elle !

La supérieure se serait coupé la langue plutôt que de répéter ces mots cruels à Gabriella, qui reprit :

— Je crois que mon père m'aimait à sa manière... Mais il n'a jamais... il n'a jamais rien fait pour...

Elle laissa sa phrase en suspens, les yeux brillants de larmes. Des images l'envahirent : son père debout, dans le chambranle d'une porte, regardant, impuissant, sa fille souffrir ou écoutant ses cris de la pièce d'à côté pendant que sa mère la battait. Et de plus, il était parti. Il l'avait abandonnée entre les mains de sa tortionnaire. Sans un regard en arrière. Il n'avait jamais écrit, jamais appelé. Il était difficile de penser qu'il l'aimait encore, même s'il lui avait témoigné un peu d'affection par le passé. A présent, Gabriella en doutait. On ne quitte pas ceux que l'on aime. Et maintenant sa mère avait suivi cet exemple. Mais sa mère ne l'avait jamais aimée et d'une certaine façon, cette nouvelle la réjouissait. Cela signifiait que Gabriella ne subirait plus ses sévices. Elle n'aurait plus à se cacher, à supplier, à aller à l'hôpital ou à attendre le moment où sa mère la tuerait, comme d'autres espèrent une délivrance. C'était terminé. Mais quelque part au fond de son âme la tristesse subsistait... et la certitude qu'Eloïse n'avait jamais éprouvé que de la répulsion pour elle. Gabriella sut alors qu'elle ne reverrait plus sa mère. La guerre était finie. Et le rêve d'être acceptée un jour par elle, de gagner son amour, était mort en même temps.

— Elle ne reviendra plus jamais, n'est-ce pas ?

Elle plantait dans les yeux de la supérieure un regard si direct, si clair, que la religieuse finit par détourner la tête.

— Je ne sais pas, Gabriella, dit-elle, sachant qu'elle n'avait pas le droit de lui mentir. Le sait-elle seulement elle-même ? Peut-être oui, un jour, mais pas tout de suite... Pas pendant longtemps.

C'était la réponse la plus honnête qu'elle pouvait faire sans lui dire toute la vérité. A savoir qu'elle avait été abandonnée par ses deux parents. Mais Gabriella l'avait déjà deviné.

— Non, je ne crois pas qu'elle reviendra... Mon père non plus... Il s'est remarié avec une femme, et il a d'autres enfants, c'est ma mère qui me l'a dit.

— Il ne t'en aime pas moins.

Un silence suivit. La supérieure considéra sa petite protégée avec émotion. Selon toute probabilité, Eloïse ne chercherait plus à revoir sa fille. Quant au père, il avait trouvé plus commode de disparaître. C'était des gens méprisables, et on avait peine à comprendre qu'ils aient abandonné une enfant comme celle-ci. Ce genre de drame était fréquent, hélas. Mère Gregoria en avait vu d'autres. Combien de fois n'avait-elle pas pleuré sur le sort d'enfants délaissés ! Au moins, Gabriella avait un abri. Une nouvelle famille. Les voies du Seigneur sont impénétrables, songea-t-elle, Il fait parfois connaître Ses volontés par des moyens détournés. La place de Gabriella était peut-être ici, parmi les religieuses ; en temps et en heure, elle aussi entendrait Son appel.

— Un jour tu décideras de partir ou de rester avec nous, Gabriella, dit-elle doucement, avec précaution. Quand tu auras grandi. Qui sait, Dieu t'a peut-être montré le chemin.

— Vous voulez dire comme Julie ? s'étonna Gabriella.

Mais il fallait être bonne pour prendre le voile, et elle, elle était mauvaise. Trop mauvaise, elle en était persuadée. Elle baissa la tête, tâchant de surmonter le choc de ces nouvelles inattendues. Sa mère allait se remarier. Elle s'installerait à San Francisco. Le savait-elle déjà lorsqu'elle l'avait conduite au couvent ? Oui, sans doute. Au moins, son père lui avait laissé entendre qu'il la chérissait tendrement. Elle n'avait rien décelé de tel chez sa mère. Eloïse agissait froidement. Et lorsqu'elle avait laissé sa fille à Saint-Matthew, elle n'avait montré ni regrets ni remords. Elle l'avait accablée de sa colère, de ses menaces habituelles. Et elle n'avait eu qu'une hâte : repartir.

— Gabbie, un jour tu sauras si tu as la vocation. Cela arrive sans qu'on s'y attende. Ouvre grand tes oreilles. Dieu parle à ses fidèles. Il suffit que l'on soit prêt à l'entendre.

— Je n'entends pas toujours tout, murmura Gabriella avec un sourire timide.

La Mère supérieure eut un doux rire.

— Tu entends ce que tu veux bien entendre.

Ce disant, elle regarda l'enfant avec tristesse. Elle semblait avoir bien pris la chose. « Pourvu que ça dure ! » pensa mère Gregoria. Il est pénible de vivre avec la pensée que vos propres parents ne vous ont pas aimé. Comment les Harrison avaient-ils pu abandonner leur petite fille ? Ils ignoraient sans doute qu'en voulant la perdre, ils l'avaient sauvée. Malgré ses sentiments confus, Gabriella commençait à envisager cet aspect des choses. Elle n'avait pas versé une larme quand la supérieure lui avait annoncé la nouvelle. Et maintenant, en considérant la possibilité de ne plus jamais revoir ses parents, elle découvrit qu'elle n'avait plus envie de pleurer. Seule une vague nausée l'inonda.

— Tu es forte, déclara mystérieusement la Mère supérieure.

Gabriella secoua la tête. Pourquoi tout le monde pensait qu'elle était forte ? Elle ne l'était pas. C'était les mots mêmes de son père la nuit de son départ. Il lui avait dit qu'elle était forte et courageuse. Elle ne se sentait pourtant aucune force. Aucun courage. Elle ressentait seulement une immense solitude. Et de la peur... En ce moment même, elle mourait de peur. Et si elle ne pouvait pas rester, où irait-elle ? Qui s'occuperait d'elle ? Elle ne souhaitait qu'une chose : savoir si elle pouvait rester ici, en cet endroit paisible où elle ne serait jamais maltraitée, rejetée ou abandonnée, où elle n'aurait pas à se cacher. Mère Gregoria saisit sa détresse. Elle contourna le bureau, et prit cette brave, cette vaillante petite fille dans ses bras. Elle la sentit trembler contre son cœur comme un oiseau hors de son nid mais cette fois-ci il n'y eut pas de sanglots, pas de larmes, pas de révolte contre un destin injuste. Gabriella s'accrocha à la seule personne qui lui avait témoigné un peu d'amour et de compréhension. Au bout d'un moment, une larme unique roula sur sa joue, tandis qu'elle levait sur la vieille religieuse un regard si désespéré, si tourmenté et en même temps si direct que celle-ci fut parcourue d'un frisson.

— Ne me quittez pas, murmura-t-elle d'une voix à peine audible, ne me chassez pas...

Une deuxième larme jaillit, puis une troisième, mais elle conserva sa dignité, tandis que ses bras fluets étreignaient la vieille femme qui représentait tout ce qu'elle avait au monde.

— Je ne te quitterai pas, Gabbie, dit doucement la Mère supérieure. Tu peux rester aussi longtemps que tu veux. C'est ici ta maison maintenant.

Gabriella acquiesça, le visage enfoui dans l'habit noir qui lui était devenu si familier depuis trois semaines.

— Je vous aime, chuchota-t-elle, et la religieuse dut retenir ses larmes.

— Je t'aime aussi, Gabbie... Nous t'aimons toutes...

Elles passèrent une partie de l'après-midi assises, main dans la main, discutant tranquillement de la mère de Gabriella, cherchant ensemble les raisons qui l'avaient incitée à laisser sa fille. Ni l'une ni l'autre ne purent résoudre l'énigme. A la fin, elles décidèrent que cela n'avait pas d'importance. C'était fait et voilà tout. Gabbie avait une nouvelle maison, une nouvelle famille. Mère Gregoria l'accompagna jusqu'à sa chambre. Il était trop tard pour l'école. Elle l'aida à se coucher, puis ressortit sur la pointe des pieds. Gabriella demeura étendue, l'esprit plein d'images... Sa mère... ses cachettes quand elle était toute petite... les fois où elle n'avait pas eu le temps de se cacher... les brutalités... les souffrances... les hématomes... les punitions atroces qu'elle ne subirait plus.

Elle avait du mal à croire que c'était fini. Son rêve de s'améliorer pour gagner l'amour de sa mère ne serait jamais exaucé. Elle n'avait pas su rendre sa mère heureuse, elle ne lui avait inspiré que du ressentiment. Elle avait été si odieuse que sa mère l'avait quittée. Son père aussi. Tous les deux lui avaient tourné le dos. Elle ne l'avait pas dit à mère Gregoria. Il était hors de question de lui avouer que tout était arrivé par sa faute, par sa méchanceté. Elle n'avait eu que ce qu'elle avait mérité... Mais si ses propres parents ne voulaient pas d'elle, qui en voudrait ? Les religieuses peut-être. Et Dieu. Mais Dieu, connaissant les âmes, ne savait que trop bien qui elle était. Mauvaise, malveillante... Il devait savoir combien de fois elle avait détesté ses parents... Mais alors, il savait aussi qu'ils lui manquaient aujourd'hui tandis que, étendue dans son lit, seule dans la petite chambre, elle laissait échapper un sanglot... Elle ne les reverrait plus... Ils étaient partis par sa faute... A cause de sa méchanceté... Il n'y avait aucune raison de se cacher la vérité. Ils ne l'avaient jamais aimée. Et comment auraient-ils pu ? se demanda-t-elle, en pleurant à chaudes larmes... Personne ne l'aimerait jamais. Telle était sa destinée. Son châtiment. Et sa malédiction... Elle sut alors que même les religieuses se seraient détournées d'elle si elles avaient pu voir son âme noire... Si noire qu'aucune pénitence ne parviendrait jamais à la laver.

Le reste de la journée s'écoula en mornes méditations. Elle pensait tour à tour à la supérieure et à sa mère, qui se trouvait en Californie. Au dîner, ce soir-là, elle s'assit à table en silence. Elle alla ensuite se confesser, puis regagna sa chambrette avec Nathalie et Julie. Elle se coucha avant ses compagnes, se pelotonnant au fond du lit, comme toujours, les yeux grands ouverts. Les pensées affluaient et refluaient comme un océan. Ses parents s'étaient remariés chacun de son côté, son père avait de « nouveaux » enfants qui l'avaient remplacée... Sa mère ne voulait pas d'enfants ou alors, qui sait, elle en aurait un ou deux avec son deuxième mari, des enfants sages, bons, obéissants... Ils avaient tous deux refait leur vie, tandis que Gabriella allait continuer la sienne... Elle serait la seule à connaître la raison pour laquelle ils étaient partis... La seule à savoir que si elle n'avait pas été aussi méchante, les choses auraient été différentes... Elle avait devant elle une vie entière pour devenir meilleure... Pour se vouer à Dieu et aux personnes souffrantes, pour expier ses péchés et se faire pardonner. Un peu plus tôt, au confessionnal, le prêtre lui avait dit que la responsabilité lui revenait à présent...

Et qu'elle devait consacrer son existence au Pardon... Elle se le répéta, encore et encore, cette nuit-là, tandis qu'elle sombrait dans un sommeil agité... Pardon... pardon... elle devait leur pardonner... tout était sa faute... leur pardonner... pardonner... Et au milieu de la nuit, elle poussa des cris, de longs cris désespérés qui se répercutèrent sur les murs épais et sombres... Elles se mirent à trois pour la réveiller. Enfin, elles allèrent chercher mère Gregoria pour la calmer... Les sévices, dans son rêve, avaient été trop clairs, trop réels... De nouveau, elle avait senti le sang sur sa tête, la douleur fulgurante dans l'oreille, l'élancement de ses côtes cassées, le tiraillement de ses membres aux endroits où elle avait reçu des coups de pied, si souvent, oui, si souvent que jamais elle ne les oublierait... Elle gémissait et sanglotait dans les bras de la Mère supérieure, cette nuit-là, en murmurant encore et encore :

— Leur pardonner... Je dois leur pardonner...

Mère Gregoria resta à son chevet jusqu'à ce qu'elle se rendorme. Elle contempla en silence le petit visage enfin paisible. Elle comprit — ou crut comprendre — que Gabriella avait beaucoup à pardonner à ses parents. Et qu'il lui faudrait une vie entière pour y arriver.

7

Les quatre années qui suivirent s'écoulèrent paisiblement dans le cocon sécurisant du couvent où Gabriella poursuivait ses études avec les deux vieilles religieuses. Julie devint novice, tandis que Nathalie, sa cadette, obtint une bourse et s'inscrivit à l'université. Elle vouait toujours la même passion à Elvis, ce qui ne l'empêchait pas d'adorer les Beatles. Dans son courrier, qui arrivait régulièrement, Nathalie se disait pleinement heureuse. Elle profitait de la vie, s'amusait, sortait avec des garçons. Ses rêves étaient enfin exaucés.

Deux nouvelles pensionnaires étaient arrivées entretemps à Saint-Matthew. Deux petites Laotiennes envoyées à New York par une sœur missionnaire de la congrégation. Elles étaient beaucoup plus jeunes que Gabriella, dont elles partageaient la chambre, comme elle l'avait fait autrefois, avec Julie et Nathalie.

Durant ces quatre années, Gabriella ne reçut aucune nouvelle de sa mère. De temps à autre, elle pensait à elle. Et à son père. John Harrison s'était installé à Boston. Il s'était remarié, et sa nouvelle épouse avait deux petites filles. Elle n'en savait pas plus et avait perdu l'envie d'entreprendre des recherches. Sa mère vivait toujours à San Francisco. Tous les mois, elle envoyait un chèque à mère Gregoria, du montant de la pension de Gabriella. Jamais elle ne glissa une lettre dans l'enveloppe, un simple mot pour demander des nouvelles de sa fille. Il n'y avait pas de cartes de vœux, de cadeaux de Noël, ni même un petit cadeau pour son anniversaire. Rien. Le silence... Mais l'existence de Gabriella gravitait maintenant autour d'un centre d'intérêt unique. Le couvent, où tout le monde l'aimait. Elle nettoyait les tables, frottait le sol, les douches, les cabinets de toilette, exécutait sans répit les corvées les plus dures... et réussissait brillamment ses devoirs à l'école. Elle continuait à écrire des poèmes, des histoires, et ses professeurs la félicitaient pour son talent.

Elle dormait toujours pelotonnée au pied du lit. Souvent, la nuit, d'horribles cauchemars la réveillaient en sursaut, mais elle n'en parlait pas. Et, de loin, mère Gregoria continuait de l'observer. Elle décelait moins de chagrin, moins de tristesse dans les yeux de sa protégée, comme si les ombres du passé s'étaient atténuées. Au fil du temps, la beauté de Gabriella s'était épanouie, bien qu'elle n'en eût pas conscience. Ici, la vanité n'avait pas sa place. Il n'y avait pas de miroirs et elle portait toujours le vêtement dépouillé des postulantes. A dix ans, elle avait su quel était le but de sa vie. L'abnégation, le don de soi, une existence de sacrifices. Mais elle ne se sentait pas la vocation, expliquait-elle parfois à la supérieure... Lorsqu'elle se comparait à Julie, par exemple, ou à d'autres postulantes venues des quatre coins d'Amérique, elle voyait bien la différence. Elles semblaient si sûres, si inébranlables dans leur foi. Leur dévotion était sans limites. Alors que Gabriella découvrait chaque jour les faces obscures de son âme, les taches noires de ses fautes, ses défaillances, les erreurs commises dans le passé. Elle se rendait alors responsable d'avoir blessé d'autres personnes par étourderie. En fait, son humilité dépassait de loin celle des postulantes qui brandissaient leur vocation comme un trophée. En vain la Mère supérieure essaya-t-elle, année après année, de le lui faire comprendre. Gabriella niait ses vertus avec une véhémence inouïe, mettant l'accent sur ses défauts et tirant toujours la même conclusion : elle n'était pas faite pour devenir religieuse et, d'un autre côté, quitter le couvent lui paraissait inconcevable. Elle vivait cloîtrée et tenait plus que tout à cette existence de séquestrée. La protection et l'affection des religieuses étaient pour elle une nécessité absolue, au même titre que l'oxygène qu'elle respirait.

— Je crois que je resterai ici à nettoyer le sol pour le restant de mes jours, dit-elle en riant à sœur Lizzie, le jour de son quinzième anniversaire. Personne ne veut le faire, et cela me permet de me rendre utile... Les corvées reposent l'esprit. Pendant que je frotte, j'ai tout le loisir de penser à mes récits.

— Mais tu pourras écrire, si tu rejoins l'ordre, Gabbie, insista sœur Lizzie.

Toutes avaient senti la force de sa vocation... Absolument toutes, sauf elle. Les religieuses souriaient sous cape à ses dénégations... Un jour, elle entendrait l'appel, se disaient-elles. En attendant, Gabriella se consacrait à ses études.

A seize ans, elle avait étudié tout le programme du lycée... Ses professeurs se penchèrent, songeuses, sur une question épineuse. Sans aucun doute, leur brillante élève était prête pour l'université. A ceci près qu'elle refusait d'y aller. Quitter l'univers clos du couvent, la sécurité, la terrorisait. A l'entendre, elle se contenterait de servir les religieuses, de faire leurs courses et leur ménage... Mère Gregoria voyait la chose d'un autre œil. Laisser Gabriella gâcher son talent serait une faute impardonnable. Les histoires poignantes qu'elle écrivait révélaient un talent extraordinaire, une profondeur et une finesse d'esprit rares. Ses récits pathétiques et tendres déchiraient le cœur. Son style, évocateur, puissant, était celui d'une adulte, et on n'aurait jamais cru qu'elle avait passé une partie de son enfance et toute son adolescence dans un couvent.

— Eh bien ? qu'as-tu décidé à propos de l'université ? lui demanda mère Gregoria lorsqu'elle eut seize ans, après s'être concertée avec ses professeurs.

Elles étaient toutes d'accord pour dire que Gabriella avait toutes les possibilités pour réussir des études supérieures, et que ce serait un crime de l'en priver.

— Je ne veux pas y aller, répondit Gabriella fermement.

L'idée de se trouver « dehors », dans le monde cruel qui l'avait tant blessée, la terrifiait. Elle ne s'aventurerait pas hors de Saint-Matthew, son havre de paix, pas même durant un instant. Les postulantes et les novices se moquaient gentiment de ses angoisses. En riant elles la comparaient aux vieilles religieuses qui se plaignaient de devoir quitter leur cellule chaque fois qu'elles devaient se rendre chez le médecin ou le dentiste. Les plus jeunes appréciaient encore les sorties ; elles allaient à la bibliothèque, parfois au cinéma. Pas Gabbie. Elle préférait s'enfermer dans sa chambre pour écrire.

— On n'entre pas au couvent pour fuir le monde, Gabriella, déclara un jour la supérieure d'une voix posée. Nous sommes ici pour servir Dieu, pour offrir à nos contemporains nos talents, nos aptitudes, pas pour les en priver. Que se passerait-il si les sœurs qui travaillent à l'hôpital Mercy préféraient rêvasser dans leurs chambres ? Nous avons choisi l'action, Gabriella, pas la passivité.

Son regard sondait les yeux de la jeune fille. Elle n'y décela que de la frayeur mêlée à une résistance opiniâtre et muette. Gabriella ne voulait pas quitter le couvent. L'université ne l'attirait pas. Même les lettres enthousiastes de Nathalie, alors étudiante à Ithaca, ne la firent pas changer d'avis.

— Non, je n'irai pas, répéta-t-elle d'un air entêté que la Mère supérieure ne lui avait jamais vu.

Pour la première fois depuis des années, elle se rebellait.

— Tu n'auras pas le choix quand le moment viendra, répondit la religieuse, les lèvres pincées en une mince ligne droite.

Elle détestait la brusquer, mais il n'y avait pas d'autre issue.

— Tu fais partie de cette communauté, reprit-elle. Et jusqu'à preuve du contraire, c'est moi qui décide. Tu n'es pas encore assez grande pour me contredire, Gabriella, il faudra bien que tu te plies à ma volonté. Ce serait trop bête de gâcher ton avenir.

Mère Gregoria mit fin à la conversation. L'obstination de sa protégée l'ennuyait au plus haut point. Sa peur d'affronter le monde extérieur confinait à la phobie, mais la religieuse ne la laisserait pas céder à ses impulsions... De son côté, Gabriella se cantonnait dans le refus, tout en sachant qu'elle n'agissait pas sainement. Mais la frayeur était la plus forte. De toutes les façons, spirituellement et physiquement, elle avait quitté le monde qui l'avait tant fait souffrir. Rien ne pouvait la décider à sortir de son doux refuge de Saint-Matthew.

Mère Gregoria pria ses professeurs de postuler à l'université de Columbia à la place de leur élève récalcitrante. Ce n'était pas tout. Il fallait aussi qu'elle remplisse les formulaires. Au terme d'un âpre combat, elle dut baisser les bras. Les sœurs expédièrent la demande. Bien sûr, elle fut acceptée et dotée d'une bourse, ce qui enthousiasma toutes les religieuses. Mais pas Gabriella. La supérieure avait fixé son choix sur Columbia en raison de son prestige, mais aussi parce que Gabriella pourrait s'y rendre tout en continuant à habiter au couvent.

— Et maintenant ? demanda celle-ci misérablement quand la Mère supérieure lui annonça les bonnes nouvelles.

— Tu as jusqu'à septembre pour t'habituer à cette idée, mon enfant. Tu pourras vivre ici pendant que tu feras tes études supérieures. Mais quoi qu'il en soit, il faut que tu y ailles.

— Et si je ne veux pas ? rétorqua-t-elle d'un air belliqueux.

La supérieure leva les bras, puis les laissa retomber le long de son corps, en un geste exaspéré.

— Le premier septembre, je demanderai à chaque sœur de te donner une fessée ! Gabbie, réfléchis ! Ne sois pas ingrate. Tu viens de recevoir une bourse pour suivre des cours dans une unité de littérature, ce qui te permettra d'améliorer considérablement ton style, et tu hésites ?

Mais tous ces arguments n'avaient aucun sens pour Gabriella. Elle les trouvait absurdes.

— Je peux faire la même chose ici, insista-t-elle sombrement.

Plus que jamais, la peur dilatait ses yeux... Une peur panique que la supérieure n'était jamais parvenue à analyser tout à fait.

— Tu veux dire que tu es si douée que tu n'as plus rien à apprendre ? Eh bien, mon enfant, tu dois réviser un peu ton sens de l'humilité, tu ne crois pas ? Un peu de méditation et quelques prières s'imposent.

Gabriella eut le bon goût de rire à cette dernière remarque. Mais le sujet fut fréquemment ramené sur le tapis durant les trois mois qui suivirent, donnant, chaque fois, le départ à d'interminables discussions. A la fin, lasse de faire face à deux cents nonnes, elle se rendit à l'université en septembre. Elle y allait à son corps défendant mais après une semaine, elle admit du bout des lèvres que les cours l'intéressaient. Trois mois plus tard, elle convint qu'ils la passionnaient.

Ses études durèrent quatre ans. Elle ne manqua pas un seul cours, suivit tous les travaux pratiques, absorba une montagne de connaissances, se passionna pour les enseignements de ses professeurs favoris. Mais elle n'ouvrait pas la bouche, à moins qu'on ne lui pose une question. Et elle n'approchait pas ses camarades, évitant soigneusement aussi bien les filles que les garçons. Elle assistait aux cours, mais, dès qu'ils étaient terminés, elle se hâtait de rentrer au couvent. D'un point de vue social, l'expérience fut un échec cuisant. Le reste fut une éclatante réussite. Gabriella noircissait des pages et des pages de notes, faisait de brillants exposés. Lorsqu'elle entra en année de licence, elle commença à écrire un roman. Finalement elle obtint son diplôme avec mention « très bien ». Les religieuses tirèrent à la courte paille les vingt places auxquelles elles avaient droit pour la remise des diplômes. Les gagnantes assistèrent à la cérémonie, avec mère Gregoria... Gabriella remporta tous les prix, et fut reconduite en triomphe à Saint-Matthew dans l'un des deux minibus qu'elles avaient loués. Elle avait alors près de vingt et un ans. Le succès avait couronné ses années d'études à Columbia et ses efforts... Elle n'envisageait pas encore une carrière d'écrivain, car en dépit des prix et des éloges de ses professeurs, elle doutait de son talent.

Le soir de la remise des diplômes, tandis qu'elle se promenait dans le jardin avec mère Gregoria, dans l'air tiède de juin, elle évoqua timidement son avenir pour la première fois.

— Je ne suis pas sûre d'y arriver, murmura-t-elle.

La culpabilité de son enfance, l'humilité de son adolescence se muaient en manque de confiance à l'âge adulte. Mère Gregoria, qui en avait conscience, avait maintes fois essayé de lui insuffler un peu d'assurance.

— Mais bien sûr que tu y arriveras... L'essai que tu as présenté comme mémoire a obtenu tous les suffrages. Pourquoi crois-tu qu'ils t'ont accordé une mention ?

— A cause de vous toutes. Pour ne pas vous embarrasser... Le doyen est catholique, alors...

— Eh non, figure-toi, il est juif. Et tu sais parfaitement qu'on ne t'a pas donné tous ces prix par charité. Tu les as amplement mérités. La question qui se pose est : que vas-tu en faire ? Tu ne voudrais pas commencer un livre ? Ou chercher un emploi en free-lance dans un magazine ou un journal ? Il y a tant de domaines où tu pourrais te distinguer, Gabbie... Ou préférerais-tu enseigner à Saint-Stephen et écrire pendant ton temps libre ?

L'heure était venue de la pousser hors du nid... De l'aider à commencer une vie à elle.

— Me permettrez-vous de vivre ici si j'accepte une de ces propositions ? N'importe laquelle ?

L'anxiété faisait briller ses yeux, comme une forte fièvre. La Mère supérieure fronça les sourcils. Elle n'avait jamais rencontré quelqu'un d'aussi déterminé à rester isolé. Gabriella ne professait aucun goût pour la liberté. Durant ses quatre années d'études, elle ne s'était fait aucune amie, n'avait connu aucun homme. Et la Mère supérieure savait par expérience qu'il fallait connaître le monde extérieur avant de le rejeter.

Mais la seule pensée de devoir quitter le couvent ou d'en être exclue aurait tué Gabriella, la Mère supérieure le savait également.

— Je paierai ma chambre et mes repas, reprit la jeune fille... Evidemment, je ne gagnerai pas de l'argent tout de suite... mais si vous pouvez attendre un peu...

C'était sa grande hantise. Depuis des mois maintenant elle redoutait cette conversation. Elle avait vécu à Saint-Matthew pendant dix ans, plus de la moitié de sa vie. Comment peut-on renier la moitié de sa vie ? Elle ne voulait même pas y songer. Et puis une autre idée lui était venue, mais elle avait attendu le moment propice pour en faire part à la Mère supérieure.

— Pour répondre à ta question, Gabriella, oui, naturellement, tu peux continuer à vivre parmi nous... Quant aux charges, on verra plus tard, quand tu auras quelques moyens... Tu as beaucoup contribué aux servitudes de la communauté par ton travail, mon enfant. Tu es comme l'une des sœurs.

Les chèques de la mère de Gabriella s'étaient arrêtés net le jour de ses dix-huit ans. Il n'y avait pas eu de lettre, ni d'appel téléphonique. Simplement, les paiements avaient cessé du jour au lendemain. Eloïse Harrison Waterford considérait qu'elle avait rempli ses obligations... Tout autre contact avec sa fille aurait été superflu. Et du reste il n'y avait eu aucun contact entre elles depuis le jour où Eloïse l'avait laissée dans le bureau de la supérieure. Or, en coupant les ponts, elle avait ôté à son père la possibilité de la retrouver, au cas où il l'aurait cherchée. Pendant des années cette pensée avait tourmenté Gabriella... Oui, mais dans ce cas, pourquoi ne s'était-il pas manifesté lorsqu'elle et sa mère habitaient encore la demeure de la 69e Rue ? La vérité était que ni l'un ni l'autre ne souhaitaient la revoir... Durant ses quatre années d'études à Columbia, Gabriella avait dit qu'elle était orpheline... Elle avait raconté aux rares personnes qui le lui avaient demandé, à ses professeurs surtout, qu'elle avait été recueillie par les religieuses de Saint-Matthew. Le reste du temps, elle se tenait soigneusement à l'écart. Les filles de sa classe la trouvaient trop distante, affligée d'une timidité exacerbée, en un mot, pénible. Les garçons avaient commencé par admirer sa beauté. Mais Gabriella repoussait avec une fermeté exemplaire toute forme d'intérêt à son égard. Elle désirait rester isolée. Durant ses années universitaires, sa seule vie sociale s'était résumée aux repas et aux prières qu'elle partageait avec les sœurs au couvent. Mère Gregoria avait prévu la suite mais ne l'avait jamais poussée dans une direction ou dans une autre. Gabriella devrait entendre ses propres voix, comme toutes les autres. C'est pourquoi sa déclaration n'étonna guère la Mère supérieure.

— J'ai beaucoup réfléchi ces derniers temps...

Elle se tut, embarrassée, et regarda la femme qui avait été une mère pour elle, la seule mère qu'elle avait eue et aimée depuis le cauchemar de son enfance. Elle en parlait, d'ailleurs, occasionnellement, toujours à mots couverts, disant qu'elle avait été « malheureuse » chez ses parents parce qu'ils n'étaient pas « gentils ». Elle n'avait jamais mentionné les sévices, les horreurs, les humiliations. Mais à en juger par ses cauchemars, et quelques cicatrices encore visibles sur les bras et les jambes, mère Gregoria en était arrivée à certaines déductions. Les pièces du puzzle se mettaient peu à peu en place. Une radio que Gabriella avait dû passer à la suite d'une bronchite, deux ans plus tôt, avait révélé d'autres indices : elle avait eu les côtes cassées à plusieurs reprises. Une petite marque près de l'oreille expliquait sa surdité partielle. La Mère supérieure sentait, plutôt qu'elle ne savait, les épreuves que sa jeune protégée avait traversées... Un profond soupir échappa à Gabriella, tandis qu'elle s'efforçait de préciser une pensée dont la supérieure avait déjà eu la prémonition.

— J'ai entendu des voix, ma mère... et j'ai fait des rêves... Au début, je me suis dit que je me faisais des idées, mais ce que j'éprouve devient de plus en plus fort.

— Quelle sorte de rêves, mon enfant ?

— Je ne suis pas très sûre... Je me sens poussée vers quelque chose que je ne me croyais pas capable d'accomplir... parce que je ne suis pas bonne...

Ses yeux pleins de larmes fixaient désespérément la femme qui avait été à la fois sa mère et son mentor.

— Je ne sais pas, reprit-elle. Qu'est-ce que je suis censée entendre ?

La supérieure hocha la tête. Ces questions, d'autres se les étaient déjà posées. La vérité s'imposait clairement à certaines. Mais d'autres, celles qui paraissaient vraiment destinées à servir Dieu, doutaient de leurs capacités. Comme elles, Gabriella ne cessait de s'interroger.

— Tu es censée entendre ta voix intérieure, mon enfant... Tu es censée croire en toi avant tout, chasser les doutes. Alors seulement, tu sauras ce que tu as à faire.

— J'ai été persuadée de le savoir...

Un soupir lui échappa. Elle s'interrompit. Elle souhaitait du fond du cœur avoir opté pour le bon choix.

Mais la même obsession l'arrêtait toujours. Elle ne s'estimait pas assez bonne pour offrir ses services au Christ. Les religieuses étaient tellement meilleures et elle, si méchante, si désemparée...

— Et maintenant ? s'enquit sereinement mère Gregoria, les mains enfouies dans ses manches, tandis qu'elles poursuivaient leur promenade.

Les ultimes lueurs du crépuscule s'estompaient. Il faisait presque nuit.

— Que veux-tu me dire exactement, Gabbie ?

Elle le savait, mais elle voulait l'entendre prononcer les mots. Cet instant était trop important, trop solennel pour le lui dérober.

Elles s'étaient arrêtées et se faisaient face. Gabriella murmura d'une petite voix presque inaudible :

— Je voudrais rejoindre l'ordre.

L'inquiétude se lisait sur son visage. Ses grands yeux d'un bleu profond scrutaient la femme qu'elle considérait comme sa mère, quémandant son approbation.

— ... Si vous voulez bien de moi, acheva-t-elle.

C'était une phrase dépourvue d'égoïsme, pleine d'humilité, de don de soi. Elle désirait se consacrer à Dieu et aux personnes qui lui avaient tout donné : sécurité, liberté, amour, confort. Elle leur devait tellement... Les religieuses lui avaient restitué ce que ses parents lui avaient pris.

— Cela ne dépend pas de moi, dit gentiment la supérieure. Cela dépend de toi et de Dieu... Moi, je ne suis là que pour t'aider, mais j'espérais que tu arriverais à cette décision. Voilà deux ans que je te vois te débattre dans ce long conflit intérieur.

— Vous le saviez ? s'étonna Gabriella.

Mère Gregoria lui sourit, passa son bras sous le sien, puis elles reprirent leur promenade à travers le jardin.

— Avant que tu le saches toi-même.

— Eh bien, qu'en pensez-vous ?

Gabriella voulait son avis en tant que Mère supérieure de la congrégation.

— La classe des postulantes commence en août. Je pense, par conséquent, que ta demande tombe on ne peut mieux.

Elles échangèrent un sourire, puis Gabriella serra mère Gregoria dans ses bras.

— Merci... pour tout... du fond du cœur... Vous n'avez pas idée de quoi vous m'avez sauvée quand je suis venue ici.

Même maintenant, les mots refusaient de sortir. Parler était encore trop douloureux.

— J'ai soupçonné la vérité dès le début, dit la supérieure, qui ne put résister à poser la question qui lui avait toujours brûlé les lèvres : Est-ce qu'ils te manquent encore ?

La question que toute mère adoptive se pose toujours au sujet des parents biologiques de son enfant.

— Oui, parfois... Ou plutôt, j'ai la nostalgie de ce qu'ils auraient pu être... De ce qu'ils n'ont jamais été. Parfois, je me demande où ils sont, ce qu'ils sont devenus, s'ils ont eu d'autres enfants... Oh, qu'importe !

Cela lui importait énormément, au contraire, toutes deux en avaient conscience.

— Surtout maintenant, se mentit Gabriella à elle-même. Maintenant j'ai une famille... J'en aurai une en août.

— Tu as une famille depuis que tu es ici, Gabbie.

— Oui, je sais.

Bras dessus bras dessous, elles revinrent vers la demeure que Gabriella habiterait jusqu'à la fin de ses jours. Elle venait de prendre une décision capitale. Elle n'aurait pas à repartir. Jamais elle ne perdrait sa nouvelle famille. Elle ne serait plus jamais abandonnée. C'était tout ce qu'elle voulait. La certitude qu'elle appartiendrait à l'ordre pour toujours.

— Tu feras une sœur parfaite, dit la supérieure avec un sourire.

Gabriella lui rendit son sourire. Pour la première fois, elle affichait un air serein.

— Je l'espère, répondit-elle. Je m'y emploierai.

Et tandis que les deux femmes traversaient le vestibule, une profonde sensation de soulagement submergea Gabriella. Elle avait enfin une maison. Pour toute la vie.

Le lendemain au dîner, quand mère Gregoria annonça aux religieuses la décision de Gabriella, son discours fut accueilli par des cris de jubilation. Elles entourèrent Gabriella, l'embrassèrent, la félicitèrent. Le bonheur resplendissait sur tous les visages. Toutes avaient deviné, dirent-elles, qu'elle avait la vocation. Elles fêtèrent l'événement, après quoi, en se retrouvant dans sa petite chambre familière, Gabriella se sourit à elle-même. Et la certitude que seule la mort la séparerait de ces femmes qu'elle aimait de tout son cœur s'imposa à son esprit. Cette nuit-là, elle s'endormit paisiblement, pelotonnée au pied du lit, jusqu'à ce que les cauchemars viennent hanter son sommeil. Les rêves atroces, accompagnés de leur cohorte de bruits, de terreurs qu'elle se rappelait si bien, le visage de sa mère déformé par la colère et la haine, les coups... l'odeur particulière de l'hôpital... et son père, la regardant de la porte, d'un air impuissant.

Elle se réveilla en nage, et jeta un regard circulaire dans la chambre qui, dorénavant, serait la sienne pour toujours. Elle se redressa sur son lit, le souffle court, sachant qu'elle était en sécurité. Une sœur passa la tête par l'entrebâillement de la porte. Elle vit Gabriella assise, encore bouleversée par ses visions nocturnes.

— Tout va bien ?

Gabriella lui sourit à travers ses larmes, tandis qu'elle s'efforçait de revenir au présent.

— J'ai réveillé tout le monde. Je suis désolée.

Mais elles avaient l'habitude des cris dans la nuit. Elle faisait le même rêve depuis le début. Elle n'en parlait jamais, n'expliquait rien à personne. Les sœurs avaient vaguement deviné les horreurs qui la hantaient, l'enfance terrifiante qui la poursuivait. Heureusement ici, au couvent où elle allait rester jusqu'à la fin de son existence terrestre, les démons ne pouvaient plus l'atteindre. Elle se recoucha. Ses pensées se tournèrent vers ses parents, et elle se rappela la question de mère Gregoria. Non, ils ne lui manquaient plus. Mais elle pensait à eux et, certaines nuits comme celle-ci, elle cherchait à comprendre pourquoi ils ne l'avaient pas aimée... Etait-elle aussi méchante qu'ils le prétendaient ? Etait-ce leur faute ? Sa faute à elle ? Avait-elle ruiné leur existence ou eux la sienne ? Mais même maintenant, dix ans après, elle n'avait pas les réponses.

8

Gabriella rejoignit la classe des postulantes qui débuta en août au couvent Saint-Matthew. Elle répéta les gestes maintes fois observés, abandonna ses robes, se fit raser la tête, endossa le vêtement qu'elle porterait jusqu'à ce qu'elle devienne novice, un an plus tard. Restait un long chemin à parcourir : deux ans de noviciat, plus deux ans de retraite monastique. En tout, cinq ans avant de prononcer ses vœux. Cinq années exaltantes...

Les épreuves que la congrégation imposait aux postulantes comportaient des corvées à n'en plus finir, des tâches familières pour Gabriella. Au fil du temps, elle avait déjà exécuté des travaux si durs au couvent qu'aucune besogne ne lui répugnait. Elle s'acquittait humblement de ses devoirs, acceptait les humiliations de bonne grâce. Lorsque mère Gregoria discuta son cas avec la maîtresse des postulantes et la maîtresse des novices, toutes trois tombèrent d'accord : il s'agissait d'une vraie vocation. Gabriella avait choisi pour nom sœur Bernadette, mais très vite on se mit à l'appeler sœur Bernie.

Elle s'entendait à merveille avec les sept autres postulantes. Ses compagnes ne cachaient pas leur admiration pour sœur Bernie... sauf une. Originaire du Vermont, elle ne ratait pas une occasion de contredire Gabriella tout en semant le doute dans les esprits. Un jour, elle dit à la maîtresse des postulantes que

Gabriella se comportait de manière arrogante et manquait de respect à ses camarades... La maîtresse lui rétorqua que, sans doute, ce qu'elle prenait pour de l'arrogance n'était en fait que de l'aisance. En effet, expliqua-t-elle, Gabriella avait passé presque toute sa vie au couvent. Il était normal qu'elle s'y sente chez elle. La postulante du Vermont taxa alors Gabriella de vanité. Elle l'avait surprise en train de regarder son reflet dans une vitre, déclara-t-elle.

— Peut-être pensait-elle à quelque chose, suggéra la maîtresse des postulantes.

— Oh oui, sûrement... A sa bonne mine ! répliqua la jeune fille du Vermont d'une voix pleine d'aigreur.

C'était une jeune femme ingrate, qui avait pris la décision d'entrer dans les ordres six mois plus tôt, après une déception sentimentale. Mais si sa vocation laissait à désirer, celle de Gabriella ne faisait aucun doute. Le bonheur rayonnait dans son regard. Les religieuses qui la connaissaient depuis toujours souriaient béatement chaque fois qu'elles la croisaient.

Elle écrivit un conte de Noël, cette année-là, en fit un livre miniature pour chacune, travaillant sans relâche jusque tard dans la nuit. Les religieuses trouvèrent son cadeau dans leur assiette, le matin de Noël... C'était une histoire très élaborée et, après l'avoir lue, la maîtresse des novices décréta qu'elle devrait être publiée.

— Elle fait de l'épate ! s'écria Anne, la jeune fille du Vermont, avec un manque de générosité évident, surtout en ce jour de Noël.

Elle sortit de table et partit s'enfermer dans sa chambre, jetant au passage à la poubelle le petit livre que Gabriella avait fabriqué de ses mains... Dans l'après-midi, celle-ci alla voir sœur Anne pour s'expliquer. Elle se sentait chez elle ici, commença-t-elle et, oui, elle était ravie de se joindre à l'ordre qui l'avait recueillie.

— Tu crois qu'elles sont toutes à tes pieds ! rétorqua l'autre jeune fille, furieuse. Mais tu n'es pas meilleure que nous. Et si tu n'étais pas si occupée à te donner en spectacle, tu ferais peut-être une bonne religieuse. Est-ce que cette idée t'a effleurée au moins ?

Elle lui avait craché ces mots à la figure d'une voix venimeuse qui ressuscita les souvenirs que Gabriella s'acharnait à oublier. Elle crut revoir le visage haineux de sa mère hurlant qu'elle était mauvaise et que tout était sa faute... Les reproches d'Anne lui firent l'effet d'autant de coups de poignard. Plus tard, elle se confia à mère Gregoria.

— Peut-être a-t-elle raison. Peut-être suis-je arrogante. Je me donne en spectacle sans m'en rendre compte...

La supérieure essaya en vain de lui expliquer que, de toute évidence, la jeune nonne du Vermont était dévorée par la jalousie.

Pendant les trois mois qui suivirent, Anne déclara une sorte de guerre à Gabriella. Elle ne cessait de la dénoncer à leurs supérieures hiérarchiques. A tout bout de champ, elle la confrontait à ses failles, à ses imperfections. Son attitude devint rapidement une source d'angoisse constante pour Gabriella. Anne lui faisait peur. Comme Eloïse jadis, elle semblait percevoir la noirceur de son âme, et là où les autres ne voyaient que bonté, elle décelait de l'iniquité. Comment pourrait-elle se mettre au service du Christ, sachant qu'elle manquait d'humilité, et que la ferveur et la dévotion de la véritable foi lui faisaient défaut ? Elle se mit à se confesser le plus souvent possible. De nouveau, les doutes l'assaillirent... Au printemps, elle commença à se dire qu'elle s'était trompée de chemin. Et plus Anne la persécutait, plus elle s'enlisait dans la culpabilité. C'était un schéma inéluctable, terriblement familier, qui la mortifiait jusqu'au tréfonds de l'âme. Un soir elle avoua au confesseur ses doutes à propos de sa vocation.

— Qu'est-ce qui vous fait penser cela, mon enfant ?

Elle ne reconnut pas cette voix étrangère. De l'autre côté de la grille, ce n'était pas l'un des bons vieux curés qui l'avaient écoutée et guidée depuis son enfance.

— Sœur Anne m'accuse de vanité, d'orgueil et d'arrogance. Selon elle, je suis égoïste, suffisante, prétentieuse. Peut-être a-t-elle raison. Comment pourrai-je me vouer à Dieu si je ne parviens pas à faire preuve d'humilité et d'obéissance ? Mais le pire...

Elle s'interrompit, les joues en feu, dans l'obscurité du confessionnal...

— Le pire, reprit-elle, c'est que je commence à la détester.

Un bref silence s'abattit sur le confessionnal, puis vint la question, exprimée avec gentillesse, d'une voix si douce qu'elle se surprit à se demander comment était ce confesseur inconnu.

— Avez-vous déjà détesté quelqu'un d'autre ?

— Mes parents, répliqua-t-elle sans l'ombre d'une hésitation.

— Et vous vous êtes confessée à ce sujet ? s'enquit-il, intrigué.

Elle répondit que oui, à plusieurs reprises, depuis de nombreuses années. Plus exactement, depuis son arrivée à Saint-Matthew.

— Et pourquoi les détestiez-vous ?

— Parce qu'ils me battaient, dit-elle simplement.

Elle paraissait beaucoup plus directe qu'il ne l'avait imaginé de prime abord. Il ne savait rien d'elle, sauf qu'elle était postulante. Comme ce n'était que la deuxième fois qu'il confessait les religieuses de Saint-Matthew, il ne pouvait pas mettre un visage sur les voix qui lui parvenaient de l'autre côté de la cloison. Les autres prêtres connaissaient bien Gabriella, mais pas lui.

— En fait c'est ma mère qui me maltraitait, précisa-t-elle. Mon père la laissait faire... J'en étais venue à le détester, lui aussi.

C'était la confession la plus ouverte, la plus franche qu'il avait entendue jusqu'alors. De son côté, Gabriella s'étonnait. Les mots avaient jailli spontanément, sans doute parce qu'elle souhaitait que ce prêtre inconnu la libère de ses sentiments négatifs vis-à-vis de sœur Anne. Son antipathie à son encontre lui faisait honte.

— Avez-vous jamais dit à vos parents ce que vous ressentiez ? demanda-t-il.

Il avait une qualité d'écoute exceptionnelle, une vision des choses très moderne. Il essayait d'aller au fond du problème, pas seulement d'entendre une confession.

— Je ne les ai jamais revus. Mon père a quitté ma mère quand j'avais neuf ans. Depuis, il n'a plus donné signe de vie. Il est parti à Boston, et quelques mois plus tard, ma mère a suivi son exemple. Elle m'a laissée ici et elle n'est jamais revenue. Elle m'a dit qu'elle resterait absente six semaines mais elle s'est remariée. Apparemment, je n'avais plus ma place dans sa vie, et tant mieux ! Elle aurait fini par me tuer si j'avais vécu avec elle.

Un silence choqué s'abattit, de nouveau, de l'autre côté du confessionnal.

— Je vois, dit-il finalement.

Soudain elle décida de vider l'abcès.

— Sœur Anne me rappelle ma mère, murmura-t-elle. Et c'est pourquoi je la déteste tant. Elle n'arrête pas de me dire que je suis « mauvaise », un mot dont ma mère a usé et abusé autrefois... Je la croyais.

— Et est-ce que vous croyez sœur Anne ?

Gabriella avait mal aux genoux. Il faisait une chaleur accablante à l'intérieur de l'isoloir. Elle avait l'impression de se trouver dans quelque cabine téléphonique surchauffée, sans lumière ; l'obscurité rendait la sensation de chaleur plus intense encore.

— Eh bien, ma sœur, la croyez-vous, elle aussi ? Lorsqu'elle vous dit que vous êtes mauvaise, par exemple ? insista le confesseur, profondément intéressé.

— Oui, parfois. J'ai toujours cru ce que prétendait ma mère. Je le crois encore, de temps à autre. Si je n'avais pas été méchante, pourquoi m'auraient-ils abandonnée ? Mes deux parents ? Oh, je devais être odieuse...

— Ce sont eux qui l'étaient, l'interrompit-il gentiment, d'une voix grave, et elle essaya d'imaginer son visage. Le péché doit peser sur leur conscience. Pas sur la vôtre. Et c'est peut-être valable aussi pour sœur Anne... Bien que je ne la connaisse pas, j'aurais tendance à penser qu'elle est jalouse de vous. Sans doute parce que vous vous sentez chez vous dans ce couvent où vous avez vécu tant d'années... Elle vous en veut.

— Et que dois-je faire ? demanda Gabriella, désespérée.

Cette fois-ci, il étouffa un petit rire.

— Envoyez-la paître et, si elle n'arrête pas, sortez vos gants de boxe. J'ai eu le même problème autrefois, au séminaire. J'en suis venu aux mains avec un autre séminariste qui me contredisait sans relâche. C'était la seule façon de le faire taire.

— Et... est-ce que ce match de boxe a arrangé les choses ? murmura-t-elle, amusée malgré elle par la tournure peu conventionnelle que prenait la confession.

Ce prêtre inconnu lui avait remonté le moral. Il faisait montre de sagesse, de compassion pour les pénitents, et d'une bonne dose d'humour.

— Complètement, répondit-il. J'en suis sorti avec un superbe coquard. Il m'a pratiquement laissé sur le carreau... Mais nous sommes devenus les meilleurs amis du monde. Aujourd'hui encore, il m'envoie ses vœux chaque Noël. Il est missionnaire au Kenya où il dirige une léproserie.

— Si la supérieure acceptait d'écourter le noviciat de sœur Anne, elle pourrait aller le rejoindre, dit à mi-voix Gabriella.

De sa vie elle n'avait eu un tel échange, pas même

à l'université. Derrière la grille, le prêtre émit un rire discret.

— Il ne vous reste plus qu'à le lui suggérer. En attendant, récitez trois Ave et un Notre Père. Et méditez chaque mot de ces prières, ajouta-t-il avec pertinence.

— Vous m'accordez l'absolution trop facilement, mon père.

— Et vous vous plaignez ? répondit-il, amusé une fois de plus.

— Non, mais cela me surprend. Depuis mon arrivée au couvent, je n'ai jamais quitté le confessionnal le cœur aussi léger.

— Faites donc une pause, ma sœur. Ne vous morfondez plus. N'endossez pas les problèmes des autres. Laissez sœur Anne se dépêtrer avec les siens. Elle n'est pas votre mère... Et vous, vous n'êtes plus une enfant, donc plus la même personne. Nul ne peut vous tourmenter, en dehors de vous-même. « Aime ton prochain comme toi-même »... Comment voulez-vous aimer les autres si vous ne vous aimez pas ? Pensez-y jusqu'à votre prochaine confession.

— Merci, mon père.

— Allez en paix, mon enfant.

Gabriella sortit ; elle s'agenouilla sur un prie-Dieu pour réciter ses prières. En levant le regard, elle vit sœur Anne se glisser dans le confessionnal. Elle en ressortit peu après, la figure empourprée, les yeux gonflés, comme si elle avait pleuré. Gabriella espérait, non sans charité, que le confesseur n'avait pas été trop dur avec elle. Mais à sa culpabilité se mêlait une étrange légèreté. En se dirigeant vers la sortie, elle s'arrêta un instant près de la maîtresse des postulantes ; celle-ci s'inquiétait de la santé d'une des religieuses les plus âgées. La lumière éclaira alors l'intérieur du confessionnal, et le prêtre en émergea. Très grand, athlétique, les épaules larges, il avait des cheveux d'un blond aussi clair que ceux de Gabriella. Un large sourire illumina son visage à la vue des deux nonnes.

— Bonsoir, mes sœurs. Quelle merveilleuse chapelle vous avez !

Il admira l'architecture dont toutes étaient si fières. La maîtresse des postulantes lui sourit, tandis que Gabriella s'efforçait de ne pas le regarder. Bizarrement, il lui rappelait vaguement son père à son retour de Corée.

— C'est votre première visite à notre couvent, mon père ? demanda la maîtresse des postulantes.

— Ma deuxième. Je remplace le père O'Brian, qui a pris six mois sabbatiques. Actuellement il se trouve au Vatican où il travaille sur un projet pour l'archevêché. Je suis le père Connors, Joe Connors...

Il leur sourit.

— Oh... formidable, s'exclama la plus âgée des deux religieuses, faisant allusion au voyage du père O'Brian au Vatican, tandis que Gabriella conservait le silence.

— Vous êtes postulante ? demanda-t-il alors.

Elle acquiesça, craignant qu'il ne reconnaisse sa voix, après sa longue confession de tout à l'heure.

— Sœur Bernadette, la présenta la maîtresse des postulantes.

Elle éprouvait une vive affection pour Gabriella depuis que celle-ci était petite. Aujourd'hui, elle la considérait comme son élève la plus douée.

— Elle vit ici depuis son enfance, reprit-elle, et à présent, elle a décidé de rejoindre l'ordre pour notre plus grande joie. Nous sommes toutes très fières d'elle.

Il regarda Gabriella, les yeux interrogateurs.

— Enchanté, sœur Bernadette.

Elle prit la main qu'il lui tendait.

— Merci, mon père. Mais nous vous avons mis en retard ce soir, j'en ai peur.

Elle lut dans son regard qu'il avait immédiatement reconnu sa voix. Naturellement, il ne fit aucun commentaire. « Ah, c'est donc vous qui détestez sœur Anne ? » n'aurait pas été du meilleur effet, bien sûr, songea Gabriella, franchement amusée.

— Je suis pour les longues confessions, admit-il avec un sourire qui, dans d'autres circonstances, aurait fait fondre des centaines de cœurs féminins.

Gabriella lui donna mentalement une trentaine d'années. Ayant très peu vécu dans le monde séculier, elle était piètre juge en matière d'âge.

— Et les pénitences courtes, acheva-t-il avec un clin d'œil complice qui la fit rougir.

Ainsi, il avait parfaitement compris qui elle était. Elle ne put s'empêcher de répondre :

— Quel soulagement ! C'est tellement embarrassant d'exécuter encore et encore génuflexions et autres actes de contrition ! Tout le monde peut alors deviner qu'on a beaucoup à se faire pardonner... Moi aussi je préfère les pénitences courtes.

— Je m'en souviendrai... Le père George sera là pendant quelques jours. Je reviendrai à la fin de la semaine. Je dois aller entre-temps à Boston voir l'archevêque.

— Bon voyage, mon père, dit la maîtresse des postulantes avec un sourire amical.

Et lorsqu'il les remercia et partit :

— Quel charmant jeune homme, commenta-t-elle à l'adresse de Gabriella, alors qu'elles quittaient lentement la chapelle. J'ignorais que le père O'Brian était à Rome. Je ne suis plus au courant de rien, je suis trop occupée par mes élèves.

Elles se souhaitèrent une bonne nuit, puis Gabriella prit tranquillement la direction de sa chambre. En son for intérieur elle espérait ne pas rencontrer sœur Anne, tapie quelque part dans le vestibule, prête à l'accabler de ses imprécations. Heureusement, elle ne la vit nulle part et elle gravit l'escalier de pierre, l'esprit tourné vers le prêtre qui avait écouté sa confession. Un homme jeune et beau, pensa-t-elle. Intelligent surtout, puisque grâce à ses conseils judicieux, elle ne se souciait plus autant de l'hostilité de sœur Anne. Mieux encore, leur conflit, réduit à ses justes dimensions, avait perdu son importance. Pour la première fois depuis des semaines, Gabriella se sentit de bonne humeur. Elle s'allongea sur son lit, dans la chambre qu'elle partageait avec deux autres postulantes — fort heureusement Anne ne figurait pas parmi elles. Ce soir, les cauchemars ne viendraient pas perturber son sommeil. Il étaient très virulents depuis qu'elle avait associé sœur Anne à sa mère.

— Bonne nuit, sœur Bernie, chuchotèrent ses compagnes dans l'obscurité.

— Bonne nuit, sœur Tommy, bonne nuit, sœur Agatha...

Elle ferma les yeux, satisfaite, sereine. Elle aimait faire partie de cette grande et heureuse famille. Elle aimait porter l'habit des postulantes, jour après jour... Toute sa vie elle avait aspiré à la paix de l'esprit qu'elle avait trouvée ici. Jusqu'à présent, elle s'était posé un tas de questions sur sa vocation, mais ce soir elle avait la réponse. Elle n'avait vécu que pour appartenir à Dieu. Et alors que la fatigue alourdissait ses paupières, elle eut une pensée pour le père Connors, qui avait su ôter de ses épaules le lourd fardeau de la culpabilité. Il avait eu une attitude pleine d'égards. L'idée qu'il reviendrait à la fin de la semaine la réjouissait. Elle avait hâte de se confesser de nouveau à lui. C'était un homme beaucoup plus compréhensif que le père O'Brian. Soudain, tout semblait réussir à Gabriella... Elle s'endormit, un sourire aux lèvres, et son sommeil fut profond et paisible jusqu'au matin.

9

La semaine passa vite. Les postulantes avaient mille corvées à accomplir. Gabriella s'était mise au jardinage ; elle bêchait et retournait la terre grasse des heures durant. Avant l'été, le potager croulerait sous les légumes. Les travaux manuels la détendaient tout en laissant son esprit libre. Le soir, après les prières, elle essayait d'écrire. Or, dernièrement, l'inspiration la fuyait... Sœur Anne, avec son habituelle véhémence, avait décrété que c'était péché d'orgueil d'être si fière de ses écrits. En fait, Gabriella n'en était pas fière. Ecrire lui était indispensable. Elle n'avait jamais pensé que ses histoires valaient la peine d'être lues mais l'écriture était comme une fenêtre par laquelle son âme s'évadait pour un long et passionnant voyage. Les religieuses adoraient ses récits mais, comme toujours, la postulante du Vermont la jalousait farouchement.

Pendant les jours qui suivirent, Gabriella l'évita. Elle se remémorait les conseils du père Connors... qui revint à la fin de la semaine, comme il l'avait promis. Il dit la messe, puis procéda à la confession. Lorsqu'il reconnut la voix de Gabriella dans l'obscurité de l'isoloir, il lui demanda si « ça allait », en toute simplicité. Il avait des manières directes, une voix chaleureuse, un ton amical, qui rendaient la confession moins austère, moins intimidante, bien que ce fût un rituel qui avait toujours apporté à Gabriella un profond réconfort. Ici, elle le savait, lui seraient peut-être pardonnés les terribles péchés dont elle s'était sentie accablée depuis sa plus tendre enfance. Du plus profond de son âme blessée, dans la pénombre bienfaisante du confessionnal, elle se sentait moins méchante qu'elle ne l'avait cru toute sa vie.

Elle répondit que cela allait mieux avec sœur Anne, qu'elle avait beaucoup prié, beaucoup réfléchi. Elle avoua ensuite quelques péchés véniels, et il la renvoya avec une légère pénitence de cinq Ave. Elle le vit plus tard, au petit déjeuner, dans la vaste salle à manger. Il buvait du café à la table de mère Gregoria. Il la salua d'un signe de la main et, de sa place, Gabriella inclina la tête avec un sourire... Il la faisait penser à son père, jeune, se dit-elle une fois de plus, frappée par cette étrange ressemblance. Le père Connors était plus grand, plus athlétique, mais les deux hommes avaient incontestablement un air de famille. Le même après-midi, elle eut à faire face à un nouvel assaut de sœur Anne, pendant qu'elles jardinaient.

— Au fait, as-tu parlé du père Connors à sœur Emanuel ?

Sœur Emanuel était la maîtresse des postulantes.

Gabriella regarda l'autre jeune fille sans comprendre.

— Du père Connors ? répéta-t-elle d'une voix blanche. Pourquoi ?

— Je vous ai vus bavarder, tous les deux, l'autre jour... Et ce matin, tu flirtais avec lui au réfectoire.

Elle devait plaisanter !... Ce n'était pas sérieux !... En riant, Gabriella retourna à sa rangée de basilic.

— Très drôle, dit-elle, oubliant aussitôt le commentaire désobligeant.

Mais en levant le regard, elle aperçut dans les yeux de la postulante du Vermont une expression qui la mit mal à l'aise.

— Non, ce n'est pas drôle. Tu devrais te confesser à sœur Emanuel.

— Ne sois pas ridicule, sœur Anne, répondit Gabriella, exaspérée.

Elle en avait assez. Sœur Anne n'était jamais à court d'idées lorsqu'il s'agissait de tourmenter Gabriella. Et elle arrivait presque toujours à la culpabiliser. Mais pas cette fois-ci.

— Je ne lui ai pas adressé la parole en dehors de la confession, affirma-t-elle.

— C'est faux et tu le sais, répliqua Anne d'un ton rude.

A l'évidence, la vie l'avait cruellcment déçue, et le couvent servait de refuge à ses frustrations. Elle était dépourvue d'attraits, et le garçon qu'elle aimait depuis l'enfance avait rompu leurs fiançailles une semaine à peine avant le mariage. Dès lors, la fiancée trahie s'était aigrie.

— Je l'ai vu ! reprit-elle hargneusement. Il te dévorait du regard. Je le dirai à sœur Emanuel si tu ne le fais pas.

Gabriella se redressa sur ses jambes avant de poser sur sœur Anne un regard courroucé.

— Tu mets en cause un prêtre ! Un homme qui s'est consacré à Dieu, qui vient ici pour dire la messe et entendre nos confessions. Toi, qui n'as que le mot péché à la bouche, sache au moins que la calomnie est un péché aussi. Tu m'insultes et tu mets en doute sa vocation.

— C'est un homme comme tous les autres. Ils ne pensent qu'à une chose. J'en sais plus que toi sur ce sujet.

Elle savait pertinemment que Gabriella avait mené une vie de recluse pendant les dix dernières années. Elle-même s'était fiancée, mais l'homme qu'elle avait choisi était parti avec sa meilleure amie. Ses déboires l'avaient mûrie et elle avait acquis un point de vue cynique sur les êtres, alors que Gabriella personnifiait l'innocence.

— Tout cela m'écœure, dit-elle, les yeux brillants

de colère. Sœur Emanuel sera certainement d'accord avec moi. J'ignore à quoi tu fais allusion, mais je n'aurais jamais osé porter de telles accusations contre un prêtre. Tu devrais revenir à de meilleurs sentiments, sœur Anne. J'ai du mal à croire que l'on puisse manquer à ce point de foi et de charité.

Elle lui tourna le dos, encore furieuse, et se remit à sa besogne. Le reste de l'après-midi s'écoula dans le silence. Enfin, sœur Anne partit dresser les longues tables du réfectoire, tandis que Gabriella poursuivait ses plantations. Lorsqu'elle alla se laver les mains, puis réciter ses prières vespérales, elle avait recouvré ses esprits. Son humeur s'était améliorée. Mais elle ne s'autorisa pas à s'appesantir sur les insinuations de sœur Anne à l'encontre du père Connors. Ce dernier, à l'image du Christ, n'était que bonté, chaleur et dévotion. Gabriella éprouvait pour lui une admiration sans limites et rien de plus. La pensée de « flirter » avec lui, selon les termes de sœur Anne, lui répugnait.

La fin de la semaine se déroula paisiblement. Gabriella ne songeait plus au père Connors. Elle le revit dans la chapelle où il disait la messe. Ensuite, il déjeuna avec les religieuses dans le jardin du couvent. C'était le dimanche des Rameaux, et elle tenait à la main les branches des palmiers qu'elle avait prises à l'église, quand elle le vit sur son chemin.

— Bonjour, sœur Bernadette. On vous décrit comme la fée du potager... Si j'ai bien compris, vous avez la main verte... N'oubliez pas de nous envoyer quelques tomates à Saint-Stephen.

Il avait des yeux aussi bleus que le ciel d'avril, des yeux rieurs. Gabriella lui répondit par un sourire plein de candeur.

— Qui vous l'a dit ?

— Sœur Emanuel. Elle ne tarit pas d'éloges sur vos innombrables talents. D'après elle, vous êtes la meilleure horticultrice qu'elle ait jamais connue.

— Je comprends maintenant pourquoi les sœurs

m'ont permis de rester si longtemps. Je savais qu'elles devaient avoir une bonne raison, répondit-elle, non sans humour.

— Peut-être ont-elles d'autres raisons, remarqua-t-il gentiment.

Il était facile de s'apercevoir combien les religieuses aimaient cette jeune fille. Il savait que, depuis son enfance, la Mère supérieure l'avait prise sous son aile protectrice. Et à présent, tandis qu'ils déambulaient dans le jardin en direction du potager, il comprenait mieux leur attachement. Cela tenait à sa prestance et à sa grâce qui annonçaient des qualités extraordinaires, une distinction naturelle, une douceur et une spontanéité qui vous allaient droit au cœur. Au fil des ans, sa beauté s'était épanouie comme une fleur rare, ce dont elle semblait parfaitement inconsciente. Elle n'y pensait pas. Or, même pour un prêtre, il n'était pas interdit d'admirer la beauté, au même titre qu'une œuvre d'art, une peinture splendide, une statue magnifique. Mais c'est son éclat qui frappait avant tout. Une sorte de lumière intérieure qui brillait avec une irrésistible force, la force de sa vocation, se dit le père Connors, et qui rehaussait sa beauté.

Elle lui montra le potager, énuméra les différentes variétés d'herbes aromatiques et de légumes qui ne tarderaient pas à pousser.

— Je vous enverrai bientôt tout ce que vous voudrez, promit-elle... A condition de convaincre mes chères sœurs de ne pas les cueillir avant l'heure. Regardez ! Dans ce carré, là-bas, j'ai planté des fraises.

Il hocha la tête, submergé tout à coup par les souvenirs de son enfance dans l'Ohio.

— Quand j'étais petit, je ramassais des mûres... J'étais revenu à Saint-Mark couvert de jus et d'égratignures. (Il sourit.) J'en avais mangé des tonnes. Résultat, j'ai souffert d'affreux maux d'estomac pendant une semaine. Les frères disaient que Dieu m'avait puni pour ma gourmandise. Cela ne m'a pas empêché de recommencer.

— Vous avez été dans un pensionnat ?

Elle avait entendu le nom de Saint-Mark, c'est tout. Elle avait si rarement l'occasion de parler avec quelqu'un « du dehors », que sa curiosité, pour une fois, l'emporta sur sa réserve. Elle, si timide quand elle avait affaire à des gens qui n'appartenaient pas à son petit monde, s'étonnait de se sentir aussi à l'aise. Elle avait complètement oublié les propos malveillants de sœur Anne.

— Oui, on peut l'appeler comme ça, dit-il en souriant. Quand mes parents sont morts, j'avais à peine quatorze ans. Je n'avais aucune autre famille. J'ai grandi à l'orphelinat de la ville. Il était dirigé par des Franciscains... Des gens formidables.

— Ma mère m'a abandonnée ici quand j'avais dix ans, dit Gabriella calmement, le regard perdu dans le potager.

— C'est inhabituel.

Mais la mère en question n'était pas une personne ordinaire, il le savait déjà. Il se rappelait clairement les confessions de Gabriella à propos de ses mauvais traitements et se demanda si, en fin de compte, la providence n'avait pas dicté cet abandon.

— Savez-vous pourquoi ? Un problème financier ?

— Non. Elle s'est remariée et je ne correspondais pas à son idée du bonheur. Mon père l'avait quittée un an plus tôt pour une autre femme. Pour une raison que j'ignore, ma mère m'a toujours reproché tout ce qui n'allait pas dans sa vie...

— Et vous ? Vous sentiez-vous fautive ?

Il aimait bien discuter avec elle. Il s'efforçait toujours de comprendre les gens qu'il voulait aider ou avec lesquels il travaillait.

— Oui... Elle me rendait responsable de tout, même quand j'étais toute petite... Je la croyais, naturellement. Je me disais que si cela n'avait pas été vrai, mon père serait intervenu en ma faveur. Et puisqu'il ne le faisait pas, c'était la preuve de ma culpabilité. Alors, j'ai accepté mon triste sort. Après tout, ils étaient mes parents.

— Comme vous avez dû souffrir, dit-il avec compassion.

Elle le regarda alors, puis elle sourit. Oh oui, elle avait souffert. Mais après dix années de paix et de sécurité, sa peine s'était considérablement atténuée.

— Oui, en effet, admit-elle. Mais rester orphelin à quatorze ans n'est pas mieux. Vos parents sont morts dans un accident ?

Ils discutaient tranquillement, comme deux vieux amis, sans voir le temps passer. Ils parlaient très ouvertement, en prenant plaisir à converser, chose rare pour Gabriella.

— Non, expliqua-t-il. Mon père est décédé des suites d'une crise cardiaque. Ce fut une mort aussi subite qu'inattendue, à quarante-deux ans. Et trois jours plus tard, ma mère s'est suicidée... J'étais trop jeune pour comprendre ce qui a pu se passer dans sa tête. Je suppose qu'elle n'a pas surmonté le choc et le chagrin... Il aurait peut-être suffi qu'elle consulte un médecin compétent, et le drame aurait été évité. Voilà pourquoi j'examine toujours l'aspect psychologique d'un problème. Cela peut tout changer.

Gabriella acquiesça en se demandant quelle sorte de médecin aurait été capable d'aider sa propre mère.

— Il m'a fallu des années avant de lui pardonner son acte, poursuivit-il, songeur. Depuis, j'ai parlé avec beaucoup de personnes dans la même situation, des gens qui se sentent enfermés dans un piège sans savoir vers qui se tourner, et qui ont peur... Des cœurs solitaires, effrayés, en face de problèmes dont ils ne voient pas l'issue alors qu'elle est là, devant leurs yeux...

— Comme sœur Anne, dit-elle, et ils eurent un rire complice.

Ils venaient de partager des souvenirs importants. Ils

avaient un tas de points communs. Tous deux s'étaient perdus dans le monde extérieur. Et leur salut résidait dans une existence où ils ne rencontreraient plus les difficultés, les tourments qui avaient failli les détruire.

— Quand avez-vous décidé de devenir prêtre ? s'enquit-elle, tandis qu'ils reprenaient l'allée menant vers le jardin principal.

— Après le lycée, je suis parti directement au séminaire. J'ai pris cette décision à quinze ans. Cela me paraissait le chemin le plus juste. Je ne puis imaginer meilleure vie que celle-ci.

Elle lui adressa un sourire naïf. Il était si séduisant que ses habits noirs barrés du col romain paraissaient incongrus.

— Et vous avez déçu toutes les jeunes filles que vous connaissiez.

— Pas vraiment. Je n'en connaissais aucune, à vrai dire. Il n'y avait que des garçons à Saint-Mark... Et avant, j'étais trop jeune, trop timide... Cependant, j'ai fait le bon choix. Je n'en ai jamais douté, non. Pas une seconde.

— Moi non plus, une fois que j'en ai été sûre, admit-elle d'une voix sérieuse. J'ai attendu pendant des années. Les nonnes auprès desquelles j'avais grandi parlaient d'« appel », de « vocation », mais je ne m'estimais pas assez bonne pour que le Seigneur m'accepte parmi ses serviteurs. Je croyais que j'allais entendre des voix ou quelque chose comme cela. Et finalement j'ai su, au-delà du moindre doute, que ma place était ici, que j'appartenais à l'Eglise.

Il l'écoutait en hochant la tête. Il la comprenait parfaitement. Tous deux étaient nés pour suivre ce destin.

— Vous avez encore du temps devant vous avant d'être tout à fait sûre, remarqua-t-il avec gentillesse, redevenant le prêtre et non plus l'ami qui, un instant plus tôt, lui faisait ses confidences.

Gabriella secoua la tête.

— Je n'ai pas besoin de temps. Je *sais*. Quand je

suis allée à l'université, je savais déjà que je ne voulais plus vivre dans le monde séculier... C'est trop dur. Je ne suis jamais sortie avec mes camarades et je n'ai jamais eu envie de rencontrer des hommes. Je n'avais rien à leur dire, poursuivit-elle, oubliant qu'il en était un. Et jamais, non, jamais je n'aurais voulu avoir d'enfants, acheva-t-elle, avec une véhémence qui éveilla l'attention du père Connors.

— Pourquoi ? s'enquit-il, désireux d'en savoir plus.

— Cette décision remonte à l'époque où j'étais encore petite fille. Je me le suis promis. J'ai toujours eu peur de devenir comme ma mère... Il y a une partie d'elle en moi, une partie que je redoute.

— Vous avez tort, sœur Bernadette. Rien ne laisse supposer que vous êtes la proie des mêmes démons que votre mère. Des tas de gens ont eu des enfances malheureuses, et ils sont devenus des parents extraordinaires.

— Mais ce n'est pas toujours vrai. Et dans ce cas, que fait-on ? On abandonne son enfant au couvent le plus proche ? Je refusais de courir ce risque. De jouer avec la vie de quelqu'un d'autre, de le torturer avant de le rejeter.

— Vous avez dû éprouver une peine immense quand elle vous a quittée, murmura-t-il tristement.

Le jour terrible où il avait trouvé sa mère jaillit à sa mémoire... Après des années entières de prières et de soumission à Dieu, il avait été incapable de l'oublier... L'image était gravée en lui au fer rouge. Elle était allongée dans la baignoire, les poignets tailladés. C'était la première et la dernière fois qu'il l'avait vue nue. Elle s'était presque amputée de ses mains avec le rasoir de son défunt mari.

— Oui, c'est vrai, répondit sobrement Gabriella. J'ai ressenti de la peine, mais aussi du soulagement. J'étais en sécurité, enfin. Mère Gregoria m'a sauvé la vie. C'est elle ma vraie mère.

— Et elle est très fière de vous. Elle était ravie,

paraît-il, quand vous lui avez annoncé que vous alliez rejoindre l'ordre. Vous ferez une excellente religieuse, sœur Bernie. Vous êtes quelqu'un de bien.

Il semblait le croire.

— Merci, mon père. Vous aussi. Je suis contente d'avoir parlé avec vous.

Sa timidité naturelle ayant repris le dessus, elle rougit légèrement. Ils s'étaient promenés ensemble pendant une heure dans le jardin, et personne n'était venu les interrompre.

— Prenez soin de vous, ma sœur.

Elle lui adressa un dernier sourire avant de se hâter vers le couvent. Le prêtre prit la direction du vestibule où il rassembla ses affaires avant de repartir pour Saint-Stephen. Il avait passé un merveilleux dimanche. Il aimait venir au couvent et discuter avec les religieuses. Il leur vouait un immense respect, et admirait leur travail dans les hôpitaux, les écoles, les missions dans des pays dangereux... Il se demanda ce qu'il adviendrait de sœur Bernadette. Il l'imaginait bien s'occupant de malades, d'enfants surtout. Il pensait toujours à elle lorsqu'il prit congé des religieuses les plus âgées, puis rentra lentement à pied à Saint-Stephen. Entre-temps, Gabriella frottait le sol de la cuisine avec deux autres postulantes. Sa tâche l'absorbait à tel point qu'elle n'aperçut pas le regard soupçonneux de sœur Anne, comme elle n'avait pas vu mère Gregoria l'observer un peu plus tôt, dans le jardin où elle se promenait aux côtés du jeune prêtre. La supérieure était restée longtemps à la fenêtre. Une expression soucieuse lui avait creusé le visage quand Gabriella avait souri à son compagnon. Ils paraissaient si jeunes, si innocents, si beaux ensemble... Et ils se ressemblaient...

En les voyant se séparer, la supérieure revint vers son bureau et s'y assit, perdue dans ses réflexions. Pourtant, elle ne souffla mot lorsqu'elle revit Gabriella le soir. Sa protégée avait l'air parfaitement heureuse ici, parmi les religieuses. Elle rayonnait d'une intense joie intérieure, il était stupide de s'inquiéter pour elle. Néanmoins, quelque chose dans la scène qu'elle avait longuement contemplée cet après-midi avait fait frissonner de frayeur le cœur de mère Gregoria. Elle se traita d'idiote.

Le père Connors ne revint pas au couvent la semaine suivante. Un autre prêtre le remplaça. Il voyageait, et ne reparut pas avant le samedi saint, où il passa tout l'après-midi au confessionnal. Les religieuses l'accueillaient toujours avec joie. Elles lui trouvaient un sens de l'humour exceptionnel. De plus, il n'imposait jamais de lourdes pénitences. Sœur Emanuel faisait justement son éloge à la maîtresse des novices quand il s'arrêta pour les saluer, avant de se diriger vers la sortie de la chapelle.

— Allez-vous déjeuner avec nous demain, père Connors ? demanda sœur Immaculata, la maîtresse des novices, avec un gentil sourire.

Autrefois, elle avait été une splendide jeune fille, et quarante ans de couvent n'avaient pas réussi à effacer tout à fait les vestiges de son ancienne beauté.

— Volontiers, répondit-il en leur souriant.

Il adorait les vieilles religieuses, leurs yeux brillants et clairs, leurs sourires timides, leur intelligence si vive qui, parfois, le désarçonnait. Et il aimait ces visages lisses sur lesquels le stress et l'angoisse n'avaient pas apposé leur sceau. Elles avaient échappé aux horreurs inhérentes aux existences ordinaires. A l'abri des turpitudes, loin du tumulte, la plupart ne faisaient pas leur âge.

— Cette année les postulantes et les novices vont préparer le repas pascal. Elles sont aux fourneaux depuis hier soir, expliqua sœur Emanuel, fière de ses élèves.

Elles s'étaient révélées excellentes cuisinières, avaient fait rôtir des dindes et des jambons. Des légumes venant du potager accompagneraient les plats : purée de pommes de terre, petits pois, salades. Un groupe de religieuses plus âgées avait fait cuire des pains presque jusqu'à l'aube.

— J'ai hâte d'être à demain, dit-il.

Trois autres prêtres viendraient avec lui, ainsi que les familles des religieuses. Cette année-là, il faisait un temps splendide et la supérieure avait accepté que l'on sorte les tables de pique-nique dans le jardin.

— Qu'est-ce que je vous apporte ? Un de nos paroissiens nous a fait cadeau de plusieurs caisses d'un excellent cru.

— Oh... quelle bonne idée, exulta sœur Immaculata.

La supérieure interdisait les boissons alcoolisées. Il était entendu que les religieuses avaient le droit de boire un verre ou deux quand elles rendaient visite à leur famille mais jamais dans l'enceinte du couvent. Il y avait du vin à volonté pour les visiteurs ou les prêtres de passage, mais elle n'allait pas jusqu'à accorder ce privilège à ses nonnes sauf lors de rares exceptions.

— Merci, mon père...

Les deux sœurs le saluèrent et le lendemain, quand il arriva pour la messe de Pâques, il avait chargé plusieurs caisses de vin de Californie dans le coffre de sa voiture. Il les déchargea, les porta à la cuisine, qui ressemblait à une ruche. Un fumet appétissant parfumait l'air ; il en eut l'eau à la bouche.

Les quatre prêtres célébrèrent ensemble la messe de Pâques. Les religieuses et leurs familles avaient envahi la chapelle. De petits enfants s'éparpillaient partout, à travers les prie-Dieu. Les sœurs avaient ôté les voiles noirs qui avaient recouvert le grand crucifix et les statues de la Vierge et des saints pendant la longue période de carême. Après la douloureuse passion du Christ, sa résurrection illuminait tous les cœurs, et ce furent des groupes joyeux qui se rassemblèrent dans le jardin quand la messe fut terminée.

La Mère supérieure accueillait aimablement les arrivants et serrait la main à de vieux amis tandis que les jeunes nonnes apportaient les plateaux de nourriture.

Gabriella et sœur Agatha se trouvaient parmi elles. Le père Connors leur offrit son aide et, peu après, il posait sur la table principale un jambon au milieu de quatre dindes toutes dorées. Bientôt, la table croula sous les mets : gâteaux secs, pains au raisin, pain de maïs, légumes de toutes sortes, purée de pommes de terre, une demi-douzaine de tartes différentes, de la glace faite maison.

— Ouaouh ! s'exclama-t-il comme un petit garçon enchanté. Mesdames, bravo ! Ces Pâques sont à marquer d'une pierre blanche.

Sœur Emanuel, tout sourire, félicita mentalement ses chères élèves.

Les invités restèrent une partie de l'après-midi. Gabriella dégustait un morceau de tarte aux pommes quand le père Connors s'approcha d'elle. Il avait déjeuné à la table de la supérieure et des nonnes les plus âgées. Celles-ci l'avaient présenté à leurs familles et il avait passé un moment des plus agréables à bavarder avec elles... Il appréciait tout particulièrement les commentaires de mère Gregoria, toujours bien informée, pleine d'esprit et de sagesse. De son côté, elle avait eu envie de mieux cerner la personnalité du jeune prêtre. Il était arrivé récemment à Saint-Stephen. Avant cela, il avait travaillé en Allemagne, puis avait effectué un séjour de six mois au Vatican où il avait approfondi ses connaissances théologiques.

— Vous devriez ajouter une cuillerée de glace à la vanille, conseilla-t-il en se gavant lui-même de glace. Mmmm, quel repas succulent ! Vous pourriez ouvrir un restaurant, mes amies. Je suis sûr que cela rapporterait des fonds à l'Eglise.

Son humour fit rire Gabriella.

— Oh oui, s'exclama-t-elle, « Chez mère Gregoria ». La supérieure en serait ravie.

— Ou un nom plus accrocheur. « Les Nonnes », par exemple. Une boîte de nuit vient d'ouvrir dans une église désaffectée du côté de Downtown. Ils utilisent l'autel comme un bar.

A cette pensée sacrilège, ils éclatèrent de rire.

— J'adorais danser quand j'étais petit, avoua-t-il.

Il attaqua sa propre tarte de bel appétit. Elle était aux myrtilles, et cela rappela son histoire de mûres à Gabriella.

— Et vous, sœur Bernadette ? Aimiez-vous danser ? s'enquit-il avec la curiosité d'un vieil ami.

— Oh non, je n'ai même jamais essayé... Je n'avais que dix ans quand je suis arrivée ici. Mais j'aimais bien regarder danser les invités de mes parents, quand je n'étais encore qu'une petite fille. Je m'asseyais en haut de l'escalier et je les épiais... Ils étaient beaux, riches, élégants. Des reines de contes de fées et des princes. Et je me disais que je serais comme eux quand je serais grande.

Elle ignorait ce qu'il était advenu de la demeure, des meubles d'époque, des bibelots rares. Est-ce que sa mère les avait emportés, avait-elle tout vendu ? Il y avait si longtemps...

— Où viviez-vous, enfant ? demanda-t-il en posant délicatement une petite boule de glace sur les restes de sa tarte.

— Oh, merci...

Elle goûta, les yeux fermés, puis sourit.

— Vous avez raison, c'est vraiment bon... Eh bien, nous vivions à New York, pas très loin d'ici d'ailleurs. Je ne sais pas ce qu'est devenue la maison.

— Vous n'êtes jamais retournée dans votre quartier, ne serait-ce que pour voir ?

Quelle attitude étrange ! pensa-t-il en même temps. Il y serait allé, rien que par curiosité.

— J'y ai songé, quand j'allais à Columbia, mais...

Elle s'interrompit, haussant les épaules, le fixant de ses immenses yeux aux iris d'un bleu semblable aux siens.

— ... finalement j'ai changé d'avis. Cette maison

regorge de souvenirs. Je n'ai pas voulu la revoir. Elle appartient au passé.

Un passé qu'elle s'efforçait d'oublier.

— Si vous voulez, je peux y aller en voiture pour voir si elle est toujours là. Donnez-moi l'adresse et j'irai jeter un coup d'œil.

— D'accord, merci.

Il affronterait les démons à sa place et lui ferait un rapport ensuite. Mère Gregoria n'y verrait pas d'inconvénient, c'était presque certain.

— Et vous ? Etes-vous déjà retourné à Saint-Mark ?

— Oui, de temps à autre... La maison de mes parents a été rasée et on a construit un parking. Je n'ai aucune autre famille. Tout ce qui reste de mon enfance se trouve à l'orphelinat.

Ils avaient eu, tous deux, des histoires analogues. Réminiscences pénibles, rêves brisés d'une manière irréparable. Ils étaient des survivants qui avaient cherché refuge dans la religion. Au sein de l'Eglise, ils avaient enfin ressenti la félicité que la vie leur avait refusée. Et à présent, ils paraissaient parfaitement heureux, assis côte à côte. Le soleil inondait de chaleur et de lumière le jardin du couvent. En regardant le père Connors, Gabriella s'étonna une fois de plus de sa beauté. Elle avait peine à croire qu'il avait préféré la prêtrise au tourbillon de la vie ; elle ignorait qu'il se faisait la même réflexion à son sujet.

Ils bavardèrent un long moment, tandis que les sœurs entamaient des discussions animées avec leurs invités. Ils étaient les seuls à n'avoir plus aucune famille, aucun proche, aucun ami au monde, à part les prêtres et les religieuses avec lesquels ils vivaient.

— C'est bizarre, non ? D'être sans famille, j'entends, dit-il d'une voix tranquille. Pendant les premières années, cela m'a terriblement manqué, surtout pendant les fêtes, puis je m'y suis fait. Les frères étaient très gentils, à l'orphelinat. Et j'avais l'impression d'être le héros revenu du séminaire chaque fois que je leur ai rendu visite par la suite. Frère Joseph, le directeur de Saint-Mark, a été comme un père pour moi.

Encore un point commun. Une expérience partagée qui dépassait les secrets du confessionnal ou leur fervente dévotion pendant la messe... Un sentiment profond et caché que les autres ne semblaient pas éprouver... Une sorte de solitude, d'isolement de l'âme, qui tissait entre eux un lien invisible.

— Moi, j'étais contente d'avoir échappé aux sévices et aux punitions quand j'ai échoué ici, dit-elle doucement.

Il acquiesça. Il en avait vu d'autres, du temps où il était aumônier dans un hôpital. Combien de fois n'avait-il pas pleuré en voyant les tortures que certains parents infligeaient à leurs enfants.

— Est-ce qu'ils vous faisaient très mal ? demanda-t-il avec gentillesse.

Elle réfléchit un instant en silence, puis inclina la tête, le regard perdu dans le lointain.

— Oui, souvent, dit-elle enfin dans un murmure. Une fois, j'ai été transportée à l'hôpital. Ce n'était jamais qu'un intermède. Les infirmières et les aides-soignants m'ont traitée avec tant de douceur que je ne voulais plus retourner à la maison. Mais j'ai eu peur de leur dire ce qui m'attendait. Je n'ai jamais rien dit à personne. J'ai toujours menti à tout le monde. J'étais convaincue que je devais protéger mes parents, sinon, de toute façon, ma mère m'aurait tuée. Et si elle m'avait gardée encore quelques années, je crois que je serais morte. Elle me haïssait, acheva-t-elle en fixant le jeune prêtre qu'elle considérait à présent comme un ami.

Leurs confidences, leurs enfances, les similitudes de leur passé les avaient rapprochés.

— Elle était probablement jalouse de vous, dit le père Connors d'une voix raisonnable.

Il lui avait déjà demandé de l'appeler père Joe, et

savait que son vrai nom était Gabriella, même si les plus âgées parmi les nonnes ainsi que les autres postulantes l'appelaient sœur Bernie.

Elle leva vers lui des yeux pleins de souvenirs et d'interrogations.

— Pourquoi aurait-elle été jalouse d'un petit enfant ?

— Certains individus sont ainsi faits. Indubitablement, quelque chose n'allait pas chez elle.

C'était un doux euphémisme, Gabriella le savait mieux que personne.

— Comment était votre père ? reprit-il.

— Je n'en suis plus sûre. Parfois, je me demande si je l'ai vraiment connu. Il... il vous ressemblait, sourit-elle, ou du moins je le crois, si mes souvenirs sont exacts. Il avait peur d'elle. Il n'a jamais osé lui tenir tête. Il la laissait faire.

— Il doit se sentir très coupable alors. C'est peut-être la raison qui l'a poussé à prendre la fuite. Parce qu'il ne pouvait pas faire face. Les gens se comportent d'étrange façon quand ils se sentent impuissants.

Tous deux pensèrent en même temps au suicide de sa mère à lui, mais Gabriella préféra ne pas revenir sur ce sujet pénible. Chacun se battait contre ses propres cauchemars.

— Essayez de le retrouver. Et de parler de ça avec lui.

Elle avait maintes fois rêvé à une telle rencontre, mais ne savait pas par où commencer ses recherches. Douze ans plus tôt, il était parti vivre à Boston, elle ignorait la suite.

— Il ne doit pas savoir que je suis ici. Cela m'étonnerait que ma mère se soit donné la peine de le mettre au courant. J'ai voulu demander l'avis de mère Gregoria une fois... Elle dit toujours qu'il faut enterrer le passé... le laisser loin derrière soi. Je suppose qu'elle a raison. Mon père ne m'a jamais appelée. Il ne m'a jamais écrit non plus depuis son départ.

Elle affichait un air triste. Evoquer cet abandon lui faisait toujours de la peine.

— Peut-être que votre mère le lui a interdit, suggéra le père Joe.

Sa supposition était un maigre réconfort. Non, c'était la Mère supérieure qui avait raison. Gabriella avait tourné cette page de sa vie. Elle avait chassé les fantômes du passé, mais ceux-ci revenaient la hanter dans ses moments les plus sombres.

— Où est votre mère maintenant ?

— A San Francisco. Du moins elle y était encore quand elle a envoyé le dernier chèque de ma pension.

Ses deux parents l'avaient complètement abandonnée, se dit-il, stupéfait. Il s'étonnait toujours de ce que ni l'un ni l'autre ne lui ait jamais écrit ou rendu visite. Ils étaient incompréhensibles...

— Eh bien, sœur Bernie, vous menez une vie décente maintenant. Saint-Matthew a besoin de vous. Les religieuses vous adorent. Et j'ai de bonnes raisons de croire que mère Gregoria vous verrait bien un jour à sa place. Ce serait un grand honneur... Nous nous en sommes bien sortis, tous les deux, n'est-ce pas ?

Leurs yeux se rencontrèrent. Ils surent en même temps qu'ils revenaient de loin et qu'ils avaient laissé derrière eux une partie d'eux-mêmes. Il lui tapota alors amicalement la main, et ce simple contact plongea Gabriella dans la perplexité. Il avait une main forte et ferme, comme celle de son père. Elle n'avait connu aucun autre homme, n'avait pas d'autres souvenirs, aucun autre point de comparaison... Et tandis qu'elle s'abîmait dans ses réminiscences, le père Connors se redressa lentement.

— Je ferais mieux d'aller voir mes chers curés... Ils sont sûrement pompettes, après avoir bu du vin tout l'après-midi ; dans ce cas, je les reconduirai à Saint-Stephen.

La vision des bons pères ivres, titubant, trébuchant

et s'affalant parmi les nonnes dans l'allée du couvent, arracha un rire à Gabriella.

— Mais non. Ils ont l'air parfaitement sobres.

Elle se leva à son tour. Côte à côte, en riant, ils regardèrent du côté des prêtres. Deux d'entre eux discutaient avec la supérieure, le troisième avec une famille qu'il connaissait. Sœur Emanuel battait le rappel de ses ouailles pour faire la vaisselle et nettoyer la cuisine, la plupart des enfants somnolaient, les visiteurs semblaient ravis mais fatigués. Cela avait été une journée splendide, des Pâques joyeuses pour tous, et plus particulièrement pour Gabriella. Elle regarda le père Joe.

— Je n'ai jamais parlé de tout cela. A personne.

— Ne vous laissez pas atteindre, répondit-il avec sagesse. Ils ne peuvent plus vous punir, Gabbie. Ils sont partis... Et ils ne reviendront plus jamais vous tourmenter. Vous êtes en sécurité.

Sa gentillesse fit monter des larmes de gratitude aux yeux de Gabriella. Il l'avait libérée de son fardeau, par la seule force de ses paroles. Comme s'il avait voulu la réconforter. La protéger aussi.

— Je vous verrai au confessionnal, poursuivit-il avec un sourire en coin... Tâchez de croiser le moins possible le chemin de sœur Anne.

Il arborait une expression amusée. Parfois, le fait de lui parler l'emplissait d'une sensation bizarre. Elle avait vingt et un ans et ne savait rien de la vie qui grouillait par-delà les murs du couvent... Il avait dix ans de plus qu'elle et s'estimait plus expérimenté. Plus averti.

— Elle ne manquera pas de me faire des réflexions sur notre longue conversation de cet après-midi, murmura Gabriella, d'un ton un peu irrité.

Les accusations de la jeune postulante l'agaçaient.

— Vraiment ? fit-il interloqué. Et pourquoi ?

— Elle a beaucoup d'imagination pour ce qui est d'accuser les autres. La semaine dernière, elle se plaignait de mes écrits. Elle prétendait qu'écrire est un péché quand on a autre chose à faire : dire ses prières, par exemple, réciter les psaumes des matines, des vêpres ou allez savoir... Elle se plaint de tout ce que je fais.

— Continuez de prier pour elle. Elle se fatiguera et cessera de vous persécuter.

Gabriella hocha la tête. Elle laissa le père Joe avec sœur Emanuel et se hâta vers la cuisine. Une montagne de casseroles s'empilait sur le comptoir, sans parler des assiettes, des plateaux, des plats dans lesquels avaient mijoté les dindes et les jambons. Pour une fois, sœur Anne était si occupée qu'elle ne la vit même pas entrer. Gabriella passa un tablier, roula ses manches et s'attaqua à la pile des ustensiles graisseux. Des heures s'écoulèrent avant qu'elles aient fini... Entre-temps, les vieilles religieuses, tranquillement assises au parloir, commentaient cette journée mémorable. Les visiteurs étaient repartis avec leurs familles... Et le père Joe, de retour à Saint-Stephen, regardait par la fenêtre de sa chambre, d'un air grave.

10

Les deux mois suivants s'écoulèrent en corvées, prières, messes, études théologiques et jardinage. Gabriella avait commencé à écrire une nouvelle histoire, plus longue que les précédentes. Au dire de la Mère supérieure, qui avait lu le début, il y avait suffisamment de matière pour en faire un roman. Gabriella avait accepté ses encouragements avec modestie. Le vent semblait avoir tourné, car sœur Anne ne la poursuivait plus de ses reproches.

La première vague de chaleur écrasait New York en ce mois de juin. Les religieuses les plus âgées étaient parties pour leur retraite estivale au couvent frère de Saint-Matthew, dans les Catskills. Les plus jeunes restèrent en ville où elles continuèrent à travailler à l'hôpital Mercy et à enseigner à l'école d'été. La supérieure demeura également à New York. Elle dirigeait le couvent avec son zèle habituel. Voilà une bonne décennie qu'elle ne s'était pas accordé de vacances, privilège réservé à ses aînées.

Un groupe de sœurs missionnaires de passage demeura un mois au couvent. Ce qu'elles dirent de l'Afrique et de l'Amérique latine fascina Gabriella qui, dès lors, se mit dans la tête de rejoindre plus tard une mission. Elle n'en dit rien à la supérieure, de crainte de la bouleverser. Mais tous les soirs au réfectoire, elle écoutait attentivement leurs impressions et lorsqu'elles furent reparties, elle rassembla leurs récits dans un recueil de nouvelles très courtes merveilleusement écrites. Sœur Emanuel décréta qu'il fallait absolument les faire publier. Mais Gabriella n'écrivait que pour son plaisir. L'écriture l'apaisait. Elle la libérait toujours de ses angoisses... Et elle avait l'impression que chaque mot qui jaillissait de sa plume lui était dicté par un esprit qui l'habitait. Elle se perdait dans les phrases, comme si elle n'existait pas ou comme si elle n'était qu'un écran permettant à l'esprit de s'exprimer... C'était une sensation impossible à décrire. Elle n'en parla à personne, en dehors du père Joe. Un jour, il l'avait trouvée penchée sur ses cahiers, dans l'ombre du jardin, une pomme dans une main, le stylo dans l'autre, et lui avait demandé la permission de lire le texte qu'elle venait d'ébaucher. Elle lui tendit les feuillets. Il en fut bouleversé. C'était l'histoire d'un enfant qui, après sa mort, revenait sur terre pour réparer les injustices et apporter la paix aux vivants.

— Vous devriez l'envoyer à un éditeur, déclara-t-il, fortement impressionné.

Il était bronzé. Gabriella lui trouva bonne mine, et il répondit qu'il avait joué au tennis avec des amis à Long Island... Aussitôt, le souvenir de ses parents surgit dans la mémoire de Gabriella. Depuis son enfance, elle n'avait plus entendu le mot tennis. Ses camarades d'université pratiquaient ce sport, elle le savait, mais comme elle ne les fréquentait pas, ils ne lui en avaient pas parlé.

— Je suis sérieux, reprit-il en faisant allusion aux textes de Gabriella. Vous avez un réel talent.

— Non, je n'en ai pas. J'aime écrire, c'est tout.

Elle évoqua alors l'esprit qui semblait passer à travers elle.

— Lorsque j'essaie de raconter quelque chose consciemment, rien ne sort. Si je me laisse aller, si j'oublie ma propre personne, les mots jaillissent d'eux-mêmes.

— Oooh ! Nous voilà dans une histoire de spectres ! la taquina-t-il avec un sourire qui céda presque aussitôt la place à une expression plus grave. D'autres appellent cela l'inspiration. Mais quoi qu'il en soit, continuez à écrire. Sinon, comment vous portez-vous ?

Il avait pris une semaine de congé et avait l'impression qu'ils ne s'étaient pas vus depuis des siècles.

— Très bien. Nous avons été très occupées par les préparatifs du pique-nique du 4 juillet. Viendrez-vous ?

Chaque année, les sœurs fêtaient le jour de l'Indépendance en organisant un gigantesque barbecue. La supérieure suivait scrupuleusement le calendrier des fêtes nationales. C'était une manière comme une autre de rester en contact avec les amis, les parents et les relations de la communauté. Gabriella, elle, n'avait aucun ami en dehors du père Joe. Chaque fois qu'il venait, elle avait l'impression de voir son frère. Une franche amitié s'était développée entre eux.

— Est-ce une invitation officielle ? demanda-t-il.

Il éprouvait la même chose qu'elle.

— Vous n'en avez pas besoin, répondit-elle calmement. Tout Saint-Stephen sera de la partie. Prêtres, secrétaires, enfants de chœur... Nous avons également invité les gens de l'hôpital, ainsi que ceux de l'école. Les familles des religieuses aussi, bien que la plupart soient en vacances.

— Hélas, je ne serai pas en vacances, la semaine du 4. Je serai en train de sauver des pécheurs des griffes du diable...

Elle lui sourit.

— C'est parfait.

Elle lui tendit un brin de menthe et quelques fraises.

— Elles ne sont pas lavées mais je n'utilise aucun produit chimique. Goûtez-les, elles sont délicieuses.

Il mordit dans un fruit rouge, et une expression émerveillée se peignit sur ses traits.

— Mmmm, oui, magnifique.

Un spectateur de la scène n'aurait pas su dire si l'adjectif s'adressait aux fraises ou à celle qui les avait plantées. Il l'accompagna au parloir où elle devait remettre à la sœur chargée des fournitures pour le jardin sa liste de nouvelles graines. Le père Joe l'avertit qu'il dirait la messe le lendemain, et qu'il aurait grand plaisir à venir au pique-nique.

Ils se rencontrèrent de nouveau dans le confessionnal le jour suivant. Chacun reconnaissait maintenant la voix de l'autre et à travers la cloison qui les séparait, munie de la grille, ils échangèrent quelques réflexions sur le péché. Dorénavant, elle était habituée aux manières ouvertes du jeune prêtre. Aujourd'hui, elle n'avait pas grand-chose à confesser. Il lui donna l'absolution et alla la saluer dès qu'elle eut fini sa pénitence.

— Accepteriez-vous que quelques prêtres et moi-même prenions en charge votre barbecue du 4 juillet ?

Elle hocha la tête, ravie. C'était l'unique corvée qu'elle avait en horreur. La fumée piquait les yeux et leurs amples habits entravaient leurs gestes quand elles essayaient d'allumer le feu. Les prêtres y arriveraient mieux, d'autant qu'ils venaient toujours au pique-nique en jeans, pantalons kaki et chemises de sport.

— Je demanderai à sœur Emanuel mais je crois qu'elle acceptera sans problème, répondit Gabriella avec gratitude. Le barbecue n'est pas vraiment notre fort.

— Et le base-ball ?

— Je vous demande pardon ?

Elle le scruta, mais non, il ne plaisantait pas.

— Vous m'avez bien entendu. Si nous mettions au point une partie de base-ball ! Saint-Matthew contre Saint-Stephen... Nous pourrions aussi former des équipes mixtes, si vous pensez que vous êtes désavantagées...

— Quelle bonne idée ! Nous avons joué il y a deux ans, avec deux équipes de religieuses. C'était très amusant.

Il la dévisagea d'un air faussement outré.

— Comment ça, « amusant », sœur Bernie ? C'est

une affaire sérieuse. Saint-Stephen possède l'équipe la plus célèbre du diocèse.

— Parlez-en à mère Gregoria, je ne peux répondre en son nom, mais je pense que l'idée lui plaira... Et quelle position occupez-vous au sein de cette redoutable équipe ?

Elle le taquinait à son tour. Le pique-nique du 4 juillet commençait à prendre des allures de plus en plus passionnantes.

— Lanceur, qu'est-ce que vous croyez ? Ce bras a été recruté dans le passé par l'une des meilleures équipes juniors de l'Ohio.

Il faisait semblant de se prendre au sérieux mais dans ses yeux dansait une lueur vive et rieuse.

— Ah, vraiment ? Et que s'est-il produit ? Comment se fait-il que vous ne jouiez pas pour les Yankees ?

— Dieu m'a fait une meilleure offre.

Il souriait, ce disant, heureux de parler avec sa jeune amie d'un sujet aussi éloigné de leurs préoccupations que le base-ball. La plupart du temps, ils s'absorbaient dans des discussions sérieuses. Leurs vies, leur passé, leur vocation, l'écriture... Et ils avaient toujours tant de choses à se dire !

— Et vous ? Où voudriez-vous être placée ?

— Je crois que j'ai des dispositions pour ramasser les balles perdues, répondit-elle modestement.

Enfant, elle n'avait pratiqué aucun sport, pour des raisons évidentes. Depuis qu'elle était au couvent, elle n'avait pas participé à des activités extérieures. Son seul exercice consistait à marcher dans le jardin de Saint-Matthew.

— Nous vous mettrons sur le champ extérieur, conclut-il d'un ton confidentiel.

Il promit d'en toucher deux mots à la supérieure.

Très vite, la nouvelle du « grand match » fit le tour du couvent. Mise au courant par le père Connors, la Mère supérieure avait donné le feu vert. A partir de ce moment, ce ne fut que chuchotements, rires et gloussements dans tous les coins. Quelques-unes des religieuses se targuaient d'avoir excellé au base-ball à l'école ; quant aux postulantes, elles s'attribuaient déjà leurs positions dans l'équipe. La grassouillette sœur Agatha déclara qu'elle serait stoppeur. Un esprit de solidarité joyeuse soufflait sur le couvent.

Quand le jour J arriva, tout le monde était prêt. La nourriture pour le pique-nique fut comme toujours abondante. Les prêtres de Saint-Stephen allumèrent le barbecue et firent griller hot dogs, hamburgers, poulets, côtes d'agneau, frites, et les premiers épis de maïs de la saison. On régala les visiteurs de glaces faites maison et de tartes aux pommes en quantités incroyables. Au dire des prêtres, les bonnes sœurs s'agitaient dans la cuisine comme des abeilles... Tous semblaient apprécier cette journée magnifique. En dehors de Noël, c'était leur fête préférée, le pique-nique favori du couvent. Les grillades remportèrent un franc succès. Lorsque les dernières tranches de cassate eurent barbouillé les frimousses des enfants, toutes les conversations s'orientèrent vers le base-ball.

Le père Joe, capitaine de l'équipe de Saint-Stephen, se vit attribuer le titre d'organisateur du match. Il départagea les joueurs, avec un professionnalisme à toute épreuve, doublé d'un grand souci d'équité. Les prêtres et les religieuses votèrent pour des équipes mixtes et, comme promis, le père Joe plaça Gabriella dans le champ extérieur. Elle avait été recrutée par Saint-Stephen. Tout le monde souriait et même sœur Anne paraissait détendue. Elle jouait au premier piquet dans l'équipe de Saint-Matthew. Les prêtres avaient l'avantage de se déplacer plus librement dans leurs jeans et T-shirts. Les nonnes portaient leurs longs habits mais avaient repoussé leurs voiles et les avaient attachés du mieux qu'elles avaient pu... La plupart portaient des sneakers aux pieds et elles étonnèrent les spectateurs par une agilité presque égale à celle des joueurs masculins. Tout le monde encouragea avec chaleur sœur Timmie, qui exécuta un dérapage contrôlé entre la deuxième et la troisième base sans même exposer ses jambes. La nonne chargée du nettoyage déclara alors que son habit ne s'en remettrait pas... Lorsque sœur Immaculata marqua un tour complet pour Saint-Matthew, les deux équipes lui réservèrent une ovation si enthousiaste que les enfants prirent peur.

Ce fut une journée riche en émotions. Joueurs et spectateurs s'amusèrent comme des fous. Saint-Stephen gagna d'un point, sept contre six, et après le match, la Mère supérieure offrit de la limonade et des bières, ainsi que de délicieux cookies au citron, préparés par les novices. Gabriella ne se souvenait pas avoir autant ri. Elle buvait un verre de limonade en dégustant un cookie quand le père Joe lui fit compliment de son jeu. Elle éclata de rire.

— Vous plaisantez ! Je suis restée debout à suivre la balle des yeux en priant qu'elle ne vienne jamais dans ma direction. Heureusement, le Seigneur m'a entendue. Je ne sais pas ce que j'aurais fait autrement.

— Vous auriez plongé pour l'attraper... sans doute, la taquina-t-il.

Ils s'étaient tous si bien divertis qu'ils voyaient approcher la fin du jour avec une certaine tristesse. Les visiteurs étaient partis, prêtres et religieuses finirent les restes du barbecue... Ensuite, ils s'assirent dans le jardin pour admirer les feux d'artifice qui illuminaient le ciel nocturne.

— Que faisiez-vous le 4 juillet quand vous étiez petite ? demanda-t-il de sa voix profonde devenue si familière.

Un rire involontaire échappa à Gabriella.

— Généralement, je me cachais dans la penderie en espérant que ma mère ne me trouverait pas pour me frapper.

— C'est une façon comme une autre de passer les

fêtes, répondit-il, soucieux d'alléger un sujet qui resterait toujours douloureux pour son amie.

— En ce temps-là, rester vivante constituait pour moi un travail à plein temps. Les seules vraies fêtes de toute mon existence, je les ai passées ici. J'ai toujours adoré le pique-nique du 4 juillet.

— Moi aussi, murmura-t-il en l'enveloppant d'un regard si tendre qu'elle en fut surprise. Quand j'étais encore un petit garçon, le 4 juillet, nous allions camper avec des amis. Avant le départ, mon frère et moi essayions désespérément de nous procurer des feux de Bengale mais aucun commerçant ne voulait nous en vendre.

— Vous ne m'avez jamais dit que vous aviez un frère, s'étonna-t-elle.

Il avait toujours affirmé n'avoir aucun parent proche.

Le père Connor marqua une pause, puis il la regarda droit dans les yeux.

— Il s'est noyé quand j'avais sept ans. Il était mon aîné de deux ans... Nous étions allés nager dans le fleuve, et il a été pris dans un tourbillon. Nos parents nous avaient interdit de plonger...

Des larmes emplirent ses yeux et, sans réfléchir, elle tendit la main vers la sienne ; leurs doigts se touchèrent et ce fut comme une décharge électrique.

— Je l'ai regardé disparaître sous l'eau, puis refaire surface, puis couler de nouveau. Je ne savais comment l'aider. J'ai essayé de trouver une branche mais tout était vert, il n'y avait pas de perches, en tout cas aucune assez longue... Pendant ce temps, il coulait et il remontait, encore et encore. Je me suis mis à courir en criant à l'aide. Quand je suis revenu...

Il s'interrompit. Gabriella aurait voulu le serrer dans ses bras mais elle ne pouvait s'autoriser de telles libertés.

— Il n'y a rien eu à faire... il s'est noyé avant que nous puissions lui porter secours... J'ai toujours senti que mes parents m'en voulaient. Ils n'ont jamais rien dit, mais je l'ai deviné... Il s'appelait Jimmy.

Des larmes coulaient lentement sur ses joues. Cette fois, elle lui prit la main avec douceur.

— Pourquoi vous en auraient-ils voulu ? Ce n'était pas votre faute, Joe.

C'était la première fois qu'elle ne l'appelait pas « père », mais ni l'un ni l'autre ne s'en rendirent compte.

Il dégagea sa main pour essuyer ses larmes.

— Si, c'était ma faute. Je l'avais supplié de m'emmener à la rivière. Je n'aurais pas dû le lui demander.

— Vous aviez sept ans, il en avait neuf. Il aurait pu refuser.

— Jimmy ne me disait jamais non. Il m'adorait. Et je l'adorais. Après sa mort, plus rien n'a été pareil. Maman n'a plus jamais eu toute sa tête, je crois.

Cela expliquait peut-être pourquoi elle avait mis fin à ses jours quand son mari était mort sept ans plus tard, pensa Gabriella. C'était probablement un fardeau trop lourd à porter que de perdre l'un après l'autre les êtres que l'on aimait. Mais ce geste n'était pas sans cruauté vis-à-vis de Joe. Elle l'avait laissé seul, orphelin. Elle avait mal agi à son égard. Son acte avait été d'une violence et d'un égoïsme inouïs, songea-t-elle. Mais elle se contenta d'écouter la suite.

— On ignore pourquoi certains accidents vous arrivent, reprit-il... Ou quel est leur sens... Nous sommes tous les deux bien placés pour le savoir.

Souvent, il avait eu du mal à défendre Dieu quand des paroissiens en deuil lui posaient des questions.

— J'entends parler de situations semblables tous les jours, poursuivit-il. Je ne sais pas si j'arrive à trouver les mots justes pour consoler ces pauvres gens. Mais il me manque encore, Gabbie.

C'était arrivé vingt-quatre ans plus tôt, et chaque fois qu'il évoquait son frère, la douleur resurgissait, intacte.

— Sa disparition a affecté toute mon enfance. Je me rendais responsable de sa noyade.

La perte de ses parents, à trois jours d'intervalle, n'avait fait qu'aggraver son sentiment de culpabilité. Gabriella comprenait parfaitement ce point de vue. C'était le sien aussi, d'une certaine manière... La culpabilité était une compagne pour elle aussi.

— Je vois. Moi aussi je me suis reproché tout ce qui concernait mes parents, admit-elle. Les enfants se sentent toujours fautifs de ce qui arrive aux membres de leur famille.

Elle n'avait jamais douté un instant que ses parents l'avaient abandonnée par sa faute. Ni que la responsabilité de leur séparation ou de leurs disputes lui incombait.

— Vous n'y étiez pour rien, Joe. Ce n'était pas votre faute. Vous auriez pu vous noyer à sa place...

— J'ai longtemps regretté, en effet, que cela ne se soit pas produit. Nous étions tous littéralement fous de Jimmy. Il était le roi de la famille, le premier-né, le préféré...

Il avait sa propre vision de la vie : un labyrinthe dans lequel on s'engage sans savoir où il va vous mener. Les événements les plus importants de l'existence demeurent le plus souvent inexplicables. Impossibles à oublier. Tous deux le savaient.

— Je le reverrai un jour, murmura-t-il avec un sourire triste. Excusez-moi, je n'avais pas l'intention de vous infliger mes souvenirs aujourd'hui. Mais je pense beaucoup à lui pendant les fêtes. Nous jouions au baseball, bien sûr... C'était un véritable champion.

Jimmy n'avait que neuf ans alors, ce n'était qu'un petit garçon, et pourtant, aux yeux de son cadet, il incarnait toujours un héros.

— Désolée, Joe, dit-elle du fond du cœur.

— Ça va aller, répondit-il en déployant un effort surhumain pour adopter un ton plus léger.

L'un des prêtres de Saint-Stephen les interrompit. Il

félicita chaudement le pèrc Joe pour sa victoire au match de base-ball.

— Tu es un sacré lanceur, fiston.

L'humeur du père Joe remonta au beau fixe. Et plus tard, alors que les prêtres se préparaient à regagner leur gîte, il vint dire au revoir à Gabriella. Celle-ci se moquait gentiment de sœur Timmie et de sœur Agatha, qui le lui rendaient bien. Tout le monde était de bonne humeur.

— Merci, mes sœurs, pour ce délicieux repas, dit-il jovialement, puis, avec un regard en direction de Gabriella : Merci pour tout.

Elle saisit tout de suite l'allusion à Jimmy.

— Que Dieu vous bénisse, père Joe, répondit-elle gentiment.

Elle était sincère. Ils avaient tous les deux besoin de bénédiction, de pardon, de guérison de l'âme. Gabriella les lui souhaitait avec ferveur. Il le méritait plus que tout autre.

— Merci, ma sœur. Je vous verrai au confessionnal... Bonne nuit, mes sœurs...

Il rejoignit son groupe ; ils rassemblèrent leur équipement et partirent pour Saint-Stephen. Ce 4 juillet avait été un jour grandiose, de l'avis de toutes les sœurs. Mais tandis que Gabriella regagnait le couvent au milieu des autres postulantes, elle prit lentement conscience que son souvenir le plus net de la journée se résumait à l'instant fugace où leurs doigts s'étaient touchés.

— ... n'est-ce pas, sœur Bernadette ?

L'une de ses compagnes lui avait posé une question dont elle n'avait pas écouté lc début. Elle pensait au père Joe et à son frère Jimmy.

— Pardon, ma sœur, je n'ai pas bien entendu.

Elles savaient toutes qu'elle souffrait de troubles de l'audition, surtout maintenant que le bandeau blanc lui recouvrait les oreilles. Elles avaient pris l'habitude de répéter patiemment leur phrase. Et ce soir, personne ne soupçonna qu'elle songeait au jeune prêtre et à son frère mort.

— Je disais que les cookies au citron de sœur Mary Martha étaient tout simplement exquis ! Je vais lui demander la recette pour l'année prochaine.

— Oui, ils étaient délicieux, approuva Gabriella, gravissant les marches derrière elles.

Ses pensées voguaient à des millions de kilomètres de là, vers deux petits garçons, l'un aspiré par les remous d'un tourbillon, l'autre secoué de sanglots sur le rivage. Son cœur bondit vers lui. Si elle avait pu remonter le temps, elle se serait matérialisée derrière lui et l'aurait entouré de ses bras... Elle crut revoir alors le regard du père Joe dans la pénombre du soir, son expression dévastée. Des larmes lui piquèrent les yeux... Mais elle n'y pouvait rien. Rien, à part prier pour qu'il parvienne à se pardonner. Cette nuit-là, elle pria longuement pour l'homme qu'elle chérissait comme un ami et pour l'âme de son frère Jimmy.

11

Gabriella revit le père Joe quelques jours après le pique-nique du 4 juillet. Le couvent était encore rempli de l'écho des cris et des applaudissements. La mémorable partie de base-ball allait rester dans les annales... Les religieuses se préparaient déjà pour le match de l'année suivante... Dans cet état d'esprit général plein d'allant, le père Joe parut à Gabriella bizarrement distant. Moins amical. Presque froid. Et le mot qui lui vint à l'esprit, alors qu'elle le saluait, fut « grognon »... Mais pourquoi ? Une de ses réflexions lui avait-elle déplu ? Etait-il simplement de mauvaise humeur, inquiet, préoccupé par un problème personnel ? Ce fut à peine s'il lui adressa la parole et elle se demanda s'il n'avait pas regretté ses confidences sur Jimmy.

Elle n'osa poser aucune question. Ils n'étaient pas seuls, il exerçait ses fonctions de prêtre, il était son aîné de dix ans. Non qu'il ait jamais mis son rang en avant... Mais alors ? Qu'est-ce qui avait provoqué un changement aussi radical dans son attitude, depuis le 4 juillet ?

Ce jour-là, il entendit sa confession sans mot dire. Il paraissait si lointain, si distrait, qu'elle se demanda s'il avait prêté la moindre attention à ses paroles. Il lui donna deux Ave et une douzaine de Notre Père, ce qui ne lui ressemblait pas non plus. Au dernier moment, il ajouta cinq actes de contrition, comme s'il venait seulement d'y penser. Finalement elle ne put tenir plus longtemps. Après une hésitation, elle chuchota dans le noir :

— Est-ce que ça va ?

— Oui, très bien.

Sa voix brusque, cassante, ôta à Gabriella toute envie d'en savoir plus. Elle quitta le confessionnal, le cœur lourd. Quelque chose ne tournait pas rond. Il n'avait plus ses manières joviales et semblait à cent lieues de là. Visiblement, un incident s'était produit. Mais quoi ? Une dispute avec un autre prêtre ? Une réprimande d'un supérieur ? Des querelles d'ordre politique agitaient alors différentes congrégations ecclésiastiques, et c'était peut-être là la clé de l'énigme.

Elle fit sa pénitence, puis se hâta hors de la chapelle. Elle avait promis à sœur Emanuel d'effectuer une recherche pour elle. Deux livres de comptes avaient disparu. La dernière fois que Gabriella les avait vus, ils étaient rangés dans une pièce inoccupée qui avait jadis servi de bureau. Elle était donc penchée sur un carton rempli de vieux livres quand des pas résonnèrent dans le couloir. Ils dépassèrent la porte de l'ancien bureau, rebroussèrent chemin, s'approchèrent. Absorbée dans sa tâche, elle ne leva pas les yeux et continua à chercher dans le carton... Ils devaient bien être quelque part, ces livres, tout de même... Obscurément, elle pensait que la personne qui était passée et repassée devant la pièce n'était pas une religieuse ; les religieuses ne faisaient aucun bruit en marchant, alors que les pas qu'elle avait entendus martelaient durement le sol de pierre. Des pas d'homme, sûrement... Quelqu'un se tenait dans le chambranle et la regardait. Elle se retourna vivement. Le père Joe, debout sur le seuil, l'observait d'un air affligé.

— Ah... bonjour, dit-elle, moyennement surprise.

La pièce donnait dans le couloir qui menait vers la sortie du couvent. Le plus souvent, il empruntait l'allée centrale du jardin, beaucoup plus calme, et plus courte, mais cette fois-ci il avait fait un détour.

— Qu'est-ce qui ne va pas ?

Il hocha la tête en silence. L'anxiété donnait à ses yeux, aussi bleus que ceux de Gabriella, un éclat fiévreux.

— Vous semblez inquiet.

Il avança dans le bureau, sans la quitter du regard. Ils étaient seuls, cette partie du couvent étant peu fréquentée.

— Oui, je suis inquiet, dit-il finalement, sans autre explication.

Il ne savait pas par où commencer. Comment lui avouer ses pensées.

— Qu'est-ce qui s'est passé ? s'enquit-elle doucement, comme si elle avait affaire à un petit garçon, malgré son manque d'expérience des enfants.

Il affichait, en effet, une expression de petit garçon boudeur à qui on aurait fait des misères à l'école. Il n'avait pas souri, pas une fois, ce qui était très rare.

Il se pencha sur le carton, prit un des vieux volumes qu'elle avait mis de côté. Les livres de comptes perdus n'avaient pas encore fait surface.

— Gabbie, dit-il, que faites-vous ici ?

Il ne l'avait pas appelée sœur Bernie, ni même Gabriella. Leurs yeux se rencontrèrent. Ils étaient devenus de bons amis. En fait, Gabriella considérait le père Joe comme un grand frère.

— Je cherche les livres de comptes que sœur Emanuel a égarés.

Un mouton duveteux traînait sur son vêtement, et elle était plus jolie que jamais. Il faisait chaud, elle avait les joues empourprées. Elle avait longuement cherché dans les cartons. La poussière lui gantait les mains. Il se tenait tout près d'elle. Il lui prit les livres qu'elle tenait dans ses bras et les posa sur le plan de travail.

— J'ai pensé à vous, dit-il d'une voix maussade, presque avec tristesse.

Elle fronça les sourcils, se demandant ce qu'il entendait par là. Il n'y avait pas trace de mécontentement dans ses propos.

— Beaucoup trop, ajouta-t-il. Après l'autre soir.

— Vous avez regretté de m'avoir parlé de Jimmy ?

La voix de Gabriella retentit doucement dans la pièce silencieuse, comme une caresse. Les paupières closes, il secoua la tête. Sans un mot, il lui prit la main. Longtemps après, il rouvrit les yeux.

— Non, bien sûr que non, Gabbie. Je ne regrette rien. Vous êtes mon amie. Mais j'ai réfléchi à mille choses... vous... moi... le destin qui nous a réunis, les gens qui nous ont fait du mal, ceux que nous avons aimés, puis perdus.

Il avait aimé et perdu plus qu'elle. Elle ne connaissait pas la signification du mot amour avant son arrivée au couvent.

— Notre choix de vie compte énormément pour nous, n'est-ce pas ? demanda-t-il, cherchant désespérément la réponse à une question qu'il ne se décidait pas à poser.

— Oui, naturellement. Vous le savez bien.

— Je ne ferai jamais rien qui gâcherait ce choix... ou qui vous porterait préjudice... telle n'est pas mon intention...

Elle n'avait aucune idée de ce qu'il avait en tête. Elle n'avait jamais été seule avec un homme avant ce moment précis.

— Mais vous n'avez rien fait, Joe. Nous n'avons rien fait de mal, affirma-t-elle avec une tranquille certitude qu'il ressentit comme un coup de poignard en plein cœur.

C'était à son tour de confesser ses péchés.

— Moi si, j'ai fait quelque chose de mal.

— Non, c'est impossible.

Elle n'en savait rien, après tout.

— J'ai eu de mauvaises pensées... des pensées dangereuses...

C'était la meilleure manière qu'il avait trouvée pour exprimer ce qui lui rongeait le cœur et l'esprit.

— Que voulez-vous dire ? s'enquit-elle, les yeux et l'âme grands ouverts.

Elle s'approcha de lui, sans même s'en apercevoir. L'aimant qui les attirait irrésistiblement l'un vers l'autre était plus puissant qu'une vie entière d'abstinence.

— Je ne sais pas comment vous le dire... murmura-t-il, les yeux brillants de larmes, et elle posa gentiment sa paume sur sa joue.

C'était la deuxième fois depuis le pique-nique qu'elle touchait un homme.

— Je vous aime, Gabriella, souffla-t-il.

Il n'y avait plus moyen de se cacher d'elle ou de lui-même.

— Je ne sais quoi dire ni quoi faire... Loin de moi l'idée de vous blesser ou de gâcher votre vie. Je voulais seulement m'assurer que vous pensez comme moi : dites-moi que je dois m'exiler au bout du monde. Donner ma démission à Saint-Stephen. Demander une mutation à l'archevêque.

— Non ! Vous ne pouvez pas faire ça ! se récria-t-elle. Vous ne pouvez pas partir.

L'idée de le perdre l'effrayait davantage que ses aveux. Il était son ami, et elle voulait le garder.

— Il le faut. Je ne peux pas rester ici, près de vous. C'est au-dessus de mes forces. J'en deviens fou. Oh... Gabbie...

Les mots s'éteignirent, tandis qu'il l'attirait contre lui et qu'elle enfouissait son visage dans la poitrine robuste. Il la tint étroitement enlacée. Elle n'avait jamais rien ressenti d'aussi fort. Là, dans ses bras, elle était en sécurité, plus encore qu'au couvent.

— Je t'aime tellement... je voudrais être près de toi tout le temps... te parler... t'étreindre... m'occuper de toi... être avec toi pour toujours... Mais comment faire ? J'ai cru perdre la raison ces quatre derniers jours, murmura-t-il. Je t'aime tant...

Elle leva vers lui des yeux émerveillés. Elle aurait voulu rester blottie contre son cœur jusqu'à la fin des temps... Des larmes gonflèrent ses paupières, larmes de regret, de peine, de passion ardente.

— Moi aussi je t'aime, Joe... Je ne savais pas ce que c'était... je croyais que nous pouvions être amis.

— Oui, un jour, peut-être, mais pas maintenant... pas encore... Nous appartenons tous deux à l'Eglise... Je n'ai pas le droit de te demander de quitter le couvent. Je ne sais même pas ce que je vais devenir moi-même.

Le trouble ainsi qu'une indicible peur s'étaient emparés de lui. Il ployait sous le poids de la culpabilité. Comme si elle avait deviné ses affres, Gabriella l'entoura de ses bras pour lui communiquer sa force, et ils restèrent enlacés et silencieux un long moment.

— Calme-toi... nous allons prier pour cela... chut ! Ça va aller, Joe. Je t'aime...

C'était elle la plus forte à présent. Il avait désespérément besoin d'elle. Il ressentait la puissance et la chaleur de son amour pour lui et sans un mot, il la serra dans ses bras et l'embrassa. Cet instant, ils ne l'oublieraient jamais — un instant où deux mondes se heurtent, où deux vies se transforment soudain, dans un souffle.

— Oh, mon Dieu, Gabriella, je t'aime tant...

Il respirait, enfin. Après une semaine d'angoisse, il n'avait pas de regrets. Il n'avait jamais rien éprouvé de comparable.

— Je t'aime aussi, Joe...

Elle paraissait plus adulte, tout à coup. Courageuse. Et sûre d'elle-même. Pourtant, ils prenaient des risques. Ils flirtaient avec le danger... Le jeu qu'ils avaient commencé aujourd'hui comportait des menaces infinies.

— Qu'allons-nous faire ? demanda-t-elle calmement, tandis qu'il s'asseyait près d'elle, sur le coin du vieux bureau.

— Je n'en sais rien, répondit-il honnêtement. Nous avons besoin de temps pour réfléchir.

Tous deux savaient que s'ils allaient trop loin, il leur faudrait quitter les ordres... Oui, au-delà d'un certain point, il leur serait impossible de revenir en arrière. Ils ressemblaient à Adam et Eve dans le jardin d'Eden, la pomme était encore intacte, ils la tenaient dans la main et la regardaient. Mais le serpent guettait. La tentation creusait sournoisement son abîme. Un faux mouvement suffirait à détruire leurs existences... Ils se trouvaient face à une énorme responsabilité... Il l'attira de nouveau dans ses bras, l'embrassa une nouvelle fois.

— Pourrions-nous nous rencontrer quelque part ? Juste pour un café, une promenade. Dehors. Dans le monde réel, avec des gens réels... Il le faut, mon amour, ne serait-ce que pour en parler, pour y voir plus clair.

— Je ne sais pas, dit-elle d'une voix hésitante. Je ne vois pas comment. Normalement, les postulantes ne quittent jamais le couvent.

— Mais tu es différente. Tu es la fille de la maison, tu as vécu ici toute ta vie. Demande aux sœurs de t'envoyer faire une course... n'importe quoi. Je te rencontrerai où tu veux.

— J'y penserai ce soir.

Il la sentit trembler entre ses bras. D'un seul coup, en une demi-heure, son univers avait basculé. Elle n'avait même pas essayé de résister au courant extraordinaire qui l'emportait. Il était encore temps, elle pouvait toujours faire marche arrière, mais elle n'ébaucha pas le moindre geste. Elle souhaitait rester avec lui, elle n'avait jamais rien désiré aussi fort. Pendant tous ces mois, elle ne s'était rendu compte de rien. Et maintenant, comme dans un éblouissement, la vérité lui était apparue. Sœur Anne avait raison... Elle le dit à Joe, qui hocha la tête.

— Oui, peut-être est-elle plus perspicace que nous, répondit-il avec sagesse. Je n'ai rien vu venir non plus.

De sa vie il ne s'était impliqué dans une relation avec une femme. De son côté, Gabriella n'avait jamais approché un homme. A l'université, elle n'avait lié aucune amitié, aucune connaissance. Elle n'avait eu aucun flirt, n'était jamais sortie avec un de ses camarades. Dans son cœur, dans sa tête, elle avait toujours été une nonne, depuis sa plus tendre enfance. Et voilà qu'en une seconde, tout avait changé. Soudain, elle était une femme amoureuse.

— Je viendrai à Saint-Matthew tous les jours.

Il disait la messe en alternance avec un autre prêtre. Celui-ci, plus âgé, ne se sentait pas bien. Il estimait qu'il avait déjà suffisamment à faire à Saint-Stephen. Avec l'accord de la Mère supérieure, le père Joe lui avait proposé de le remplacer.

— Tu me feras connaître ta décision demain matin à la confession.

— Cela prendra peut-être quelques jours, murmura-t-elle.

Puis elle lui adressa un sourire espiègle, et il se retint pour ne pas ôter le tissu qui lui recouvrait la tête, laissant apparaître ses cheveux dorés sur le devant. Il aurait voulu passer les doigts dans ses boucles blondes, les contempler dans toute leur splendeur, et puis l'embrasser, et l'embrasser encore jusqu'à lui couper le souffle... Mais le temps pressait. Dans une minute, il allait repartir en la laissant ici, dans cette pièce qui sentait le renfermé. Il calcula mentalement les heures qui les séparaient de leur prochaine rencontre.

— Peut-être vais-je confesser deux fois par jour, dit-il avec un sourire juvénile.

La force magnétique qui les poussait l'un vers l'autre rejaillit ; ils s'embrassèrent avec fougue.

— Je t'aime, chuchota-t-elle.

Elle le désirait ardemment, mais n'osa en dire plus.

— Moi aussi, mon amour. Mais il faut que je parte.

Je te verrai demain matin, dit-il après un dernier baiser... Je déteste l'idée de te laisser.

— Nous pouvons nous revoir ici. Personne n'y vient jamais et je sais où sœur Emanuel range les clés de cette pièce.

— Sois prudente, l'avertit-il. Pas de précipitation. Je parle sérieusement. Ne fais pas de folies.

Elle haussa les épaules en riant.

— Toi, tu dis ça ? Cette histoire n'est-elle pas déjà complètement folle ?

S'ils se rencontraient dehors, elle deviendrait encore plus insensée.

— Tu n'es pas fâchée contre moi ?

Il s'était remis à s'inquiéter. Il s'était redressé, la dominant de sa haute stature, et la regardait droit dans les yeux. Par ses aveux, il avait mis Gabriella en péril. Mais elle semblait ne pas éprouver de regrets. Du moins pas encore.

— Comment peut-on être fâché quand on aime ? Je suis contente que tu m'aies parlé.

La situation était plus facile pour elle. En tant que postulante, elle n'avait pas encore prononcé ses vœux. A tout instant, elle pouvait reprendre sa parole. Elle n'était même pas novice. Alors que Joe était prêtre depuis six ans maintenant. Un acte inconsidéré aurait pour lui des conséquences dramatiques. Toute sa vie était en jeu.

— J'ignore ce que nous devons faire maintenant, Gabbie... Comment tout cela va évoluer...

— Nous verrons. Nous arriverons à prendre une décision.

Une force incroyable émanait d'elle, il s'en rendit compte subitement.

— Il est trop tôt pour penser à l'avenir... Sache seulement que je t'aime, Joe. C'est assez pour le moment.

— C'est ce que je voulais entendre. Je me disais que jamais plus tu ne m'adresserais la parole, si je me déclarais. J'avais si peur...

Elle lui effleura les lèvres du bout des doigts, et il lui embrassa la main.

— N'oublie pas combien je t'aime, murmura-t-il.

Il se força à partir. Sur le seuil, il se retourna ; il disparut après un ultime regard. Un dernier sourire. Elle resta là, immobile, à écouter décroître ses pas dans le couloir, dans le vestibule... Chaque mot qu'il avait prononcé résonnait encore à ses oreilles. Elle avait encore du mal à y croire. Leur amour avait éclos envers et contre tout. D'une certaine façon, c'était une bénédiction. En même temps, on eût dit un dragon qui ne tarderait pas à les dévorer. Combien de temps parviendraient-ils à garder secret cet amour ? Longtemps peut-être. Il le fallait. Au début, du moins. Et malgré sa position délicate au sein du couvent, Joe devrait prendre une décision très difficile.

Elle poursuivit ses recherches dans les cartons poussiéreux, découvrit enfin un livre de comptes... De quoi satisfaire sœur Emanuel et se donner un bon prétexte pour revenir ici. Ils pourraient se retrouver dans le bureau abandonné en toute quiétude. Pendant un certain temps... Elle quitta la pièce, referma la porte à clé. Tandis qu'elle se dirigeait vers les quartiers de sœur Emanuel, un vertige la saisit. Il l'aimait... Il l'avait embrassée... Il voulait vivre avec elle... Impossible d'absorber tant de nouvelles informations ou de commencer seulement à cerner la question. Le son de la voix aimée la berçait encore lorsqu'elle se joignit aux autres... Un sourire rêveur se dessinait sur ses lèvres. Personne ne remarqua rien, excepté sœur Anne, qui la regarda avec intensité.

12

Le lendemain aux aurores, Gabriella avait pris son tour dans la longue file qui s'étirait devant le confessionnal. Tandis que les religieuses avançaient, encore à moitié endormies, elle était complètement réveillée... En effet, elle n'avait pas fermé l'œil de la nuit. Il lui semblait que des heures entières la séparaient de leur prochaine rencontre. Et elle redoutait une réaction imprévisible de la part de Joe : il aurait réfléchi, aurait recouvré ses esprits, fait marche arrière. Pis, il ne voudrait plus la revoir. Glacée à cette perspective, elle entra dans l'isoloir, après une vieille nonne, et prononça les mots rituels de la confession... Des mots qui à présent leur servaient de signe de reconnaissance.

Il entendit la voix familière de l'autre côté de la cloison, la voix qu'il avait si longuement attendue. Il ouvrit alors la grille, et elle aperçut les contours de son visage, comme dans un rêve.

— Je t'aime, Gabriella, murmura-t-il d'une voix basse, presque inaudible.

Elle poussa un soupir de soulagement.

— J'avais peur que tu aies changé d'avis, dit-elle dans la semi-obscurité, d'un ton anxieux.

— Moi aussi, répondit-il.

Il se pencha pour l'embrasser à travers l'étroite ouverture, puis lui demanda s'ils se verraient bientôt hors du couvent.

— Oui, peut-être. Demain est le jour où l'on porte

le courrier à la poste. D'habitude l'une des sœurs s'en charge. Je lui proposerai d'y aller à sa place. Mère Gregoria m'autorise de temps à autre à la remplacer. Mais je ne le saurai qu'au dernier moment.

— Appelle-moi à Saint-Stephen. Dis-leur que tu es la secrétaire de mon dentiste et qu'il y a eu un désistement... J'ai simplement besoin de connaître l'adresse de la poste et l'heure.

Elle les lui donna et il promit de venir dès qu'il aurait reçu son message.

— Et si tu n'es pas là ? s'inquiéta-t-elle.

— J'y serai. J'ai du courrier en retard et plusieurs rendez-vous au rectorat avec des paroissiens. J'attendrai ton appel... Je t'en prie, appelle-moi dès que tu pourras.

— Je t'aime, murmura-t-elle.

— Je t'aime aussi.

Leurs âmes en fusion se cherchaient passionnément, résolues à se retrouver, quel que fût le prix à payer. Tous les deux avaient passé une nuit blanche après leur rencontre dans le bureau abandonné. Différentes pensées avaient traversé leur esprit, mais à aucun moment ils n'avaient mis en doute leur choix. Maintenant leur amour leur tenait lieu de guide.

— Récite autant d'Ave Maria que tu veux. Et prie pour moi, Gabbie. Je parle sérieusement. J'en ai besoin... Je prierai pour toi. Et appelle-moi... appelle-moi vite...

— Si jamais notre projet tombe à l'eau, je te reverrai ici demain matin.

Elle quitta le confessionnal la tête baissée afin de dissimuler la petite flamme d'excitation qui dansait dans ses yeux. Heureusement, la supérieure, très occupée la veille au soir, n'était pas venue lui parler au dîner. La vieille religieuse la connaissait trop bien pour ne pas déchiffrer l'expression rêveuse de son visage... Gabriella le regarda dire la messe, ce matin-là, d'un œil neuf. Le prêtre, personnage inaccessible et mystique, reculait devant l'homme. C'était une découverte bouleversante, mais lorsqu'elle y réfléchit plus profondément, le doigt glacé de la peur se promena sur son échine... Pourtant revenir en arrière s'avérait impossible. Les baisers qu'ils avaient échangés ne pouvaient s'effacer. Elle avait hâte de sentir ses bras autour d'elle, ses mains sur son visage.

Elle sortit de la chapelle derrière les autres religieuses. Son cher jardinage l'apaisa, et elle arrosa longuement le potager, loin des regards indiscrets. Après le petit déjeuner, elle aborda sœur Emanuel. Ses plantations se portaient à merveille, dit-elle, et elle pourrait se rendre utile en accomplissant d'autres tâches... comme aller à la poste, par exemple.

— C'est très gentil, sœur Bernadette. J'en prends note... Mais nous n'avons pas grand-chose à poster. Une autre fois, peut-être.

La semaine ne fut plus qu'une succession de frustrations. Il n'y avait pas moyen, semblait-il, de sortir du couvent. Ils se retrouvèrent deux fois dans le bureau abandonné, au risque de se faire surprendre. Il paraissait plus calme maintenant, lorsqu'il arrivait. Gabriella avait trouvé depuis longtemps le second livre de comptes égaré, mais elle l'avait enfoui dans l'un des cartons, ce qui lui permettait de continuer à revenir dans la pièce vide et poussiéreuse. Lorsqu'ils étaient ensemble, ils fermaient la porte à clé. Ils s'asseyaient par terre, enlacés, dans la chaleur moite de juillet. Ils s'embrassaient et parlaient de leur vie. D'un avenir que ni l'un ni l'autre ne parvenait encore à se figurer. Au dire de Joe, ce n'était plus qu'une question de temps. Bientôt ils marcheraient librement dans la rue, main dans la main... Mais pas tout de suite. S'ils se rencontraient dehors, ils allaient devoir faire attention. D'ailleurs, Gabriella ne pourrait pas rester longtemps absente sans alarmer les religieuses.

Pour l'instant, ils se contentaient de ces instants volés, d'un baiser fugace, d'un tour dans le jardin, autant de petits privilèges accordés tout naturellement aux autres couples.

L'occasion se présenta brusquement, une semaine, jour pour jour, après la déclaration de Joe. Sœur Immaculata tendit à Gabriella les clés de la vieille camionnette qui servait à transporter les fournitures... Le tissu dans lequel elles taillaient leurs habits avait été livré, et personne n'était disponible pour aller le chercher. L'entrepôt se trouvait à Delancey Street, une rue où Gabriella s'était déjà rendue à maintes reprises pour la même besogne. Comme elle s'apprêtait à sortir, deux autres religieuses lui remirent une liste d'emplettes. Elle avait beaucoup à faire mais, si elle se dépêchait, elle pourrait passer un moment avec Joe.

Elle saisit la liste, les mains tremblantes, priant pour que personne ne remarque son trouble. Elle avait la clé de la voiture, l'argent des courses dans une enveloppe. Elle se hâta vers la sortie. La camionnette était garée devant le bâtiment qui abritait le couvent. En franchissant le seuil, Gabriella ébaucha un signe d'au revoir à l'adresse de la Mère supérieure ; celle-ci lui sourit, comme à l'accoutumée. Elle se félicitait de voir sa protégée aussi radieuse ces jours-ci. Une vive et joyeuse lueur brillait dans ses yeux... Grâce à elle, le jardin embaumait. Elle travaillait dur, et la Mère supérieure espérait qu'elle arrivait à consacrer un peu de temps à l'écriture. Elle se promit de lui poser la question le soir même.

Gabriella fit démarrer le moteur. Le pied au plancher, elle tourna au coin de la rue, dans un grincement de pneus. Deux pâtés de maisons plus loin, elle freina à la hauteur d'une cabine publique... Son doigt tremblait lorsqu'elle composa le numéro de Saint-Stephen. Un jeune frère décrocha à la troisième sonnerie. Comme convenu, elle se présenta comme la secrétaire du dentiste du père Connors... Un de leurs clients avait annulé son rendez-vous, expliqua-t-elle, et le docteur pouvait le recevoir à sa place.

— Oh, je suis désolé, répondit poliment son correspondant. Jc nc crois pas qu'il soit là.

Le cœur de Gabriella se serra, mais le frère ajouta :

— Je l'ai vu il y a quelques minutes. Il se préparait à sortir. Il a dit qu'il serait absent toute la journée... Attendez, je vais voir.

Il y eut un long silence sur la ligne. Gabriella s'en prit au mauvais sort qui s'acharnait contre eux. Si elle était partie une demi-heure plus tôt, Joe aurait encore été là. Mais le Seigneur s'opposait peut-être à leurs projets... Ils avaient déjà évoqué les conséquences s'ils quittaient en même temps l'Eglise. Bizarrement, elle ne ressentait aucune culpabilité. Tout était encore si nouveau, si exaltant ! Ils avaient attendu impatiemment la possibilité de se voir hors des murs du couvent... Peut-être que finalement rien ne se passerait. Peut-être reviendraient-ils à de meilleurs sentiments et se sépareraient-ils avant qu'il soit trop tard. Et même si cela se passait ainsi, ils conserveraient le merveilleux souvenir d'un amour impossible, l'amour qu'ils avaient partagé quelques instants, quelques jours, et auquel elle se refusait à renoncer déjà. Elle aurait toute sa vie pour se repentir et se vouer à Dieu, si telle était Sa volonté.

La voix du jeune frère revint sur la ligne, essoufflée. Elle retint un cri victorieux quand il annonça que le père Connors allait prendre la communication. Peu après, la voix de Joe retentit dans l'écouteur, un peu saccadée, comme s'il avait couru. Le frère l'avait en effet rattrapé à la porte et il s'était précipité vers le téléphone de son bureau, à l'étage.

— Où es-tu ? demanda-t-il avec un large sourire.

Il avait perdu l'espoir de voir la chance tourner.

— Près de Saint-Matthew. J'ai plusieurs courses à faire. Je crois que personne ne s'inquiétera si je m'attarde un peu.

— Puis-je venir avec toi ? Ou c'est trop dangereux ? Rencontrons-nous quelque part en ville, plutôt... Où vas-tu ?

— Delancey Street, puis chez des grossistes qui nous font de bons prix, dans Lower East Side.

— Disons au parc de Washington Square ? On ne risque pas de croiser quelqu'un qui nous connaît... Ou alors à Bryan Park, derrière la librairie ?

C'était un jardin public, ombragé et paisible, qu'il aimait bien malgré les pigeons et les ivrognes.

Ils se mirent d'accord pour se retrouver à Washington Square, une heure plus tard, ce qui laissait à Gabriella le temps d'aller chercher le tissu et de faire ses autres courses, à condition qu'elle se dépêche.

— Alors, à dix heures, promit-il. Et... Gabbie... merci de m'avoir appelé, ma chérie. Je t'aime.

Personne ne l'avait appelée « chérie », à part peut-être son père, mais pas de la manière dont Joe prononçait ces mots.

— Je t'aime, Joe, chuchota-t-elle, jetant un coup d'œil alentour.

— Va vite faire tes achats. A dans une heure.

Pour une fois, elle ne dut pas s'éterniser à l'entrepôt. Les employés l'aidèrent à charger les lourds rouleaux de drap noir dans la camionnette. Il fallait environ quatre mètres de tissu pour chaque robe et il y avait deux cents religieuses à habiller... Cette fois-ci, il n'y en aurait que pour les plus âgées. Déjà, les rouleaux emplissaient l'arrière de la camionnette. Elle expédia le reste des courses en un temps record. Il était dix heures cinq quand son véhicule remonta la Sixième Avenue en direction du parc où Joe l'attendait. Elle gara la voiture, ferma la porte à clé, puis, après réflexion, la rouvrit, retira sa coiffe, la posa sur le siège avant. Elle passa les doigts dans ses cheveux sans se donner la peine de se regarder dans le rétroviseur avant d'avancer dans le parc en espérant que, malgré sa robe stricte et noire, elle ressemblait à n'importe quelle autre femme. L'uniforme des postulantes était court. Il n'y aurait pas eu moyen de cacher son statut si elle avait revêtu le lourd et long habit des religieuses ou des novices.

Dès qu'elle l'aperçut, elle courut vers lui, un sourire resplendissant aux lèvres. Il la serra dans ses bras et l'embrassa avec passion. Il avait enlevé son col romain et l'avait laissé dans sa voiture, avec sa veste ornée de la petite croix au revers... Vêtu d'une chemise noire à manches courtes sur un pantalon assorti, il n'attirait pas l'attention.

— Je suis si content de te voir, dit-il, le souffle court.

Côte à côte, ils firent quelques pas dans le parc, presque étonnés d'être ensemble dans ce qu'ils appelaient maintenant « le monde du dehors », un univers plein de parfums et de couleurs... et de gens, partout, même à cette heure. Des enfants jouant au ballon, de jeunes mamans, des amoureux sur les bancs, de vieux messieurs absorbés dans des parties d'échecs, sous les frondaisons qui tamisaient la lumière du soleil. Joe acheta deux cornets de glace à un marchand ambulant. Ils s'assirent sur un banc libre, main dans la main, et dégustèrent leur glace, ravis. Ils vivaient un rêve... un rêve qui risquait de tourner au cauchemar. Mais ni l'un ni l'autre ne voulait y songer.

— Merci d'avoir accepté de me rencontrer ici, Gabriella.

Il débordait de reconnaissance, sachant combien de difficultés elle devait affronter pour sortir du couvent. Et ces obstacles rendaient ces quelques instants passés ensemble plus précieux encore. Ils profitèrent de chaque minute, parlant de mille choses, se confiant leurs pensées. Ils n'évoquèrent pas l'avenir. Ils n'avaient que le présent. Il voulut savoir quand ils se reverraient. Gabriella n'en avait pas la moindre idée... Se voir sans être obligés de se cacher lui paraissait un tel miracle qu'elle n'avait qu'une hâte : recommencer. En comparaison de ces moments de liberté, leurs rencontres clandestines à Saint-Matthew leur firent l'effet de miettes de bonheur.

— Dès que je peux, répondit-elle. Dès que sœur Emanuel me demandera un service... Personne n'y verra d'inconvénient à partir du moment où les courses seront faites et que je ne disparaîtrai pas trop longtemps.

Les religieuses avaient toujours passé outre le règlement pour elle. De tout temps, Gabriella s'était montrée très serviable vis-à-vis d'elles. Il n'y avait aucune raison que cela s'arrête maintenant. En tout cas, pas tant qu'elle exécuterait les tâches échues aux postulantes. Elle n'avait pas écrit un mot de la semaine mais le jardin resplendissait grâce à ses soins.

— J'aimerais aller à Central Park avec toi... ou faire une promenade le long du fleuve...

Il y avait un millier de choses qu'il aurait aimé faire avec elle si le temps ne leur avait pas manqué. Il la raccompagna à la camionnette à onze heures trente. Cette heure et demie avait été si riche en émotions qu'elle avait pris un goût d'éternité. Il l'embrassa. Sentir ce corps si près du sien remplit Gabriella d'étonnement, puis son propre corps sembla se liquéfier et fondre entre les bras de Joe.

— Prends soin de toi, mon amour... Sois prudente... N'en parle à personne, l'avertit-il.

C'était une recommandation inutile. Elle lui adressa un sourire espiègle.

— Pas même à sœur Anne ?

Il lui sourit. S'il s'écoutait, il la garderait près de lui pour toujours. Il aurait voulu la serrer sur son cœur, lui parler, l'appeler au couvent en pleine nuit... Toutes ces choses propres à l'amour, qu'il n'avait jamais faites. A trente et un ans, il n'avait jamais aimé une femme, ne s'était même pas autorisé à y penser. Il n'avait jamais eu de déception, de coup de foudre, de flirt. Aucun des fantasmes qui maintenant le hantaient ne lui avait effleuré l'esprit. Et maintenant, un barrage avait sauté, libérant des flots de sensations impossibles à endiguer.

Il la regarda remettre sa coiffe. Elle avait l'air d'une petite fille, avec ses immenses yeux bleus, qui lui donnaient envie de la protéger, de l'emmener à l'autre bout de la terre, loin de ses pénibles devoirs. Nul ne savait quand l'occasion de se revoir se représenterait.

— Je te verrai demain au confessionnal, dit-elle.

Il hocha la tête. Son désir ne se contentait plus de si peu.

— As-tu toujours les clés de la pièce fermée ? s'enquit-il, plein d'espoir, et elle répondit par un sourire.

— Je sais où elles sont.

C'était dangereux mais mieux que les chuchotements qu'ils échangeaient dans l'obscurité du confessionnal.

Un ultime baiser, un dernier regard. Alors qu'elle engageait son véhicule dans la circulation fluide du quartier de Midtown, elle lui fit un signe de la main. Elle retourna vite à Saint-Matthew. Une postulante sortit pour l'aider à décharger la camionnette. Les rouleaux de tissu pesaient très lourd mais, après son tendre rendez-vous, les forces de Gabriella avaient décuplé.

Elle prit le déjeuner avec les religieuses, travailla d'arrache-pied dans le jardin l'après-midi, arriva à l'heure au dîner. Après la prière du soir à la chapelle, elle gagna sa chambre et se mit à écrire. Mère Gregoria lui rendit visite. Elle lui demanda si elle avait beaucoup écrit ces jours-ci. La vieille religieuse s'en voulait d'avoir rompu momentanément leurs longues conversations. Elle n'avait reçu que des rapports élogieux sur sœur Bernadette. Et elle avait hâte de la voir prononcer ses vœux... Un long chemin la séparait de ce jour béni, mais la Mère supérieure l'attendait avec confiance. Lorsqu'elle ressortit après lui avoir souhaité une bonne nuit, Gabriella fixa longuement la porte refermée et, pour la première fois depuis le début de son aventure avec Joe, elle tressaillit sous l'aiguillon de la culpabilité. Deux semaines seulement s'étaient écoulées depuis le fameux 4 juillet, une vie entière ! Et maintenant ses pensées se tournaient vers la douce mère Gregoria, qui serait déçue, dévastée même, par sa conduite. Pourtant, elle n'envisageait pas d'arrêter. Elle n'avait plus qu'un seul souhait : vivre avec Joe.

Elle le revit au confessionnal le lendemain matin. En fin d'après-midi, ils se retrouvèrent dans leur pièce secrète. Elle leur parut plus confinée qu'une cellule de prison après leur promenade au parc de Washington Square, à l'air libre... Pour l'instant, aucun espoir de sortie ne brillait au bout du long tunnel. Deux interminables semaines passèrent avant qu'elle puisse s'échapper de nouveau des murs de pierre grise. Entre-temps, leur impatience avait atteint son paroxysme.

Ils se rencontrèrent à Central Park, marchèrent autour du bassin où des enfants escortés de leurs parents faisaient flotter de petites barques. Ensuite, ils empruntèrent l'une des allées, sous le dôme des feuillages. Ils disparurent dans une explosion de verdure luxuriante. Du lointain leur parvenaient les accents mélodieux d'un orchestre de plein air. De nouveau, la sensation de rêve envahit Gabriella. Toute une vie résumée en une seule heure. Soixante précieuses minutes.

Ils eurent la chance de retourner à Central Park quelques jours plus tard. Cette fois-ci, ils s'allongèrent sur l'herbe, à l'ombre d'un arbre centenaire. Il posa sa tête sur l'épaule de Gabriella et elle lui caressa les cheveux en l'écoutant parler. Mais parfois de longs silences interrompaient leur conversation. Il lui offrit de nouveau un cornet de glace tandis qu'il la raccompagnait à la camionnette. Ils se voyaient tous les jours au confessionnal et dans le bureau poussiéreux, leur nid, comme ils disaient. Ils étaient sortis trois fois dans le monde « du dehors ».

Ils avaient tant de choses à se dire, tant de choses à penser, qu'ils ne savaient par où commencer. Le voyage qu'ils voulaient entreprendre s'annonçait orageux... Ils ne seraient ni les premiers ni les derniers. D'autres prêtres s'étaient enfuis avec des religieuses. Mais chacun pensait à tous ceux et toutes celles qui se sentiraient trahis. En dépit de son amour pour Gabriella, Joe avait peur de quitter l'Eglise.

— Nous avons besoin de temps, disait-elle d'une voix raisonnable. Ne te précipite pas, Joe, réfléchis avant d'agir.

Réfléchir, il ne faisait que cela. Surtout la nuit, lorsqu'il se retrouvait seul dans sa cellule et que l'envie de la revoir et la nostalgie de leurs baisers volés dans le confessionnal l'étouffaient. Avant de la rencontrer, il aurait jugé ces turpitudes inconcevables.

Gabriella avait commencé à rédiger un journal intime destiné à Joe, où elle racontait son amour et ses rêves. Un jour, elle le lui montrerait... C'était une lettre sans fin qu'elle cachait dans son tiroir à linge, le seul qu'elle possédait. Elle avait ainsi l'impression d'être constamment avec lui et de lui parler...

— Quand penses-tu que tu pourras ressortir ? demanda-t-il un après-midi en la reconduisant à la camionnette.

Il affichait un air triste.

— Dès que possible. Sans doute la semaine prochaine.

Les nonnes les plus âgées se préparaient à partir pour le lac George où on leur avait prêté une maison. Mère Gregoria les accompagnerait pendant quelques jours, le temps de les aider à s'installer. Cela signifierait peut-être davantage de liberté pour Gabriella... ou pas. On ne savait jamais avec les religieuses.

Le jour de leur départ, elle eut à sa disposition un après-midi entier. Les autres postulantes avaient pris rendez-vous chez le dentiste. Elles ne rentreraient pas avant plusieurs heures. Gabriella s'était fait soigner les dents deux mois plus tôt. Ses codisciples partirent en la laissant à la maison. Elle raconta à la religieuse de garde qu'elle avait besoin d'aérosols pour le jardin. La vieille nonne, qui souffrait d'un mal de tête tenace depuis des jours, ne posa aucune question, se bornant à lui tendre la clé de la camionnette... Gabriella marmonna vaguement qu'elle n'en avait pas pour longtemps... Dès qu'elle eut tourné le coin de la rue, elle se précipita dans la cabine publique d'où elle appelait toujours Joe. Par chance, il n'était pas sorti. Il sortait rarement, uniquement quand c'était nécessaire, de crainte de manquer un coup de fil de Gabriella...

— Combien de temps as-tu ? demanda-t-il comme toujours.

Il parut surpris de l'entendre répondre : « Trois, quatre heures. » Le jour si longtemps espéré était enfin arrivé. Voilà plus d'un mois qu'ils se rencontraient dans des parcs.

— 53e Rue Est, dit-il.

Elle ne connaissait pas cette adresse. En fait, c'était à quelques pâtés de maisons de là. Elle arriva la première et attendit dans la camionnette, sans sa coiffe. L'inquiétude la gagnait quand elle aperçut la voiture de Joe dans le rétroviseur. Il se gara le long du trottoir d'en face, tandis qu'elle s'élançait vers lui. Il lui entoura les épaules de son bras, l'entraînant vers un immeuble. Il arborait une expression à la fois songeuse et calme.

— On ne va pas au parc ? s'étonna-t-elle.

— Je me suis dit qu'il faisait trop chaud.

Alors il se tourna vers elle et la prit dans ses bras. Ici, ils ne risquaient pas de rencontrer l'un des prêtres, encore moins une religieuse. Il lui expliqua où ils allaient. Un de ses vieux amis de Saint-Mark avait emménagé récemment à New York. Il travaillait comme publicitaire et avait réussi dans son métier. Dernièrement, ils avaient eu une longue discussion, Joe et lui. Joe avait déclaré qu'il se posait des questions sur sa vocation. Son ami lui avait donné les clés de son appartement, le priant de l'utiliser quand il aurait envie de réfléchir calmement, loin de Saint-Stephen... L'ami en question passait ses vacances à Cape Cod où il resterait toute la semaine.

— Veux-tu que nous allions un petit moment chez lui ? Nous serions enfin seuls... Mais si tu as peur ou si tu préfères marcher...

Il ne voulait pas la brusquer. Il n'avait aucun plan précis. Il avait pris les clés de l'appartement sans arrière-pensée. De toute façon, il se plierait aux volontés de Gabriella de bonne grâce.

— C'est à toi de décider, acheva-t-il gentiment.

Elle lui sourit.

— Je pense que c'est une bonne idée, dit-elle tranquillement.

Elle le suivit à l'intérieur. Joe n'y était encore jamais venu. Il déverrouilla la porte de l'appartement qui s'ouvrit sur un double living-room meublé de confortables fauteuils et d'un large canapé en cuir havane dans un décor très moderne, très masculin. Il y avait une grande cuisine lumineuse, un bar rutilant, et derrière, surplombant un petit jardin, deux chambres, celle du maître de maison, et la chambre d'amis.

Joe alluma l'air conditionné, puis se pencha vers la chaîne stéréo avec un sifflement admiratif. Il sélectionna ses enregistrements préférés, se servit ensuite un verre de vin au bar avant de s'asseoir avec Gabriella sur le canapé. Jusqu'alors, ils n'avaient jamais eu l'occasion de se voir vraiment seuls... La nervosité envahissait Gabriella. Tout cela était si nouveau... La musique emplit l'espace, elle prit une gorgée de vin dans le verre de Joe, et elle se sentit plus détendue... Même dans un environnement différent, il s'agissait toujours de l'homme qu'elle aimait... Il lui demanda si elle voulait danser.

Gabriella sourit. Elle n'avait jamais dansé avec personne... Pourtant, ses pas s'accordèrent aisément à ceux de son cavalier. Il la tenait étroitement enlacée et son visage rayonnait de bonheur. Leurs lèvres se cherchèrent, et ils s'embrassèrent, encore et encore, tout en se déplaçant lentement sur le rythme langoureux de la musique. Il avait mis un disque de Billy Joel.

Ils dansèrent longtemps, seuls au monde. Depuis le début, ils avaient attendu ce moment exquis où ils pourraient se voir, se toucher, s'embrasser sans crainte. La flamme de leur passion embrasait leurs corps qui s'épousaient parfaitement. Il sentait battre le cœur de Gabriella contre le sien, de plus en plus vite, tandis que leurs lèvres se cherchaient sans répit. Ils étaient hors d'haleine quand la musique s'arrêta.

— Je sais ce que je voudrais faire, dit-il.

Un désir fougueux le consumait mais il ne savait pas si elle était prête à se donner. Il y avait cinq semaines qu'il lui avait déclaré son amour et depuis ils avaient faim l'un de l'autre sans comprendre tout à fait ce qui leur arrivait. Il n'avait jamais approché une femme avant, comme elle n'avait jamais connu un homme. C'était une sensation nouvelle mais vraie, leur semblait-il. Elle leva sur lui un regard limpide.

— Je veux la même chose, murmura-t-elle, le cœur battant à tout rompre.

— Gabriella, n'aie pas peur... Je t'aime...

Légère comme une plume, il la souleva dans ses bras et se dirigea à pas lents vers la chambre d'amis... Doucement, avec tendresse, il la posa sur le lit où elle resta étendue, sans bouger, dans sa robe austère de postulante. Joe défit maladroitement les boutons pendant qu'ils s'embrassaient et soudain, comme dans un éblouissement, il contempla la nudité de Gabriella, sa peau douce et crémeuse, le galbe de ses seins — les premiers qu'il voyait —, ses jambes, plus longues et plus fuselées que dans ses rêves.

Elle le regarda sans peur quand il se mit à se déshabiller. Il se glissa dans le lit où il finit de se dévêtir. Leurs vêtements formaient un petit tas sur le parquet. Brûlant de passion, il la prit dans ses bras. C'était le temps des découvertes, de la confiance, le début d'un merveilleux voyage qu'ils allaient entreprendre ensemble vers une vie nouvelle.

Il l'embrassa partout et, tremblante sous ses caresses, elle entreprit de son côté une timide exploration. Lorsque sa main trouva ce qu'elle avait inconsciemment cherché, la surprise agrandit les yeux de Gabriella. Personne ne l'avait jamais préparée aux mystères de l'amour. Mais la nature reprit peu à peu le dessus. D'instinct, elle sut le guider ; lorsqu'il fut en elle, elle étouffa un cri d'étonnement. Il remuait lentement, refrénant l'impétueux désir qui, bientôt, le submergea. Mais il continua à se maîtriser, craignant de lui faire mal, jusqu'au moment où le contrôle de son propre corps lui échappa. Alors il s'abandonna à la vague ardente qui l'emportait. Un violent frisson le secoua. Il cria le nom de Gabriella, la serrant contre lui, et elle répondit par un gémissement, étrange combinaison de plaisir et de douleur. Du bout des doigts, il lui caressa le visage, puis ses paupières gonflées de larmes, larmes de bonheur et de regret mêlés, larmes d'espoir. L'invisible lien qui les attachait l'un à l'autre s'était fortifié. Plus jamais ils ne se quitteraient, il n'y avait aucun doute. Leur destin les avait conduits dans cette chambre inconnue pour qu'ils y consomment leur amour. Il se pencha, lui embrassa les lèvres, les cheveux, puis, lorsqu'il se sentit capable de s'arracher à leur étreinte, il admira l'éblouissante beauté si bien dissimulée par le strict habit noir.

— Tu es si belle...

Son désir pour elle rejaillit, intact, mais il essaya de le réprimer pour ne pas lui faire mal... Leurs lèvres s'unirent avidement et ce fut elle qui, de nouveau, s'offrit à lui. Cette fois-ci, ce fut différent pour Gabriella. L'extase les surprit presque en même temps, et ils demeurèrent enlacés, chacun perdu dans ses rêves et dans les battements de cœur de l'autre. Plus tard, il l'entraîna dans la salle de bains. Ils prirent une douche ensemble. En dépit de leur inexpérience, de leur timidité naturelle, ils ne se cachaient pas leur nudité. L'eau ruisselait sur leurs corps, et ils s'embrassèrent passionnément. Gabriella souriait de bonheur... Ils savaient ce qui leur restait à faire. Les dés étaient jetés. L'avenir leur appartenait, sans l'ombre d'un doute.

Ensemble ils changèrent le lit, mirent les draps et les serviettes de bain dans la machine à laver et en attendant qu'ils soient lavés et séchés, ils regagnèrent la salle de séjour.

— On ne peut pas continuer comme ça, ma chérie, dit-il d'un ton pragmatique.

Cet après-midi constituait un tournant décisif, ils en avaient conscience. Gabriella ignorait ce qu'elle dirait plus tard à mère Gregoria... Elle ne savait pas par où commencer. Elle ne pensait qu'à Joe, à leur amour. Elle était maintenant à lui pour toujours... Dorénavant, ils auraient du mal à se contenter d'un tour au parc ou d'un baiser fugace dans le confessionnal.

— On continuera le temps qu'il faudra, répondit Gabriella.

Elle s'inquiétait pour lui.

— Pourras-tu vivre dans la pauvreté ? demanda-t-il.

Il affichait un air sombre, soucieux. Les parents de Gabriella étaient riches, il le savait. Les religieuses, sans lui offrir une existence luxueuse, pourvoyaient à tous ses besoins. S'il l'épousait, ils vivraient misérablement, du moins au début.

— Mais je peux travailler, tu sais.

Ses diplômes universitaires lui permettraient de chercher un emploi dans un magazine ou d'enseigner la littérature. De plus, elle essaierait de vendre ses écrits. Elle ignorait combien elle gagnerait, mais au dire de la supérieure et des autres religieuses, les droits d'auteur s'élevaient parfois à de coquettes sommes.

— Je chercherai un poste d'instituteur, dit-il avec réticence.

S'il quittait l'Eglise, il allait devoir renoncer au

salaire qu'il touchait à Saint-Stephen. Ses capacités de prêtre ne lui serviraient pas à grand-chose dans le monde séculier. Pour la première fois, il se demanda comment il allait gagner sa vie.

— Tu as un tas de possibilités, lui assura-t-elle. Cela dépend de ce que tu veux vraiment.

Elle n'avait pas l'intention de le pousser à quitter la prêtrise. S'il partait, ce serait de son propre gré. Sinon, il la détesterait, surtout s'il rencontrait des obstacles sur son chemin, et des obstacles il y en aurait, cela semblait évident.

— Tu sais bien ce que je veux. Vivre avec toi, répondit-il, encore bouleversé par les émotions des deux dernières heures.

Il était heureux à présent de n'avoir pas connu d'autre femme. Il s'était réservé pour Gabriella... Et leur ardeur passionnée compensait leur manque d'expérience.

— Il faut que je rentre, dit-elle, regrettant déjà de le quitter.

Elle avait peine à croire qu'elle allait se retrouver au couvent, mais Joe semblait avoir besoin de réfléchir. Ils s'étaient mis d'accord pour attendre un peu, afin de mettre de l'ordre dans leur vie, mais leur décision était prise. Ce n'était qu'une question de temps. Cette comédie ne pouvait se prolonger indéfiniment, pensait Gabriella. Ce serait mal. Ils devaient avouer la vérité, confesser leur péché et songer à l'avenir. Elle n'avait pas l'intention de continuer à mentir longtemps à mère Gregoria.

Elle reboutonna sa robe avec la plus grande application. Joe la serra dans ses bras une dernière fois avant qu'ils ne quittent l'appartement ensemble.

— Tu vas me manquer... terriblement, dit-il, d'une voix encore enrouée par la passion. Je n'oublierai jamais ce jour.

— Moi non plus, murmura-t-elle.

Dans l'immense amour qu'elle éprouvait pour lui se

mêlait, insidieuse, la culpabilité d'avoir trahi les femmes qui avaient placé toute leur confiance en elle. Mais dans son cœur, ils étaient déjà mari et femme.

Ils traversèrent la rue et il la regarda ouvrir la porte de la camionnette, puis remettre sa coiffe. Aux yeux des passants, elle était de nouveau une postulante, une jeune religieuse. Pas pour lui. Il se rappelait chaque centimètre de peau qu'il avait embrassée, revoyait sa beauté rayonnante pendant qu'ils s'aimaient passionnément.

— Prends soin de toi, lui dit-il gentiment. Je te verrai demain matin.

Il disait la messe tous les jours à Saint-Matthew, et écoutait les confessions des religieuses. C'était peu de choses en comparaison des instants magiques qu'ils avaient partagés dans l'appartement emprunté mais ils ne disposaient d'aucune autre possibilité.

— Je t'aime, chuchota-t-elle.

Elle prit le volant de la camionnette, le cœur lourd.

Le retour au couvent l'accabla davantage. Tout son être se tendait vers Joe. Elle pensait à lui à chaque instant. La vue des religieuses, les voiles, les habits noirs ne firent qu'augmenter sa détresse. Tout ici lui rappelait ce qu'elle avait fait. Son sens de l'honneur exigeait qu'elle parte. Pourtant, il fallait bien rester. Elle ne savait pas où aller et Joe non plus. Avant d'annoncer leur décision, qui rendrait les choses irrévocables, ils avaient un tas de détails à mettre au point. De plus, Joe devait décider si oui ou non il renonçait à sa vocation de prêtre. Gabriella se dit que s'il la quittait maintenant, elle en mourrait.

Elle ne ferma pas l'œil de la nuit. Au dîner, elle ouvrit à peine la bouche. Elle semblait perdue dans de sombres pensées. La vieille religieuse chargée de surveiller les postulantes en l'absence de sœur Emanuel lui trouva petite mine. Le lendemain matin, elle conseilla à Gabriella de consulter le médecin. La jeune postulante refusa. En dépit de sa fatigue et de sa pâleur, elle insista pour assister à la messe, après quoi elle se dirigea vers la file qui commençait à se former devant le confessionnal.

Sitôt qu'il entendit sa voix, Joe ouvrit la grille pour l'embrasser.

— Tu vas bien ? s'enquit-il.

Il avait passé la nuit à s'inquiéter pour elle. Aujourd'hui, il la désirait plus que jamais. Elle avait éveillé en lui un appétit insatiable. Après son départ, il était remonté dans l'appartement pour remettre de l'ordre, et les pièces lui avaient paru désespérément vides sans elle.

— Pas de regrets ?

Il retint son souffle en attendant sa réponse.

— Bien sûr que non. Ce fut si triste de rentrer, hier. J'étais tellement seule sans toi.

— Moi aussi.

Il était pressé de retourner à l'appartement avec elle mais elle ne savait pas quand elle aurait l'occasion de ressortir. Ils se retrouvèrent dans le bureau abandonné à midi. Tous deux se sentaient en proie à une étrange nervosité. Jusqu'alors ils avaient eu de la chance, mais à tout instant quelqu'un pouvait les voir.

Elle travailla dans le jardin le reste de l'après-midi. Ses pensées étaient sans cesse tournées vers Joe. Il lui manquait d'une façon incroyable. N'en pouvant plus, elle l'appela du bureau de mère Gregoria. Ils échangèrent rapidement quelques propos, en faisant attention à ne pas révéler leurs noms... Ils prenaient de plus en plus de risques, leur vigilance se relâchait. Bientôt, ils devraient clarifier la situation. Tout dépendait de Joe.

Avant le retour de mère Gregoria, elle réussit à se rendre à nouveau à l'appartement. Cette fois-ci, elle avait moins de temps. Lorsqu'ils se séparèrent, leur désir demeurait inassouvi. Leur étreinte, trop courte, n'en fut que plus précieuse.

En revenant du lac George, la supérieure s'aperçut immédiatement du changement qui s'était opéré chez sa protégée. Celle-ci paraissait trop calme, trop silencieuse. La vieille religieuse sut d'instinct que quelque chose préoccupait Gabriella. Elle essaya de la faire parler, la nuit même de son retour, sans résultats. Gabriella répondit que tout allait bien. Son moral fut meilleur le lendemain après-midi, une fois qu'elle eut écrit à Joe dans son journal intime, mais cette brève éclaircie ne dura pas. La solitude la rongeait. Elle avait le sentiment de ne plus appartenir au couvent.

Le lendemain, elle alla à la poste où elle rencontra Joe. Ils firent une promenade dans le parc. Gabriella n'avait pas le temps de l'accompagner à l'appartement. Et d'ailleurs, elle était taraudée par la crainte que la Mère supérieure remarque un détail quelconque.

— Je crois qu'elle sait, Joe, dit-elle, tandis qu'ils écoutaient distraitement un groupe de musiciens tout en dégustant des cornets de glace. Elle a un sixième sens... Elle sent les choses.

Elle s'interrompit, apeurée.

— Tu crois qu'on nous a vus ?

Ils se promenaient dans des parcs, allaient à l'appartement. Si quelqu'un les avait aperçus dans la 53e Rue...

— J'en doute, répliqua-t-il avec calme.

Il se faisait moins de souci qu'elle. Il jouissait d'une grande liberté. Les prêtres ont le droit d'aller et venir, de fréquenter des endroits dont Gabriella ignorait jusqu'à l'existence. Personne ne posait de questions. On lui faisait confiance.

— Mère Gregoria veille simplement sur ses poussins, ajouta-t-il.

— Espérons-le.

Le mois d'août avançait. L'été touchait à sa fin. Le temps semblait s'accélérer. Bientôt, les sœurs regagneraient leurs quartiers d'hiver. Les plus jeunes reprendraient leurs cours à l'école, les plus âgées reviendraient de leurs retraites du lac George ou des Catskills. Les postulantes avaient commencé à organiser le pique-nique du Labor Day. Une fête sans importance pour Gabriella, qui ne songeait plus qu'à son avenir.

Le Labor Day finit par arriver. Elle alla au pique-nique, malgré une mauvaise grippe. Sa mine de papier mâché mettait la supérieure sur des charbons ardents. Quelque chose ne tournait pas rond... Mais à l'évidence, plus que dans sa chair, Gabriella souffrait dans son esprit. La supérieure en était persuadée.

Joe était venu avec les autres prêtres. Les deux amants s'évitèrent soigneusement. Ils étaient convenus la veille de ne pas s'approcher, soucieux de ne pas se trahir. N'importe qui se serait aperçu qu'ils étaient intimes, ne serait-ce que par la familiarité avec laquelle ils se parlaient. Au milieu de l'après-midi, Gabriella remonta dans sa chambre. Elle était trop malade pour manger ou même pour rester avec les autres. Mère Gregoria la suivit du regard, ainsi que sœur Emanuel.

— Mais qu'est-ce qu'elle a ? demanda la maîtresse des postulantes, sincèrement affectée.

— Je ne sais pas, répondit la Mère supérieure, désemparée.

Elle avait décidé de tirer les choses au clair. Vers la fin de l'après-midi, elle monta dans la chambre de Gabriella, qui noircissait frénétiquement les pages de son journal.

— Qu'est-ce que tu écris ? Une nouvelle histoire ? demanda-t-elle aimablement en s'installant sur l'unique chaise posée dans un coin de la pièce nue. Peut-on lire ?

— Pas encore, répondit Gabriella faiblement, cachant la mince liasse de feuillets sous son oreiller. Je n'ai pas eu beaucoup de temps dernièrement...

Elle regarda la supérieure d'un air d'excuse, comme pour se faire pardonner tout ce que l'autre femme ignorait.

— Désolée d'avoir quitté le pique-nique.

Il faisait une chaleur torride. Gabriella était d'une pâleur effrayante lorsqu'elle s'était retirée.

— Ce n'est rien. Juste la grippe. Tout le monde l'a eue pendant votre absence.

Mère Gregoria n'en crut pas un mot. Personne n'avait été malade récemment à Saint-Matthew, à part une très vieille nonne, qui avait souffert d'une crise de la vésicule biliaire.

— As-tu des doutes, mon enfant ? Cela nous est arrivé à toutes, à un moment ou à un autre. Nous avons choisi un chemin difficile, Gabriella, particulièrement pour une jeune fille comme toi, qui n'a pratiquement jamais connu que le couvent... Je comprendrais que tu aies besoin de faire le point... Après quoi tu trouveras la paix pendant longtemps, sinon pour toujours.

Elle aurait souhaité que Gabriella poursuive davantage ses études. Est-ce qu'elle ne regrettait pas d'avoir renoncé à un monde dont elle ignorait les attraits... sous prétexte qu'elle avait eu une enfance malheureuse ?

— N'aie pas peur, Gabbie. Tu peux tout me dire, mon enfant.

— Je vais bien, ma mère.

C'était la première fois qu'elle lui mentait. Elle se détesta pour cela. La situation devenait intolérable. S'il n'avait tenu qu'à elle, elle aurait tout avoué : qu'elle était amoureuse de Joe et qu'elle allait partir... Si cruelle qu'elle fût, la vérité était préférable au mensonge.

— Si tu souhaites jeter un dernier regard sur le monde, il est encore temps... Tu peux trouver un travail quelque part et continuer à vivre ici, Gabriella. Nous fermerons les yeux sur le règlement, tu le sais bien.

Cette proposition lui aurait permis de rencontrer son amant en toute quiétude dans l'appartement emprunté... Mais Gabriella se refusait à la saisir, à abuser davantage de la confiance de la Mère supérieure.

Son départ, s'il avait lieu, se déroulerait dans la dignité.

— Non, cela ira, s'obstina-t-elle. J'aime être ici, parmi les sœurs.

C'était la vérité cette fois, d'une certaine manière. Du moins cela l'avait été avant qu'elle rencontre Joe. Là résidait tout le problème. Il ne semblait pas décidé à quitter la prêtrise. Il n'était pas encore sûr... pas comme Gabriella en tout cas. Il prétendait qu'il ne démissionnerait pas sans avoir élaboré un projet clair. C'était peut-être trop tôt. Leur liaison datait seulement de deux mois.

Les semaines suivantes devinrent rapidement un vrai cauchemar. Gabriella sortait dès que l'occasion se présentait, à ceci près que les occasions se faisaient rares. Mère Gregoria s'inquiétait tellement qu'elle lui avait pratiquement défendu de faire des courses. Elle voyait Joe entre deux portes, au confessionnal, dans le bureau abandonné où ils discutaient de leur avenir. Visiblement, renoncer à sa vocation plongeait Joe dans un gouffre de culpabilité. Gabriella n'avait d'autre recours que l'attente. Ils s'était revus deux fois dans l'appartement. L'ami de Joe était rentré de vacances, mais ce dernier pouvait toujours l'utiliser pendant que le propriétaire était à son bureau.

Vers la mi-septembre, la situation se détériora. Gabriella sentit les premières atteintes d'un mal étrange. Elle avait essayé de cacher ses symptômes aux sœurs mais toutes avaient remarqué sa pâleur, son manque d'appétit. Une fois, elle s'évanouit dans la chapelle. Joe, qui disait la messe, avait levé vivement le regard lorsqu'il avait aperçu le remue-ménage dans les rangs des postulantes... Lorsqu'il les avait vues emporter Gabriella, il avait failli céder à la panique. Il avait dû attendre une journée entière avant de la revoir au confessionnal. Bien sûr, il lui avait aussitôt demandé ce qui s'était passé.

— Je ne sais pas... il faisait trop chaud dans la chapelle...

La vague de chaleur qui se prolongeait transformait New York en fournaise, pourtant, remarqua-t-il, les yeux hantés par une ombre inquiète, aucune autre religieuse n'avait perdu connaissance, pas même les plus âgées.

Elle attendit deux semaines de plus avant de mettre un nom sur sa « maladie ». C'était la fin septembre. Plus aucun doute ne subsistait, bien qu'elle ne disposât d'aucun moyen scientifique pour le confirmer. Elle présentait tous les signes et malgré son manque d'expérience, elle sut faire le bon diagnostic : elle était enceinte ! Elle réussit à tromper la vigilance de mère Gregoria, sortit, courut jusqu'à la cabine téléphonique d'où elle appela Joe. L'après-midi même, ils se rencontrèrent à l'appartement. Dès qu'elle lui annonça la nouvelle, il prit un air terrifié... Puis il fondit en larmes et pleura longuement en serrant Gabriella dans ses bras. Un affreux sentiment de culpabilité le terrassait... A ses yeux, seul le mariage rachèterait cette faute mais il estimait, toutefois, que le sort lui forçait la main. Gabriella avait compté et recompté les jours. Elle en avait conclu que le bébé avait été conçu dès la première fois. Elle était donc enceinte de deux mois. Quoi qu'il advienne maintenant, elle devait quitter le couvent. Naturellement, elle gardait l'enfant, et Joe ne songea pas à l'en dissuader. Leurs convictions religieuses leur interdisaient de résoudre le problème d'une autre manière.

— Ça va aller, Joe, murmura-t-elle, attristée par sa détresse. C'était peut-être écrit. J'avais sûrement besoin d'un tel événement pour prendre la grande décision.

— Oh, mon Dieu, Gabriella... je suis désolé... tout est ma faute... Je n'ai jamais pensé... j'aurais dû pourtant...

Comment un prêtre songerait-il à se procurer des

préservatifs ? Maintenant, le cercle se refermait. Ils n'avaient plus le choix. Ils étaient bel et bien forcés de tenter leur chance. Leur naïveté les avait aveuglés. Ni l'un ni l'autre n'avait imaginé qu'ils auraient à envisager ce genre d'accident aussi vite.

Soudain, Joe se trouvait pris au piège. Une femme... un enfant... et aucun moyen de subvenir à leurs besoins... Il baissa la tête, accablé par le poids d'une pression insoutenable.

— Je quitterai Saint-Matthew dans un mois, dit-elle alors. (Dès l'instant où elle avait su qu'elle était enceinte, elle avait pris sa décision sans l'ombre d'une hésitation.) J'en aviserai mère Gregoria en octobre.

Il n'avait plus qu'un mois avant d'affronter les conséquences de ses actes. Gabriella n'attendrait pas plus longtemps. Bientôt, son état commencerait à se voir. Elle devait partir avant qu'un scandale n'éclate au couvent. Il la serrait toujours dans ses bras, n'osant plus la toucher, craignant de lui faire du mal, à elle ou au bébé.

Il se remit ensuite à pleurer.

— J'ai si peur de te décevoir, Gabbie... de ne pas être à la hauteur... Si je n'y arrive pas... que vais-je devenir ?

C'était sa nouvelle hantise.

— Tu y arriveras, Joe. Il suffit de le vouloir. Nous y arriverons tout les deux, tu le sais.

Elle paraissait convaincue.

— Tout ce que je sais, c'est que je t'aime.

Il l'aimait plus que tout. Il pensait à elle et maintenant, il penserait aussi à leur bébé. S'il quittait l'Eglise, ce serait pour les rendre heureux, tous les deux... S'il en était capable, ce dont il doutait...

— Tu es si forte, Gabriella... Tu ne peux pas comprendre. Je n'ai jamais connu que la prêtrise.

Elle n'avait connu que le couvent. Et auparavant, une existence de punitions et de sévices. Pourquoi donc pensaient-ils tous qu'elle était forte ? Son père avait dit la même chose la nuit où il l'avait quittée. Ce souvenir fit rejaillir en elle la peur qu'elle croyait enfouie. La terreur d'être rejetée... Et si Joe la quittait aussi ? S'il les abandonnait, elle et leur enfant ? La peur se transformait en panique, mais elle se maîtrisa. Elle s'accrocha à lui, sans un mot...

Il l'embrassa longuement avant qu'elle reparte. Elle rentra au couvent dans la vieille camionnette, perdue dans ses pensées. Elle ne remarqua pas la Mère supérieure, qui l'observait à travers la vitre, ni sœur Anne s'éclipsant après avoir glissé une enveloppe sous la porte du bureau... Gabriella ne sut pas que, peu après, la supérieure appela Saint-Stephen. Elle s'y rendit le soir même, y rencontra l'évêque, puis regagna le couvent tard dans la nuit, le cœur lourd. Il n'y avait pas de preuves concrètes, seulement des rumeurs... Plusieurs coups de fil d'une jeune femme, toujours la même, qui laissait des noms différents. Le père Connors sortait après ces coups de fil... Il passait beaucoup de temps à Saint-Matthew, avait réalisé la supérieure. Oui, beaucoup trop de temps... Elle s'était aussitôt concertée avec l'évêque : le père Connors ne reviendrait pas dire la messe et confesser les religieuses de son couvent.

Gabriella, qui ignorait tout, se glissa le lendemain matin dans le confessionnal avec un « Bonjour, je t'aime », qui resta sans réponse. Après un long silence, une voix inconnue lui parla à travers la grille. Elle continua sa confession comme si de rien n'était. Son cœur battait la chamade lorsqu'elle quitta la chapelle — elle ne se souvenait plus de sa pénitence. Etait-il arrivé quelque chose à Joe ? se demanda-t-elle, affolée. Etait-il malade ? Avait-il annoncé son départ à ses supérieurs ? Pis encore, avaient-ils été dénoncés ? Il n'aurait rien entrepris sans la consulter, mais après leur discussion de la veille, peut-être avait-il enfin pris la décision qui s'imposait.

L'angoisse la gagnait, et elle était plongée dans une réflexion sans issue, quand mère Gregoria la fit appeler. La supérieure ne dit rien pendant un bref instant, se contentant de fixer tristement sa protégée.

— Je crois que tu as quelque chose à me dire, Gabriella.

— A quel sujet ?

Le visage de la jeune postulante avait une teinte crayeuse, tandis qu'elle soutenait vaillamment le regard de la femme qu'elle appelait « ma mère », comme si c'était elle qui l'avait mise au monde.

— Tu le sais pertinemment. Au sujet du père Connors. L'as-tu appelé, Gabriella ? Sois honnête avec moi. L'un des prêtres de Saint-Stephen croit vous avoir aperçus ensemble à Central Park, en août... Il n'est pas tout à fait sûr de t'avoir reconnue mais tout le monde à Saint-Stephen semble avoir des soupçons. Il est encore temps d'éviter le scandale, si tu parles maintenant.

— Je...

La phrase de Gabriella resta en suspens. Elle ne voulait pas mentir à la Mère supérieure, mais d'un autre côté, comment lui avouer la vérité sans avoir parlé au préalable avec Joe ? Il avait dû être interrogé, lui aussi, mais qu'avait-il dit au juste ? Il fallait à tout prix que leurs témoignages concordent.

— Je ne sais quoi vous dire, ma mère.

La supérieure scruta la jeune femme qu'elle aimait comme sa propre fille, le cœur serré.

— La vérité ? suggéra-t-elle d'un ton lugubre.

— Je... Oui, je l'ai appelé... Nous nous sommes rencontrés au parc, en effet. Une fois.

Elle n'en dirait pas plus. Elle ne dévoilerait pas sa vie privée.

— Puis-je te demander pourquoi, Gabriella ? Ou est-ce une question idiote ? Le père Connors est jeune et beau, tu es une jeune femme ravissante... Tu n'as pas encore prononcé tes vœux, mais tu as souvent prétendu être certaine de ta vocation. Je t'ai crue... Je n'en suis plus aussi sûre... De son côté, le père Connors est prêtre depuis de nombreuses années. Vous n'avez pas le droit, ni toi, ni lui, de violer vos engagements.

— Oui, je sais...

Des larmes brûlaient les yeux de Gabriella mais elle s'efforça de les retenir. Elle ne pleurerait pas. Et elle ne chercherait pas à s'attirer la compassion de la Mère supérieure.

— Y a-t-il autre chose, dans cette vilaine histoire, que je dois savoir, Gabriella ?

Ce n'était pas une « vilaine histoire ». Gabriella resta droite, digne. Elle crut que son cœur allait se briser mais elle secoua la tête.

— Inutile de te préciser qu'il va y avoir une enquête à Saint-Stephen, reprit mère Gregoria. Monseigneur appellera l'archevêque dès aujourd'hui. Et, bien sûr, nous ne reverrons pas le père Connors ici pendant un certain temps.

Elle s'interrompit pour reprendre son souffle, sondant du regard les yeux de Gabriella, en quête d'une réponse qui ne vint pas.

— Je te suggère, par conséquent, d'aller réfléchir et faire le point sur la force de ta vocation dans notre couvent de l'Oklahoma.

Gabriella tressaillit comme si elle venait d'entendre une sentence de mort.

— L'Oklahoma ?

Le mot avait jailli de lui-même, tel un terme inconnu, un son rocailleux semblable à un croassement...

— Je n'irai pas !

C'était la première fois qu'elle défiait la Mère supérieure depuis leurs discussions orageuses à propos de l'université... Mais mère Gregoria n'avait pas l'intention de se laisser attendrir. Sous son air calme, elle bouillait de colère. Contre Gabriella et, surtout, contre l'homme qui l'avait induite en tentation et avait perturbé l'équilibre de son esprit. C'était un péché grave, et la Mère supérieure prierait longtemps avant de pouvoir pardonner. Ici, on vivait dans la confiance. Il n'avait pas le droit d'en abuser, pas plus que de séduire une jeune fille innocente.

— Je crains que tu n'aies pas le choix, Gabriella. Tu partiras pour l'Oklahoma demain. D'ici là, tu seras surveillée de manière à ne pas pouvoir le contacter... Si tu choisis de rester parmi nous — car le choix t'appartient —, il faudra d'abord que tu réfléchisses, que tu te poses les bonnes questions, que tu décides ensuite si tu souhaites vraiment rejoindre l'ordre... Je t'ai proposé plusieurs fois de retourner dans le monde, de mieux connaître la vie. Tu as toujours refusé... Mon extrême indulgence à ton égard n'a jamais signifié, cependant, que tu étais autorisée à donner des rendez-vous clandestins à un prêtre...

— Je n'ai rien fait... murmura Gabriella d'une voix mourante, se détestant de continuer à mentir pour épargner Joe.

— J'aimerais te croire.

La Mère supérieure se leva, mettant fin à l'entretien.

— Retourne dans ta chambre maintenant. Tu ne parleras pas aux autres postulantes jusqu'à ton départ. L'une des sœurs te montera un plateau. Sans te parler...

En une nuit, elle était devenue une lépreuse. Sans un mot, elle quitta la pièce, monta dans sa chambre. Elle brûlait d'appeler Joe, mais c'était impossible. Mais elle n'irait pas dans l'Oklahoma. Non, elle ne partirait pas sans lui.

Elle resta au lit toute la journée. A la tombée de la nuit, elle était comme folle. Elle avait noirci des pages et des pages destinées à Joe dans son journal intime. Et lorsqu'elle cessait d'écrire et n'était pas allongée, elle arpentait la petite pièce. Elle aurait voulu au moins sortir dans le jardin, mais elle y renonça. Elle ne pouvait désobéir une fois de plus aux ordres de mère Gregoria. Où était-il ? A quel interrogatoire était-il soumis ? Que répondait-il à l'archevêque ? A aucun moment ils n'avaient pensé que ce serait facile. Ils savaient depuis le début à quoi ils s'exposaient. Il ne restait plus qu'à survivre au chagrin et aux humiliations jusqu'à ce qu'ils se retrouvent.

Elle ne toucha pas au plateau de nourriture. C'est bien après le dîner qu'elle éprouva une douleur bizarre dans le bas-ventre. Une sorte de contraction qui lui coupa le souffle, et qui fut suivie presque aussitôt par une autre. Au début, Gabriella n'y prêta pas attention. Tout son être se tendait vers Joe. Lorsque les deux postulantes qui partageaient sa chambre revinrent, elle semblait à l'agonie mais ne souffla mot...

Elles demeurèrent silencieuses, elles aussi. Elles avaient reçu des instructions... Gabriella était profondément perturbée en ce moment, les avait-on averties, et mieux valait ne pas lui adresser la parole. Elles ignoraient ce qu'elle avait fait. Mais chaque fois que sœur Emanuel avait le dos tourné, elles chuchotaient fiévreusement entre elles, essayant de deviner ce qui avait pu se passer. Seule sœur Anne ne semblait pas se poser de questions.

Gabriella resta éveillée toute la nuit. A chaque instant, son inquiétude pour Joe augmentait. Dans son imagination se déroulaient des scènes dignes de l'Inquisition. Elle le voyait soumis à la question. Vers deux heures du matin, la douleur qui la transperçait devint si aiguë qu'elle faillit réveiller ses deux compagnes. Mais elle étouffa ses plaintes. Que leur diraitelle ? Qu'elle avait peur de perdre son bébé ? Elle se traîna jusqu'à la salle de bains où elle découvrit les signes qu'elle redoutait. Hélas, elle n'avait personne vers qui se tourner, pas même mère Gregoria, cette fois. Et elle n'avait aucun moyen de joindre Joe... Elle espérait qu'il lui donnerait de ses nouvelles. Que le problème serait résolu le lendemain matin. Il suffisait juste de patienter. D'attendre. Il viendrait la chercher... Si, durant l'interrogatoire, il déclarait qu'il renonçait à la prêtrise pour elle, il n'allait pas tarder à arriver à Saint-Matthew. Et alors, se promit-elle, elle raconterait toute la vérité à mère Gregoria. Elle ne partirait pas avec sa montagne de mensonges.

Au matin, la peur et la douleur l'avaient tétanisée. Elle ignorait à quelle heure elle était censée partir pour l'Oklahoma. Mais elle n'irait pas. Elle refuserait de bouger et les sœurs ne pourraient pas l'emmener en chemise de nuit.

Elle entendit les autres se lever en silence, attendit qu'elles soient sorties, après quoi elle se mit péniblement sur ses jambes. Il y avait du sang sur les draps. Gabriella se recoucha en pleurant et resta là, prostrée. Au lever du jour, la porte de sa chambre se rouvrit, livrant passage à sœur Emanuel, qui baissa sur Gabriella un regard profondément affligé. La vieille religieuse avait les yeux rouges, comme si elle avait pleuré.

— Mère Gregoria désire te voir, Gabbie, dit-elle avec tristesse.

C'était une sombre journée pour les religieuses, et plus sombre encore pour Gabriella, qui avait trahi leur confiance.

— Je n'irai pas dans l'Oklahoma, répondit-elle farouchement, d'une voix rauque.

De toute façon, elle était incapable de se mettre debout. Les douleurs dans son bas-ventre s'étaient intensifiées.

— Il faut quand même que tu descendes. Tu le lui diras toi-même.

La douleur fulgura mais Gabriella n'osa rien dire. Elle attendit que sœur Emanuel ressorte et déploya un effort surhumain pour se lever. Elle chancelait à chaque pas, tandis qu'elle s'habillait. Le jour où sa mère l'avait si cruellement battue, puis forcée à s'habiller, lui revint en mémoire. A ceci près qu'aujourd'hui, découvrit-elle non sans étonnement, elle avait plus mal encore.

Les élancements se succédaient comme des vagues. Elle descendit l'escalier pliée en deux, accrochée à la rampe. Elle se força à se tenir droite en pénétrant dans le bureau de la supérieure, tellement aveuglée par la peur et la douleur qu'elle faillit s'évanouir... Deux prêtres entouraient mère Gregoria. Gabriella réprima un sursaut. Elle ignorait qu'ils étaient là depuis une heure afin de mettre au point leur déclaration.

La Mère supérieure regarda Gabriella, les sourcils froncés. Elle retint un cri de commisération. La pâleur de l'arrivante faisait peur à voir. Visiblement, elle souffrait tous les tourments de l'enfer.

— Le père O'Brian et le père Dimeola sont venus te parler, sœur Bernadette.

Elle l'avait appelée par son nom de religieuse, un nom impersonnel, dans l'espoir d'atténuer sa propre souffrance. Et sachant ce qu'ils étaient venus lui annoncer, son âme s'élançait silencieusement vers l'enfant qu'elle avait connue et aimée sous le nom de Gabriella.

— Mère Gregoria décidera de votre sort plus tard, commença le père O'Brian, d'un air navré.

Gabriella se cantonna dans l'expectative. Elle suffoquait. A mesure que les secondes s'égrenaient, la pièce semblait se rétrécir jusqu'à se refermer sur elle. Sa pâleur s'était accentuée. Mais pour les deux ecclésiastiques, quelles que fussent ses souffrances, elle les avait amplement méritées.

— Nous sommes venus vous parler du père Connors.

« Ah, il leur a tout dit », pensa-t-elle, soulagée, cherchant vainement un indice sur leurs visages fermés. La douleur était si forte qu'elle entendait à peine leurs voix.

— Il a laissé une lettre pour vous, dit le père Dimeola amèrement. Il a voulu expliquer ses sentiments face à la situation inextricable dans laquelle vous l'avez entraîné.

— Il a dit cela ?

Gabriella fixait le prêtre, choquée. Joe n'aurait jamais inventé une chose pareille. Ils interprétaient ses paroles comme cela les arrangeait. De quelque part lui parvenait le tic-tac obsédant d'une pendule... Elle avait hâte d'en finir avec eux.

— Le père Connors ne s'est pas exprimé précisément en ces termes, mais c'est évident.

— Puis-je voir la lettre, s'il vous plaît ?

Elle tendit une main tremblante, avec une dignité surprenante. Malgré eux, ils éprouvèrent de l'admiration pour elle, bien qu'ils ne fussent pas prêts à le reconnaître.

— Plus tard, répondit le père O'Brian. Nous avons d'abord quelque chose à vous dire. Une chose avec laquelle vous allez devoir vivre à présent, quand vous aurez clairement défini vos responsabilités dans cette triste affaire. Vous avez damné un homme pour l'éternité, sœur Bernadette. Il n'y aura pas de rédemption pour son âme. Il ne peut pas y en avoir après le crime qu'il a commis... le crime auquel vous l'avez acculé. Votre châtiment sera de le savoir.

Elle détestait le son horrible de leurs voix, ces mots si dépourvus de charité et de pardon... Pourquoi parler de crime ? Ni Joe ni elle n'avaient mérité d'être traités de criminels. Oh, comme il avait dû souffrir entre leurs mains. Comme il avait dû vaciller sous leurs accusations. Mais elle le consolerait. Elle lui dirait combien elle l'aimait. Elle saurait l'apaiser... Ces prêtres n'avaient pas le droit de le torturer, de le juger et de le condamner.

— Je veux le voir, dit-elle d'une voix si forte qu'elle en fut elle-même surprise.

Rien au monde ne l'empêcherait de le revoir. Personne n'avait le pouvoir de les séparer.

— Vous ne le reverrez plus, déclara le père O'Brian d'un ton tellement sinistre que Gabriella tressaillit.

— Ce n'est pas à vous de décider. La décision appartient au père Connors... Et si c'est ce qu'il souhaite, je respecterai sa volonté.

Elle était belle comme un ange, si digne et si forte que Mère Gregoria, malgré ses griefs à son encontre, ne l'en aima que davantage.

— Vous ne le reverrez plus, réaffirma le père O'Brian, tandis que Gabriella lui faisait face.

Ils lui décochèrent alors le coup de grâce, le seul auquel elle ne s'attendait pas, avec une cruauté telle que sa foi en Dieu en fut ébranlée à jamais.

— Il a mis fin à ses jours tôt ce matin. Il vous a laissé cette lettre.

Le père Dimeola agita une enveloppe dans un geste menaçant, tandis que la pièce se mettait à tournoyer lentement...

— Il... je...

Elle avait entendu les mots sans en comprendre tout à fait le sens. Du moins pas encore. Cela viendrait plus tard. Elle les regarda tour à tour en les implorant des yeux pour qu'ils lui disent qu'ils avaient menti. Mais ils avaient dit la vérité.

— Il ne pouvait plus vivre après ce qu'il avait fait... Il ne pouvait pas se résoudre à quitter l'Eglise... ni à faire face à vos exigences. Il a préféré s'ôter la vie plutôt que de vous écouter. Il s'est pendu dans sa chambre ce matin ; c'est un péché pour lequel il brûlera éternellement en enfer. Il a choisi de mourir plutôt que d'abandonner le Dieu qu'il aimait plus qu'il ne vous a jamais aimée, sœur Bernadette... et vous aurez sa mort sur la conscience jusqu'à la fin des temps...

Elle le regarda alors droit dans les yeux, puis se redressa, avec une force qu'elle ne soupçonnait pas. L'espace d'une seconde, elle resta figée. Son regard allait de l'un à l'autre, incrédule. Et soudain, un petit cri étonné lui échappa, elle s'effondra lentement, et tandis qu'elle perdait connaissance, une pensée déchira ses ténèbres : Joe l'avait abandonnée, il était parti. Il l'avait laissée toute seule, comme tous les autres.

Elle sombra dans un puits d'obscurité bienfaisante, et lorsqu'elle heurta lourdement le plancher, ils virent pour la première fois la mare de sang qui s'étalait autour d'elle.

13

Gabriella entendait un long gémissement plaintif dans le lointain, un son aigu, répétitif, le râle d'agonie de son esprit mourant... Elle essayait de parler, mais en vain. Elle s'efforçait d'ouvrir les yeux, mais elle ne voyait qu'une lueur grisâtre alternant avec l'obscurité opaque. Elle ne savait pas où elle se trouvait, ignorait que le son qu'elle percevait était en fait la sirène de l'ambulance qui traversait la ville à toute allure.

Des années s'étaient écoulées, lui sembla-t-il, avant qu'une voix lui parle dans les ténèbres, mais que disait-elle ? Gabriella ne pouvait pas distinguer les mots. Quelqu'un criait son nom, la tirant hors de l'inconscience, l'entraînant puissamment vers la vie qu'elle voulait fuir... Elle préférait se laisser sombrer vers l'obscurité et le silence, mais les voix faibles qui lui parvenaient sporadiquement ne la laissaient pas partir.

— Gabriella ! Gabriella !... Allez ! Ouvrez les yeux maintenant... Gabriella !

Ils l'appelaient, ils la pinçaient, et quelqu'un lui plantait un couteau en plein cœur... Elle commençait à ressentir la douleur maintenant. On eût dit qu'un dragon se débattait en elle et la déchirait de part en part. Non... non... surtout ne pas se réveiller... surtout ne plus souffrir... car, par-delà la douleur, elle savait que quelque chose d'horrible était arrivé. Finalement elle ouvrit les yeux mais les lumières l'aveuglèrent, la sondèrent sans merci, comme la douleur. On lui faisait quelque chose, mais quoi ? Ses souffrances atteignaient leur paroxysme, l'air désertait ses poumons. Et soudain, tandis que la douleur l'irradiait tout entière, elle se rappela pourquoi elle était ici... sa mère l'avait battue... elle avait cassé sa poupée... sa mère avait tué Meredith... puis elle s'était acharnée sur Gabriella, tandis que son père les observait du seuil de la porte.

— Gabriella !

De nouveau elles l'appelaient. Des voix en colère. Mais elle avait beau ouvrir les yeux, elle ne voyait rien, en dehors de l'alternance de la lumière et des ténèbres, tandis que des démons sans visage la dévoraient. Elle lutta pour les regarder, pour les écouter ; alors, une douleur fulgurante, monstrueuse, la transperça, et Gabriella se débattit désespérément pour lui échapper, mais elle resserra ses griffes. Brusquement, avec une netteté hallucinante, elle aperçut non pas son père mais Joe, qui lui souriait. Il avançait la main vers elle, comme pour l'accueillir en disant quelque chose qu'elle ne comprit pas parce que les autres voix brouillaient ses paroles. Elle le regarda et essaya de lui demander où ils étaient. Il rit.

— Je ne t'entends pas, Joe, répétait-elle, encore et encore.

Il s'éloignait. Elle lui cria de l'attendre mais ses pieds ne bougèrent pas lorsqu'elle voulut se lancer à sa suite. Ils étaient lourds... si lourds... et Joe l'attendait. Il secoua la tête, disparut. Soudain, elle put s'élancer vers lui, libre de toute entrave. Mais les gens aux voix coléreuses étaient derrière elle et criaient son nom. Elle comprit alors pourquoi elle ne pouvait pas suivre Joe. Ils l'avaient attachée, jambes en l'air, corps et bras liés par des courroies. Les lumières alentour brillaient d'un éclat insoutenable.

— Non, laissez-moi partir, s'écria-t-elle faiblement. Il m'attend... il a besoin de moi...

Joe se retourna, lui fit signe de la main. Il paraissait si heureux qu'elle eut peur. Dans la pièce où elle se trouvait, ceux qui s'activaient autour d'elle semblaient furieux à présent... Ils étaient en train de faire quelque chose d'affreux... ils l'éventraient, ils empoignaient son âme, ils l'empêchaient de rejoindre Joe.

— Non... non... criait-elle.

Mais ils ne l'entendaient pas.

— Ça va aller, Gabriella. Ça va aller...

C'était des hommes et des femmes. Elle crut apercevoir les couteaux avec lesquels ils la frappaient, et ils n'avaient pas de visages.

— Attention, sa tension recommence à chuter, dit l'une des voix.

De qui parlait-elle ? Gabriella n'en savait rien et n'en avait que faire.

— Pour l'amour du ciel ! s'exclama une autre voix... Vous ne pouvez pas arrêter ça ?

Le propriétaire de la voix était fou de rage. Comme tous les autres... Ils étaient tous fâchés contre Gabriella. Elle avait dû commettre une terrible faute, tous savaient laquelle, sauf elle. Elle referma les yeux, hurlant de douleur, et dans le lointain, elle entendit le même son strident que tout à l'heure, mais, cette fois-ci, elle identifia le mugissement des sirènes. Il y avait eu un accident... quelqu'un avait été blessé... et dans le noir qui, de nouveau, l'engloutissait, elle entendit une femme crier. D'autres personnes arrivèrent, de plus en plus nombreuses. Il y en avait partout autour d'elle, mais Gabriella ne pouvait pas les aider. Elle était lourde comme un poids mort... Elle ne sentait plus ses membres, sauf l'endroit que les démons continuaient à dévorer. Elle essaya de bouger les bras, de repousser ses agresseurs mais découvrit qu'elle était toujours attachée. Ils allaient la tuer, pensa-t-elle, oui, sans aucun doute.

— Et zut ! dit une voix dans l'obscurité. Apportez-moi deux unités de plus.

Ils la transfusaient mais ils craignaient à présent de perdre la bataille. Il n'y avait pas moyen de la sauver.

Sa tension ne cessait de baisser et quand les battements de son cœur ralentirent, ils surent qu'ils l'avaient perdue.

Pendant longtemps, les voix cessèrent. Gabriella reposait enfin en paix. Ils l'avaient laissée tranquille. Même le démon en elle s'était tu. Alors Joe réapparut ; il émergea lentement des ombres, mais cette fois-ci il n'avait pas l'air heureux. Lorsqu'il lui parla, elle l'entendit clairement. Ses bras étaient libres, elle tendit la main vers lui, mais il ne la prit pas.

— Je ne veux pas que tu viennes avec moi, dit-il distinctement.

Il n'était plus triste. Il ne paraissait pas en colère. Il était seulement paisible.

— Mais il le faut, Joe. J'ai besoin de toi.

Elle se mit à marcher près de lui, mais il ne voulut pas aller plus loin.

— Tu es forte, Gabriella, dit-il.

Elle s'efforça de lui répondre que non.

— Je... je ne suis pas forte... Emmène-moi avec toi.

Il secoua la tête, puis s'éloigna, tandis qu'une force extraordinaire attirait Gabriella en arrière. Elle ressentit son poids et de nouveau l'ardente douleur brisa son corps dans ses flots bouillants. Un raz-de-marée l'emportait. Un tourbillon l'aspira, et elle commença à se noyer comme Jimmy. Elle le chercha sous l'eau, mais ne le trouva pas. Jimmy l'avait abandonnée, comme Joe, le tourbillon rugissant l'aspirait. Une force invisible, la plus puissante qu'elle eût jamais connue, la poussa alors vers la surface. Elle émergea, haletante, se mit à pleurer.

— Ça y est ! Elle revient à elle.

Les voix reprirent, des mains la retinrent de toutes parts. A chaque respiration, ses côtes cassées lui faisaient atrocement mal, ses yeux s'emplirent de douleur. Là où les griffes des démons l'avaient déchiquetée, il ne resta plus qu'une brûlure intense.

— Non ! Non ! Arrêtez !

Aucun cri ne sortit de sa bouche. Ils arrachaient quelque chose en elle, son cœur probablement. Ils essayaient de lui prendre Joe, mais ils n'y arrivaient pas... Jamais auparavant elle n'avait éprouvé une telle angoisse, une telle souffrance. Etait-ce sa mère qui l'avait mise dans cet état ?

— Gabriella !... Gabriella !..

Ils lui parlaient plus gentiment maintenant, mais elle ne savait que pleurer. Ils l'appelaient par son nom, puis quelqu'un lui caressa les cheveux. Il était impossible de voir son visage. Les vives lumières au-dessus d'elle l'aveuglaient, mais on l'avait libérée du démon.

— Doux Jésus, elle a failli y passer, murmura une voix masculine. J'ai cru que nous l'avions perdue.

Ils l'avaient perdue, en effet, plus d'une fois. Mais elle était encore vivante, malgré tous ses efforts pour partir. Elle était restée à cause de Joe... Joe qui avait refusé de l'emmener avec lui. En rouvrant les paupières, elle comprit qu'il ne reviendrait plus... Ceux qui l'abandonnaient ne revenaient plus jamais... Ils lui tournaient le dos et s'en allaient pour toujours.

— Gabriella, comment vous sentez-vous ?

Elle vit une paire d'yeux, alors qu'une voix, féminine cette fois, lui parlait, mais les gens qui l'entouraient n'avaient toujours pas de visages. Ils portaient des masques chirurgicaux, et leurs voix étaient plus douces, plus gentilles. Gabriella ouvrit la bouche pour répondre, mais aucun son ne jaillit de l'endroit où, tout à l'heure, sortaient les cris. Son corps, son âme étaient vides.

— Elle ne m'entend pas, se plaignit la voix comme si, une fois de plus, elle les avait trahis.

Allaient-ils la battre ? La punir ? Cela n'avait plus d'importance, du moment que les démons aux griffes acérées comme des lames de couteaux ne revenaient pas taillader son âme.

Les voix s'en allèrent. Elle se laissa sombrer dans un lieu différent et, lorsqu'elle se réveilla, elle avait un masque sur le visage. Elle respirait une drôle d'odeur et avait envie de dormir. Alors, sans un mot, ils la poussèrent sur un chariot hors de la pièce. Des gens, des portes, des couloirs défilaient en sens inverse. Quelqu'un dit qu'ils l'emmenaient dans sa chambre. Elle se demanda si elle était en prison où elle recevrait le juste châtiment de ses fautes. Ils savaient tous, et elle la première, qu'elle était coupable. Pourtant personne ne parlait de punition. Ils la laissèrent dans une pièce, sur le chariot.

Deux femmes en blanc entrèrent. Elles portaient des coiffes amidonnées, avaient des visages soucieux. Elles la soulevèrent précautionneusement et la posèrent sur le lit. L'une d'elles réajusta la perfusion, et elles ressortirent. Gabriella dormit le reste de la journée. Elle ignorait pourquoi elle était ici, bien qu'elle se souvînt clairement d'avoir entendu une femme pousser des cris, puis un râle de douleur et de chagrin. Plus tard, quand le médecin entra dans la chambre, elle se remit à pleurer. Car, cette fois-ci, elle avait compris ce qui s'était passé. Elle avait perdu le bébé de Joe.

— Je suis désolé, dit le docteur d'une voix solennelle.

Il ne savait pas qu'elle était postulante. Il pensait que c'était une mère célibataire placée au couvent par ses parents.

— Un jour, vous aurez d'autres enfants, reprit-il, optimiste.

Mais non, elle n'en aurait pas, se dit-elle. Elle n'avait jamais voulu donner la vie, de peur d'être un monstre comme sa mère. Elle n'aurait jamais pris ce risque. Pourtant, avec Joe à son côté, elle avait pensé que ce serait différent. Le petit être qu'elle portait symbolisait le début d'une vie nouvelle avec l'homme qu'elle aimait. Il était le fruit de cet amour. Cela avait été un rêve qu'elle avait chéri tendrement. Un rêve trop bref, qui, sans Joe, s'était transformé en cauchemar.

— Faites très attention pendant un certain temps,

poursuivit le médecin. Vous avez eu une grosse hémorragie... Nous avons failli vous perdre. Si vous étiez arrivée aux urgences vingt minutes plus tard, vous ne seriez plus là...

Elle avait eu deux syncopes dans la salle d'opération. Les battements de son cœur s'étaient ralentis, puis arrêtés. C'était la pire fausse couche qu'il avait jamais vue... Elle avait perdu suffisamment de sang pour mourir.

— Nous vous garderons encore quelques jours en observation. Nous vous ferons encore des transfusions. Après cela, vous pourrez rentrer chez vous, à condition de rester tranquille. Pas de mouvement, pas de sorties, ni de rendez-vous, et pas de boîtes de nuit.

Il lui sourit, lui prêtant une vie trépidante. Elle était jeune et belle. Il comprenait qu'elle ait hâte de revoir ses amis, et probablement de retrouver l'homme qui l'avait mise enceinte. Il lui demanda ensuite si elle voulait qu'il prévienne quelqu'un. Gabriella le regarda, le visage ravagé par le chagrin.

— Mon mari est mort hier, répondit-elle, offrant à Joe à titre posthume le titre qu'il aurait eu s'il avait vécu.

Le médecin hocha la tête avec compassion.

— Je suis vraiment navré.

C'était un double malheur pour elle. Pendant le curetage, il avait eu l'étrange impression que la patiente lui résistait, qu'elle avait renoncé à la vie. Maintenant il en avait la certitude. Elle avait souhaité mourir, afin de retrouver l'homme qu'elle appelait son époux, bien qu'il doutât qu'elle fût mariée. Si elle l'avait été, elle n'aurait pas été expédiée à l'hôpital par le couvent de Saint-Matthew.

— Tâchez de vous reposer.

C'était tout ce qu'il pouvait lui proposer. Elle était jeune, jolie, elle avait toute la vie devant elle... Elle avait survécu à ce drame. Le temps se chargerait du reste... Le temps qui guérit toutes les blessures. Un jour, tout cela ne serait plus qu'un vague souvenir même si, pour l'instant, elle croyait que c'était la fin du monde.

Aux yeux de Gabriella, la terre s'était arrêtée de tourner. Il ne lui restait plus rien. Sans Joe, elle ne voulait plus vivre. Son esprit voguait vers lui, vers le journal qu'elle avait écrit pour lui, vers les moments qu'ils avaient partagés, les discussions, les confidences, les rires et les chuchotements, les promenades à Central Park, les baisers volés, les brèves heures de passion dans l'appartement emprunté... Elle ne parvenait plus à se souvenir de l'adresse, et tandis qu'elle gisait, brisée, elle fit un effort surhumain pour se rappeler chacune de ses paroles, l'inflexion de sa voix, chaque instant... Ainsi que la fin, les deux prêtres, les messagers de malheur, assis de part et d'autre de mère Gregoria, pas plus tard que ce matin, venus lui annoncer qu'il avait mis fin à sa vie et qu'elle aurait ce crime sur la conscience. Hélas, ils avaient raison... Joe s'était suicidé par sa faute. Ce matin, alors qu'ils l'opéraient, elle l'avait vu si clairement... Elle avait presque réussi à le rejoindre. Elle aurait donné n'importe quoi pour le retrouver. Elle chercha frénétiquement à le ramener, à revoir son visage en fermant les yeux et en se laissant emporter, mais en vain. L'image ne s'imprimait pas dans son esprit et quand elle parvint à l'apercevoir, il n'avait pas l'air réel. Il l'avait quittée, comme les autres. Comme il avait dû souffrir, quelle peine immense et quel chagrin avaient dû l'assaillir pour qu'il prenne cette terrible décision. Ainsi, dix-sept ans plus tard, il répétait le geste de sa propre mère, qui avait choisi de mourir en laissant derrière elle un orphelin. Joe n'avait laissé personne derrière lui, à part Gabriella. Elle était toute seule à présent. Elle n'avait même pas leur bébé. Elle n'avait rien. Rien que des regrets.

Le soir, mère Gregoria lui rendit visite. Elle avait parlé deux fois au médecin dans l'après midi et savait que Gabriella avait frôlé la mort. Celui-ci avait répété les paroles de sa patiente à propos du père de l'enfant et avait ajouté qu'il était navré pour elle. Mère Gregoria l'était aussi. Elle le fut encore davantage lorsqu'elle revit Gabriella. Celle-ci était étendue sur un lit étroit, mortellement pâle. Ses joues paraissaient plus blanches que les draps et ses lèvres étaient bleuâtres, presque transparentes. Il était facile de deviner qu'ils l'avaient sauvée de justesse. On lui avait fait une nouvelle transfusion depuis, mais on ne voyait pas encore de différence sur sa figure blême. Au dire du médecin, elle avait perdu tant de sang qu'il lui faudrait des mois avant de recouvrer complètement la santé. Cela posait un sérieux problème à la Mère supérieure.

Elle s'assit au chevet de Gabriella en silence. La jeune femme était trop faible pour parler. Des larmes jaillissaient de ses yeux brûlants chaque fois qu'elle essayait d'articuler une phrase.

— Ne parle pas, mon enfant, murmura la vieille religieuse.

Elle prit la main de la malade, attendit que le sommeil lui ferme les yeux... Endormie, elle ressemblait à une morte, et cette pensée fit tressaillir mère Gregoria.

La nouvelle du décès du père Connors s'était répandue au couvent de bon matin. Toute la journée, il n'y eut plus que murmures et chuchotements. Le soir, au dîner, la supérieure avait fait une annonce selon laquelle le jeune prêtre était mort brutalement. Il n'y aurait pas de service religieux. Sa dépouille irait au crématorium et ses cendres seraient envoyées dans son Ohio natal où elles seraient enterrées près de sa famille. Telle avait été la décision de l'archevêque.

La mère de Joe, qui s'était suicidée, n'était pas enterrée dans un cimetière catholique, et monseigneur Flaherty était pressé de clore cette affaire gênante. Il n'y eut pas d'autres explications. Mais le fait que le défunt allait être incinéré avait semé le doute dans les esprits. Alors que mère Gregoria faisait une prière pour le repos de son âme, leurs yeux la scrutaient, pleins d'interrogations muettes. Elle avait jeté un coup d'œil circulaire sur l'assemblée et s'était aperçue que sœur Anne pleurait.

Celle-ci vint dans le bureau de la supérieure peu après. Elle était effondrée. Mère Gregoria lui fit signe d'avancer.

— Que se passe-t-il ?

Elle ne répondit rien. Assise en face de la supérieure, elle fondit en larmes.

— Tout est ma faute ! gémit-elle.

Quelque chose d'affreux était survenu, elle le savait, et elle en éprouvait de cruels remords.

— Je suis sûre que vous n'avez rien à voir avec les récents événements, répondit calmement mère Gregoria. Le décès du père Connors a été un choc pour tous, mais il n'a aucun rapport avec vous, sœur Anne. Les circonstances de sa mort sont complexes... il avait certainement un problème de santé que nous ignorions.

— Un des enfants de chœur a dit à l'épicier que le père Connors s'est pendu.

Elle sanglotait ouvertement. L'épicier l'avait raconté au facteur qui l'avait répété à sœur Anne en lui remettant le courrier.

— Ma sœur, ne prêtez pas l'oreille à ces racontars ! dit mère Gregoria, mécontente.

— Et où est Gabriella ? D'après sœur Eugenia, une ambulance l'a transportée à l'hôpital et personne ne sait pourquoi.

— Elle va bien. Elle a eu une crise d'appendicite la nuit dernière, et m'en a avertie ce matin.

Sœur Anne avait vu les deux prêtres aux visages sombres sortir du bureau de la supérieure. Le couvent constituait une petite communauté, un monde à part, et comme partout, même ici, dans les bras de Dieu, les rumeurs allaient bon train... Un soupir excédé gonfla la poitrine de la Mère supérieure. Elle détestait les can-

cans. Mais pour le moment, le plus urgent était de rassurer la jeune postulante qui pleurait.

— Je vous ai envoyé une lettre anonyme, poursuivit celle-ci d'une voix entrecoupée de sanglots... dans laquelle je vous disais qu'elle flirtait avec lui... j'étais jalouse, ma mère... Je ne voulais pas qu'elle obtienne ce que j'ai perdu avant d'entrer en religion.

— Vous avez eu tort, mon enfant, répliqua mère Gregoria d'une voix apaisante. (Elle se rappelait parfaitement chaque mot écrit sur la feuille blanche.) Mais la lettre n'a causé aucun mal. Je n'y ai accordé aucune attention. Du reste, vos craintes n'étaient pas fondées. Ils étaient simplement amis ; ils n'avaient l'un pour l'autre que de l'estime. De l'admiration. Maintenant, oubliez tout cela et retournez parmi vos sœurs.

L'ayant réconfortée, elle la renvoya chez sœur Emanuel avec un mot priant la maîtresse des postulantes de venir la voir dès que ses élèves seraient au lit. Sœur Immaculata ainsi que d'autres reçurent la même convocation. Le soir même, elles étaient douze à se rassembler dans le bureau de la supérieure.

Douze visages dans l'attente la sondèrent, ce soir-là, à dix heures. La supérieure engagea chacune à faire taire les rumeurs de son mieux. En cette période de deuil pour elles et surtout pour les prêtres de Saint-Stephen, il fallait redoubler de vigilance. Il était inutile de chercher à connaître des détails qui, tel le vent qui ravive le feu, ne serviraient qu'à alimenter le brasier du scandale. Au contraire, elles avaient toutes les raisons d'arrêter les suggestions subversives du Malin. Mère Gregoria prononça son discours avec force et fermeté. Lorsque les religieuses lui posèrent des questions sur Gabriella, elles reçurent la même réponse que sœur Anne. Elle avait eu une crise d'appendicite, et elle reviendrait dans quelques jours, quand elle irait mieux.

— Mais tout ce qu'on a dit sur eux, ma mère ? Est-ce que c'est vrai ?

Sœur Mary Margaret, la nonne la plus âgée, n'avait

aucun scrupule à interroger la supérieure, qui était sa cadette.

— On raconte que Gabbie et le père Connors étaient amoureux l'un de l'autre.

Mais pas que Gabriella était enceinte ! Mère Gregoria remercia le Seigneur de cette petite indulgence.

— Comment est-ce possible ? poursuivit l'aînée des religieuses. Est-ce qu'il s'est suicidé ? Les novices n'ont pas cessé d'en parler toute la journée.

— Mais pas nous, sœur Mary Margaret, rétorqua sévèrement la supérieure. Les circonstances de la mort du père Connors m'échappent et je ne veux pas les connaître. Je souhaite, par conséquent, que vous cessiez d'y penser. Il est entre les mains de Dieu, là où nous irons tous et toutes un jour. Prions pour son salut au lieu de chercher à savoir comment il est mort. Je suis certaine que quoi qu'il se soit passé entre lui et sœur Bernadette, cela ne mérite pas qu'on s'y arrête. Ils étaient tous deux jeunes, intelligents et innocents. Et si jamais ils étaient attirés l'un par l'autre, de quelque manière que ce soit, je suis sûre qu'ils n'en étaient pas conscients. Quant à moi, je souhaite ne plus en entendre parler. Est-ce clair, mes sœurs ? Les rumeurs sont terminées... Et afin de m'assurer que mes vœux — qui sont les mêmes que ceux des prêtres de Saint-Stephen — seront respectés, le couvent observera le silence pendant les sept jours à venir. Je ne tolérerai aucune conversation, aucun propos, dès demain matin au lever. Lorsque nous reparlerons, nous évoquerons, je l'espère, d'autres sujets.

— Oui, ma mère, répondirent les religieuses en chœur, impressionnées par la force avec laquelle elle s'était exprimée.

Mais les instructions de la supérieure ne partaient pas seulement du besoin de protéger l'Eglise. Mère Gregoria ne voulait plus entendre mêler le nom de Gabriella au scandale causé par le jeune prêtre qui avait délibérément écourté sa vie. Elle débordait de reconnaissance envers Dieu qui n'avait pas permis que la grossesse de sa protégée éclate au grand jour. Les prêtres qui avaient assisté à son évanouissement avaient tout intérêt à garder le silence. Ils l'avaient promis à la Mère supérieure avant de quitter le couvent. Le départ précipité de Gabriella en ambulance avait bouleversé les sœurs mais dans son immense sagesse, le Seigneur n'avait pas permis que l'on remarque ce qui s'était vraiment passé. L'histoire de l'appendicite paraissait, dès lors, la meilleure explication.

Quand les douze religieuses l'eurent quittée, mère Gregoria resta un moment seule dans son bureau. Ensuite, elle se rendit à la chapelle, s'agenouilla et pria la Vierge, tandis que les sanglots, trop longtemps retenus, commençaient à la secouer. Elle donna libre cours aux larmes qu'elle avait retenues depuis le matin. Elle ne supportait pas l'idée de perdre Gabriella, ni le fait que cette dernière avait été de nouveau blessée par un monde cruel qui avait déjà dévasté sa vie, un monde qu'elle n'était pas préparée à affronter. Si seulement les deux amoureux s'étaient arrêtés avant qu'il soit trop tard... si seulement ils avaient écouté la sagesse de leur cœur... mais ils étaient si jeunes, si candides... si inconscients aussi des risques qu'ils encouraient. Mère Gregoria resta longtemps agenouillée. Elle se rappela Gabriella enfant, à son arrivée au couvent... Elle pria pour l'âme de Joe Connors. Elle devinait trop bien dans quelles affres il avait dû se débattre la nuit de sa mort. Comme elle devinait le désespoir et la solitude de Gabriella... Et tandis qu'elle poursuivait sa prière, elle se dit qu'il n'y avait pas pire enfer que celui-ci.

14

Mère Gregoria n'alla plus voir Gabriella, mais elle appela tous les jours l'hôpital pour prendre de ses nouvelles. Les infirmières de garde lui faisaient des rapports encourageants. Les médecins avaient arrêté les transfusions, la patiente se reposait ; peu à peu, elle recouvrait ses forces. La supérieure savait, toutefois, que le corps de Gabriella se rétablirait plus vite que son âme blessée.

Une chance, pensait-elle, que l'ambulance l'ait transportée dans un autre hôpital que Mercy... auquel cas, il lui aurait tout simplement été impossible d'endiguer les rumeurs. Postulantes et novices avaient cru à l'histoire de l'appendicite, et la scrupuleuse observation de la règle du silence avait stoppé net toute discussion à ce propos. Restait Gabriella, songeait mère Gregoria en soupirant. Elle s'était concertée avec les prêtres de Saint-Stephen au sujet de la jeune postulante. Le lendemain du drame, l'archevêque s'était déplacé en personne à Saint-Matthew. Ramener Gabriella au couvent équivaudrait à semer la mauvaise graine dans le jardin sacré du Seigneur, avait-il déclaré. La Mère supérieure ne s'était pas inclinée tout de suite face à cette décision, trop douloureuse pour elle. Elle avait imploré la clémence des autorités ecclésiastiques. Pourtant, s'il s'était agi de n'importe quelle autre religieuse et pas de l'enfant qu'elle chérissait tendrement, elle aurait été de l'avis de l'archevêque. Visiblement,

Gabriella ne réunissait plus les conditions requises par l'ordre. Peut-être un jour... plus tard... ailleurs... avait vaguement répondu l'archevêque Flaherty. Mais pas maintenant. Sur ce point, le prélat s'était montré inflexible. La Mère supérieure avait le triste privilège d'annoncer la nouvelle à la renégate.

Elle envoya une religieuse la chercher à sa sortie de l'hôpital, non sans lui avoir rappelé au préalable son vœu de silence. Dès leur retour, Gabriella fut conduite au bureau de la supérieure.

Rien n'avait préparé celle-ci au spectacle pitoyable qui s'offrit à sa vue. La Gabriella qui pénétra dans la pièce n'avait plus rien à voir avec la rayonnante jeune fille d'autrefois. Celle qui se présenta sur le seuil était si effrayée, si pâle, qu'elle faisait penser à un spectre. Elle s'assit sur une chaise droite, inconfortable, celle sur laquelle elle s'était assise pour apprendre que Joe s'était pendu dans sa chambre à Saint-Stephen... Elle avait alors failli mourir, elle aussi, et à vrai dire, aujourd'hui encore, elle souhaitait disparaître. Quand ses yeux rencontrèrent le regard de la Mère supérieure, ils n'exprimaient que le vide.

— Comment vas-tu, mon enfant ?

Question inutile. Il n'était pas difficile de se rendre compte que cela n'allait pas. Qu'intérieurement elle était morte, aussi morte que Joe et leur bébé.

— Je vais bien, ma mère. Je vous ai créé beaucoup d'ennuis, excusez-moi.

Sa voix fêlée soulignait son apparence d'extrême fragilité, accentuée par la coiffe et l'habit noirs. Le mot « ennuis » semblait bien faible pour exprimer la perte de deux vies et la destruction d'un cœur.

— Je sais ce que tu ressens.

Il n'y avait qu'à voir le petit visage torturé. Mais personne ne pouvait lui venir en aide. Gabriella devait retrouver toute seule la paix de l'esprit et le pardon... Il fallait qu'elle fasse son propre chemin. Un chemin semé d'épines...

— Je suis entièrement responsable de la mort du père Connors, ma mère. Je comprends que...

Ses lèvres, son menton tremblaient. Elle eut toutes les peines du monde à finir sa phrase.

— ... qu'une vie entière de pénitence ne suffira pas à effacer ma faute.

L'espace d'une seconde, mère Gregoria oublia qu'elle était religieuse. C'est en tant que femme qu'elle prit la parole.

— Rappelle-toi toujours ceci, mon enfant. Sa mère s'est suicidée quand il était encore très jeune. Le suicide est une action condamnable, pas seulement aux yeux de Dieu mais aussi à ceux des êtres qu'on laisse derrière soi. Quelle que soit ta part de responsabilité dans cette affaire, il portait le suicide en lui comme une terrible impulsion qu'il n'a pas eu la force de combattre.

La supérieure poussa un soupir. A sa manière, elle avait donné l'absolution à Gabriella. Non seulement elle ne lui avait pas jeté la pierre mais elle avait essayé d'alléger son sentiment de culpabilité. A son avis, il y avait déjà une faille dans l'esprit du père Connors, une profonde et invincible faiblesse.

— Tu es très forte, Gabriella, reprit-elle en se donnant laborieusement une contenance. Quelles que soient les peines ou les récompenses qui t'attendent, tu arriveras à y faire face. Dieu n'envoie jamais plus de malheurs qu'on ne peut en surmonter. Même quand tu penseras que c'est trop dur, souviens-toi que tu es capable de survivre.

Le message, si sincère fût-il, alarma Gabriella. Tous lui avaient dit la même chose. Et chaque fois, ces mots avaient été le signe avant-coureur d'un abandon.

— Je ne suis pas forte, murmura-t-elle d'une voix brisée. Pourquoi me dites-vous tous la même chose ? Ne me connaissez-vous donc pas ?

Des larmes brillaient dans ses yeux.

— Tu as plus de force que tu ne le crois. Plus de

courage aussi. Un jour tu t'en apercevras. Les gens qui t'ont blessée, Gabriella, c'étaient eux, les faibles.

Comme Joe. Comme son père. Comme sa mère.

— Tu peux tout, mon enfant. Il suffit de le vouloir.

Mais Gabriella secoua la tête. Elle redoutait la suite, tout autant que mère Gregoria.

— Je suis dans l'obligation de t'annoncer une mauvaise nouvelle, Gabriella...

Une nouvelle affreuse, cruelle, mais la supérieure n'avait plus le choix. Si sa compassion la prédisposait à la miséricorde, son devoir, son sens de l'obéissance acquis au terme d'une vie entière de soumission la forçaient à se plier aux instructions de l'archevêque. Elle ne mettrait pas en cause l'autorité de l'Eglise, même pour Gabriella.

— Monseigneur Flaherty souhaite que tu nous quittes, mon enfant... Quoi qu'il se soit passé entre le père Connors et toi...

La vieille femme s'interrompit au milieu de la phrase, comme si l'air venait à lui manquer. Gabriella la fixait, horrifiée, mais elle n'avait d'autre recours que de poursuivre, il le fallait.

— ... il y a maintenant une fissure dans le mur que nous avons bâti pour te protéger... Même si elle est réparée, la fissure sera toujours visible... elle s'élargira même. Ce que tu as fait, ce que tu as partagé avec lui constitue peut-être la preuve que tu n'appartiens pas à notre univers. Nous t'avons peut-être influencée, mon enfant... et tu es restée parmi nous parce que tu avais peur...

— Non, ma mère, non ! la coupa Gabriella, affolée. J'aime être ici. J'ai toujours aimé le couvent. Je veux rester. Je vous en supplie...

Sa voix avait monté, dérapant dans les aigus. Elle se battait pour sa vie. Mère Gregoria se força au calme. Le plus dur était fait.

— Tu ne peux pas rester ici, mon enfant. Les portes de Saint-Matthew te sont fermées à jamais... mais pas nos cœurs... pas nos âmes. Je prierai pour toi jusqu'à ma mort. Il faut que tu partes maintenant. Va au vestiaire. On te donnera deux robes. Tu garderas les chaussures que tu portes... L'archevêque nous autorise à te remettre cent dollars...

Sa voix se fêla mais elle s'obligea à ne pas faiblir. Le souvenir de Gabriella le jour de son arrivée la hantait. Une petite fille aux yeux effrayés. Aujourd'hui, elle avait le même regard. Mère Gregoria ne pouvait plus l'aider. Elle ne pouvait plus que l'aimer.

— ... auxquels j'ajouterai quatre cents dollars de ma poche. Tu trouveras un appartement, un emploi. Il y a tellement de choses que tu peux faire. Dieu t'a donné l'intelligence et un cœur pur. Il te protégera... Tes écrits sont ton meilleur atout. Un don extraordinaire. Utilise-le à bon escient. Mets ton talent au service de l'humanité. Prends soin de toi. Ne te cause pas du tort. Et sache, mon enfant, que, où que tu sois, nos prières te suivront... Tu as commis une faute très grave, Gabriella, mais tu en as payé le prix. Il faut que tu arrives à te pardonner tes offenses.

Ce disant, mère Gregoria avança la main, pour la dernière fois, vers la jeune femme qu'elle avait aimée comme sa propre fille.

— Pardonne-toi tes erreurs, mon enfant, répéta-t-elle, comme je te les ai pardonnées.

Gabriella posa le front sur le bois rugueux du bureau, secouée de sanglots. Sa main agrippait celle de la vieille religieuse. Elle n'arrivait pas à croire qu'elle devait la quitter. C'était ici sa maison, son havre de paix, son refuge. Mais elle avait trahi ses engagements. Elle avait abusé de la confiance de la femme qu'elle respectait le plus au monde, et maintenant la pomme avait été croquée, le serpent avait gagné, elle était chassée du paradis.

— Je ne peux pas... gémit-elle, implorant sa pitié.

— Il le faut. Nous n'avons plus le choix. Ce ne sera

que justice pour les autres. Tu ne peux plus vivre parmi elles comme avant, après ce qui s'est passé.

— Je ne leur dirai jamais rien. Je vous en donne ma parole.

— Mais elles le sauront, Gabriella. En leur âme et conscience elles savent toutes qu'un drame s'est produit, même si nous avons essayé de te protéger des rumeurs. Si tu restes, plus rien ne sera pareil. Tu te reprocheras toujours d'avoir trahi tes sœurs. Un jour viendra où tu les détesteras et où tu te détesteras.

— Je me déteste déjà, hoqueta-t-elle.

Elle avait poussé le seul homme qu'elle avait jamais aimé au suicide, elle avait perdu leur enfant. Mère Gregoria l'obligeait à s'en aller, et toutes ces pertes successives l'emplissaient d'une angoisse si terrifiante qu'elle allait sûrement en mourir... D'ailleurs, à quoi bon vivre ?

— Gabriella... dit calmement mère Gregoria en se levant, comme lors de leur première rencontre.

Cela avait été une journée pénible pour toutes les deux, et la vieille religieuse s'efforça de s'empêcher de trembler.

— Il faut que tu t'en ailles maintenant.

Gabriella la regarda, pétrifiée, tandis que la supérieure lui remettait une enveloppe qui contenait l'argent promis. Elle avait constitué ce pécule à partir de petites sommes que ses frères et sœurs lui envoyaient. En même temps, elle lui tendit plusieurs feuillets recouverts de son écriture. Une postulante les avait trouvés sous l'oreiller de Gabriella, et les avait confiés à sœur Emanuel sans les lire. Ayant reconnu le journal intime qu'elle avait tenu pour Joe, Gabriella le saisit prestement, d'une main fébrile.

Les deux femmes se dévisagèrent un long moment. Les sanglots de la plus jeune remplissaient l'espace. Elle fit deux pas en avant et mère Gregoria la prit dans ses bras, exactement comme le jour où sa propre mère l'avait quittée.

— Je t'aimerai toujours, murmura-t-elle à l'enfant

d'autrefois et à la femme que Gabriella deviendrait lorsqu'elle atteindrait l'autre versant de la montagne qui barrait son chemin.

Le voyage s'annonçait long et périlleux, mais la supérieure ne doutait pas qu'elle arriverait à bon port.

— Je vous aime tant... je ne peux pas vous quitter...

Gabriella avait repris sa voix de petite fille. Elle sentait sous sa joue la texture rêche de l'habit auquel elle allait bientôt renoncer.

— Tu m'auras toujours près de toi par la pensée. Je prierai pour toi.

Sans une parole de plus, elle accompagna la jeune femme jusqu'à la porte. Elle l'ouvrit, et pria la nonne qui attendait dans le couloir de conduire Gabriella au vestiaire où elle troquerait son habit contre deux robes ordinaires, cadeau d'une donatrice, et une valise cabossée. Gabriella sortit du bureau, les jambes flageolantes. Elle se retourna, les joues ruisselantes de larmes, et regarda une dernière fois mère Gregoria.

— Je vous aime, murmura-t-elle doucement.

— Va, avec l'aide de Dieu, répondit mère Gregoria.

Ensuite elle fit demi-tour et referma sa porte sans bruit. Gabriella contempla le battant clos d'un air incrédule. Qu'allait-elle devenir maintenant que mère Gregoria lui avait fermé la porte de son cœur ? De l'autre côté du panneau en bois, la vieille religieuse avait enfoui son visage dans ses mains et pleurait, mais Gabriella ne le saurait jamais.

Elle suivit son guide en direction du vestiaire. Le vœu de silence que la supérieure avait imposé au couvent était toujours en vigueur. Ce fut donc sans un mot que la nonne pointa l'index sur les deux robes destinées à Gabriella. Elles rivalisaient de laideur. L'une, coupée dans un affreux tissu en polyester imprimé de grosses fleurs bleu marine, était trop grande de deux tailles. L'autre, d'un noir lustré, était constellée de taches que les lessives successives n'avaient pas effacées. Celle-ci, pourtant, allait mieux à Gabriella, et correspondait davantage à son humeur. Elle porterait longtemps le deuil de son amour, de son enfant et de sa vie. Elle échangea son habit noir contre la robe noire, puis retira lentement sa coiffe... Combien de fois n'avait-elle pas esquissé ce même geste sous les yeux de Joe, lorsqu'ils partaient se promener dans un parc ou se retrouvaient dans l'appartement... Dorénavant, elle payait le prix de ces instants de bonheur. Le court voile noir qu'elle venait d'ôter représentait tout ce qu'elle avait perdu.

Elle se tint devant la nonne qui avait été assignée pour l'assister dans son départ. Leurs yeux embués se rencontrèrent. Sans un mot, elles s'étreignirent, alors que des larmes inondaient leurs joues. C'était une triste journée pour toutes les deux, une journée morose. Celle qui restait n'oublierait jamais le chagrin désespéré qu'elle avait lu sur le visage de Gabriella. Le cas de cette dernière servirait de leçon aux plus jeunes... Elle était renvoyée dans le monde, seule, sans aucune aide.

Gabriella mit l'argent, son journal et la robe à fleurs soigneusement pliée dans la valise en carton. Elle emboîta le pas à la femme qui pendant douze ans avait été sa sœur, et qui, bientôt, ne serait plus qu'un souvenir.

Elles atteignirent trop vite la porte monumentale dans le grand vestibule. Sœur Mary Margaret, en charge des entrées et des sorties des visiteurs, clopina vers les deux silhouettes immobiles. Pendant un long moment, toutes les trois restèrent là à se regarder, puis l'aînée des religieuses ouvrit la lourde porte, et d'un pas incertain, Gabriella franchit le seuil. Cela n'avait rien à voir avec les fois où elle se précipitait dans la rue sous prétexte de faire les achats des sœurs, pressée en fait de rencontrer Joe... Elle eut la sensation de faire un pas dans l'obscurité, alors que le soleil brillait. Elle demeura un instant immobile dans la lumière éclatante, puis elle se retourna. Ses yeux rencontrèrent ceux des deux religieuses, puis la plus âgée referma la porte et Gabriella sut qu'elle n'existait plus pour elles.

15

Gabriella contempla la porte close du couvent pendant un temps plus long que l'éternité... Où irait-elle ? Elle n'en avait pas la moindre idée. Sa tête était vide. Elle ne pouvait penser à rien en dehors de tout ce qu'elle avait perdu en ces quatre jours : un homme, une vie, un bébé. Et cela faisait si mal qu'elle se sentit vaciller.

Elle prit la valise presque vide et s'éloigna à pas lents. Aller quelque part, mais où ? Trouver une chambre, un emploi, mais comment ? En regardant passer les bus bondés, elle se rappela que lorsqu'elle faisait ses études à Columbia, plusieurs de ses camarades logeaient dans des foyers d'étudiantes ou dans de petits hôtels qui se trouvaient... (Elle fit un énorme effort de mémoire)... dans Upper West Side, crut-elle se souvenir. A l'époque elle n'y avait prêté aucune attention.

Ses pieds avançaient... avançaient... Elle finit par monter dans un bus. Elle n'avait aucune destination précise et c'est alors que lui vint l'idée de retrouver son père. Elle descendit à l'arrêt de l'angle de la 86e Rue et de la Troisième Avenue, et se dirigea vers une cabine téléphonique d'où elle appela les renseignements de Boston. Une opératrice lui répondit qu'il n'y avait pas de John Harrison dans l'annuaire. Gabriella raccrocha. Elle ignorait où son père travaillait, s'il était encore en vie, encore moins s'il avait envie de la revoir. Cela faisait treize ans qu'elle l'avait vu pour la dernière fois.

Elle avait aujourd'hui vingt-deux ans... Tandis qu'elle s'approchait d'un restaurant, un vertige la saisit. Elle n'avait rien avalé depuis le matin. Mais elle n'avait pas faim.

Une foule de gens pressés marchait sur les trottoirs. Hommes, femmes, mères promenant leurs bébés dans des poussettes. Chacun semblait aller quelque part. Seule Gabriella errait sans but, sans destination. Comme un rocher au bord d'une rivière qui voit passer le courant charriant bouts de bois et feuilles mortes. Elle entra dans un café et commanda du thé. Elle fixa sa tasse en se remémorant les paroles de mère Gregoria. Pourquoi lui disaient-ils tous qu'elle était forte ? Elle connaissait à présent la signification de cette phrase ; c'était le glas de ses espérances, le signe que ceux qu'elle aimait allaient la quitter. Ils la préparaient à être forte parce qu'il faudrait bien qu'elle le soit, quand ils ne seraient plus là.

Elle finit sa tasse de thé et prit un journal oublié sur la chaise voisine. Dans la rubrique des petites annonces figuraient plusieurs pensions... Il y en avait une pas très loin, dans la 88e Rue Est, près d'East River. Un quartier qu'elle ne connaissait pas, mais il fallait bien un début. De toute façon, sans emploi, elle n'aurait sûrement pas les moyens de rester longtemps.

Elle régla sa consommation avant de ressortir sur le trottoir inondé de soleil. Elle se sentait faible, le thé ne l'avait pas ranimée. Depuis des jours, elle avait l'impression d'être glacée, après avoir perdu tant de sang, et aucune boisson ne parvenait à la réchauffer. Elle était encore très pâle, tout son corps lui faisait mal, et elle longea les pâtés de maisons en direction d'East River en se demandant quel était le prix d'une chambre. Les cinq cents dollars ne feraient pas long feu. Jusqu'alors, elle n'avait jamais eu à s'occuper d'elle. Elle ignorait le coût des choses les plus élémentaires : nourriture, logement, vêtements. Elle adressa une pensée émue à mère Gregoria. Sans cet argent, elle aurait été vraiment dans une situation désespérée.

Elle dépassa l'immeuble sans remarquer le petit panneau, puis revint sur ses pas. C'était un petit bâtiment en briques brunes à la façade délabrée. Un écriteau sur une fenêtre poussiéreuse indiquait : « Chambres à louer ». Rien ici n'invitait à entrer, mais elle poussa la porte. Le hall dans lequel elle pénétra lui parut défraîchi mais propre. Une odeur de soupe aux choux saturait l'air... Ce rez-de-chaussée ne ressemblait en rien à celui, ordonné, immaculé, du couvent de Saint-Matthew.

— Oui ? Qu'est-ce que vous voulez ? fit une voix avec un accent à couper au couteau.

Alertée par les pas de Gabriella, une femme avait passé la tête par une petite porte entrebâillée.

— Je... euh... J'ai vu l'écriteau, et l'annonce dans le journal. Y a-t-il encore des chambres libres ?

— Ça se pourrait.

Elle avait un accent tchèque ou polonais, se dit Gabriella. Elle se rappelait vaguement les accents des invités de ses parents, bien que cette femme fût très différente. Elle regardait Gabriella par en dessous et son cerveau fonctionnait à cent à l'heure. La logeuse ne voulait ni drogués, ni prostituées. Gabriella paraissait plus jeune que son âge, et cela lui fit froncer les sourcils. Elle ne voulait pas de jeunes fugueuses non plus, il ne manquerait plus que la police débarque... Elle dirigeait une maison respectable. Ses locataires étaient honnêtes. Elle préférait les retraités, qui touchaient chaque mois leur pension et payaient le loyer rubis sur ongle. Ils ne faisaient pas de bruit, ne lui créaient pas d'ennuis, sauf lorsqu'ils tombaient malades ou mouraient... Elle évitait également les personnes qui faisaient la cuisine dans leur chambre, et les jeunes, qui ne respectaient jamais le règlement. Ça fumait, ça buvait, ça cuisinait, ça recevait des visites à des heures indues, ça faisait un boucan de tous les diables...

— Est-ce que vous avez un emploi ? s'enquit la logeuse.

Ceux qui n'avaient pas d'emploi n'arrivaient pas à payer leur loyer et cela devenait vite un problème.

— Non... pas encore... répondit Gabriella sur un ton d'excuse, préférant dire la vérité. J'en cherche un, justement.

— Ah bon. Alors revenez quand vous en aurez un.

A l'évidence, il ne s'agissait pas d'une héritière, d'une fille à papa dont les parents habitent Park Avenue et règlent le loyer de leur progéniture... Bien sûr, si elle avait été riche, elle ne serait pas venue ici.

— D'où venez-vous ?

La logeuse la scrutait d'un œil suspicieux, ce dont on ne pouvait lui en vouloir. Gabriella hésita une fraction de seconde. Comment expliquer qu'elle n'avait pas de travail ni de domicile sans donner l'impression qu'elle sortait de prison ou Dieu seul savait quoi encore ? Sa vilaine robe noire et tachée n'améliorait pas son image.

— De Boston, répondit-elle finalement, tenant à ce père qu'elle n'était pas parvenue à retrouver. Je suis arrivée à New York aujourd'hui.

La femme hocha la tête. L'histoire semblait vraisemblable.

— Et vous cherchez quoi, comme travail ?

— N'importe lequel, dit-elle honnêtement. Je me mettrai à chercher dès demain.

— Il y a un tas de restaurants sur la Deuxième Avenue, et des bistrots allemands dans la 86e Rue. Vous trouverez facilement un emploi de serveuse.

Elle éprouvait de la compassion pour l'arrivante. Elle semblait fatiguée, à en juger par sa pâleur. La pauvre petite ne devait pas avoir une santé de fer, pensa la logeuse. En tout cas, elle n'avait pas l'air droguée. Au contraire, elle paraissait propre et très convenable. Mme Boslicki finit par fléchir.

— J'ai une petite chambre sous les toits. Rien de

luxueux... Vous partagerez la salle de bains avec trois autres locataires.

— Combien coûte-t-elle ? demanda Gabriella sans dissimuler son anxiété.

— Trois cents dollars par mois, repas non compris. Vous ne pouvez pas faire la cuisine... Pas de plats chauds, pas de brûleurs, pas de bouilloire. Vous sortez pour dîner ou vous rapportez un sandwich ou une pizza.

Cela ne semblait poser aucun problème à l'arrivante. Elle avait l'air de ne jamais manger. Elle était mince comme un fil et ses yeux, immenses, dévoraient sa petite figure, si bien que la logeuse conclut qu'elle devait mourir de faim.

— Vous voulez voir ?

— Volontiers, merci.

Elle s'exprimait correctement, avec politesse. Un point de plus pour Mme Boslicki, qui avait les voyous et autres jeunes malotrus en horreur. Elle louait des chambres depuis vingt ans — depuis la mort de son mari — et elle s'était toujours méfiée des hippies comme de la peste.

Gabriella la suivit dans les étages. A mi-chemin, Mme Boslicki lui demanda si elle aimait les chats. Elle en avait neuf, ajouta-t-elle, ce qui expliquait l'odeur, en bas. Gabriella lui assura qu'elle les adorait. Parfois, lorsqu'elle jardinait au couvent, un chat venait lui tenir compagnie... Elles atteignirent enfin le dernier étage. A cause d'une légère surcharge pondérale, la logeuse était essoufflée. Mais pas autant que Gabriella. Celle-ci avait cru qu'elle n'y arriverait pas. Le médecin l'avait d'ailleurs mise en garde contre les escaliers et les sacs trop lourds. Selon lui, elle ne survivrait pas à une nouvelle hémorragie.

— Ça va ? demanda la logeuse.

Sa future locataire affichait une pâleur effrayante. Son teint avait viré au vert. Elle se déplaçait avec une lenteur dramatique.

— J'ai été malade, expliqua Gabriella à la femme en robe d'intérieur fleurie.

Mme Boslicki hocha la tête. Elle avait des mules aux pieds, un petit chignon sur la nuque... On aurait dit une gentille grand-mère.

— Faites attention ! Un simple refroidissement se transforme en pneumonie en un rien de temps... Est-ce que vous toussez ?

Sa méfiance avait refait surface. Elle ne voulait pas non plus de tuberculeux chez elle.

— Non, je me sens mieux maintenant, affirma Gabriella, tandis que la logeuse déverrouillait et poussait la porte de la chambre.

Le battant s'ouvrit sur un espace minuscule, presque entièrement occupé par un lit étroit, une chaise, une petite table recouverte d'une nappe au crochet. Elle avait loué ce cagibi à une vieille dame de Varsovie durant des années. Celle-ci avait rendu son dernier soupir l'été passé et depuis, elle n'avait pas pu trouver de nouveau locataire. Trois cents dollars constituaient un prix exorbitant pour ce trou, elle en avait conscience. La peinture des volets s'écaillait, les rideaux tombaient en lambeaux, le tapis était usé jusqu'à la corde... La logeuse regarda Gabriella dont le visage restait fermé. Les cellules spartiates du couvent n'étaient pas aussi déprimantes. Pour la première fois, Mme Boslicki perdit un peu de sa belle assurance.

— Je vous la laisse à deux cent cinquante, déclara-t-elle, fière de sa générosité.

Mieux vaut un prix plus raisonnable que pas de loyer du tout, pensa-t-elle en même temps.

— Je la prends, dit Gabriella sans l'ombre d'une hésitation.

C'était une pièce sinistre, mais elle n'avait nulle part où aller, et elle avait peur de perdre cette occasion. Elle se sentait éreintée. L'ascension des quatre étages l'avait épuisée. Elle n'aspirait qu'à s'allonger, à se reposer. Elle avait besoin d'un toit pour la nuit mais, en examinant sa nouvelle demeure, elle dut réprimer ses larmes, tout en tendant à la logeuse la moitié du pécule de mère Gregoria.

— Je vais vous donner des draps et des serviettes. Vous laverez vous-même votre linge... Il y a une laverie automatique en bas de la rue et beaucoup de restaurants. La plupart de mes locataires prennent leurs repas à la cafétéria du coin.

« Pourvu que cela ne soit pas trop cher », songea Gabriella. Il ne lui restait plus que deux cent cinquante dollars. Du moins, elle avait une chambre pendant un mois.

Elles traversèrent le palier et Mme Boslicki lui montra ce qu'elle appelait pompeusement la salle de bains... Une baignoire munie d'un pommeau de douche et d'un rideau de nylon rose, un W.C., un petit lavabo, surmonté d'un miroir accroché à un clou. C'était laid mais fonctionnel.

— Vous nettoyez la baignoire après l'avoir utilisée, d'accord ? Je fais le ménage à fond une fois par semaine. Le reste du temps, les locataires s'en occupent... Une salle de séjour se trouve au rez-de-chaussée, elle est à votre disposition. Il y a la télé, ajouta-t-elle, non sans fierté... et un piano. Est-ce que vous jouez ?

— Non, je suis désolée.

Sa mère jouait du piano mais pour rien au monde elle n'aurait fait prendre de leçons à sa fille. C'était peine perdue, disait-elle. Au couvent, Gabriella avait opté pour le jardinage plutôt que pour la musique. Elle n'avait pas d'oreille. Les nonnes la taquinaient parce qu'clle chantait faux.

— Trouvez vite un emploi, de manière à pouvoir rester ici. Vous êtes bien sympathique, dit Mme Boslicki avec chaleur.

Gabriella lui plaisait de plus en plus. Elle était calme et bien élevée, ce qui ne gâchait rien. Pas du tout le genre à vous faire des ennuis.

— Prenez soin de vous, reprit Mme Boslicki. On dirait que vous avez été très malade... Il faut vous nourrir correctement si vous voulez retrouver des forces.

Ce disant, elle promit de revenir avec les serviettes et les draps. Gabriella répondit qu'elle descendrait les chercher plus tard, afin d'épargner à Mme Boslicki de remonter l'escalier. La logeuse descendit l'escalier en serrant dans sa main les billets verts et crissants qu'elle venait de gagner.

Gabriella retourna dans sa chambre. Un regard circulaire acheva de l'abattre. Elle s'assit sur la chaise inconfortable en se demandant par quel miracle elle arriverait à rendre cet endroit moins lugubre. Elle achèterait quelques objets, lorsqu'elle aurait un emploi, pensa-t-elle... un nouveau couvre-lit, une ou deux gravures aux murs, un vase avec des fleurs sur la table... Mais pas pour le moment. En poussant un soupir, elle rangea son petit bagage dans le placard où elle suspendit sa deuxième robe. Elle laissa le journal qu'elle avait tenu pour Joe dans la valise... Le journal que Joe n'avait jamais lu. Incapable de résister, elle le tira de la valise et se mit à le feuilleter sur le lit. Toute leur histoire se déroula sous ses yeux. Leurs rencontres, son amour pour lui. Les feuillets bourdonnaient encore de l'écho de leurs discussions passionnées et de cette exquise terreur qui l'avait habitée lors de leur premier rendez-vous clandestin. Elle y avait tout consigné, leurs ébats amoureux, l'espoir de vivre une vie entière avec lui et avec leur enfant... Alors qu'elle entamait le dernier chapitre, une enveloppe tomba, un rectangle blanc qu'elle n'avait jamais vu ; une main inconnue y avait tracé un nom : « Sœur Bernadette ». Brusquement elle reconnut l'écriture de Joe. En tremblant, elle décacheta l'enveloppe. La lettre d'adieu de Joe avant son suicide ! Le père O'Brian l'avait remise à mère Gregoria, qui l'avait à son tour glissée entre les feuillets du journal. Sans rien dire. Sans prévenir. Gabriella prit la lettre. Des larmes brillèrent dans ses yeux. Joe avait touché ce papier quelques jours plus tôt seulement. C'était tout ce qu'il lui restait de lui. Ces mots écrits avec application sur deux feuilles de papier blanc.

« Gabriella », commençait-il.

Il avait adressé l'enveloppe à « sœur Bernadette » afin d'être sûr qu'elle lui serait remise en mains propres. En même temps, il exposait là leur secret. Sans la lettre, peut-être serait-elle encore à Saint-Matthew... Mais c'était trop tard. Elle ne pouvait plus revenir en arrière. De nouveau, elle se pencha sur l'écriture de Joe.

« Je ne sais quoi dire, ni par où commencer. Tu es tellement meilleure, tellement plus forte que moi. Toute ma vie n'a été qu'une longue preuve de mes faiblesses, de mes failles, du fait que j'ai déçu beaucoup de gens... mes parents, entre autres, quand Jimmy s'est noyé, et que je n'ai pas pu le sauver. »

Il oubliait que son frère était son aîné de deux ans. Le petit garçon qu'il avait été ne s'était jamais pardonné de n'avoir pas réussi à accomplir l'acte héroïque, le miracle que ses parents avaient attendu de lui. Sans doute inconsciemment lui en avaient-ils voulu. Il l'avait senti, les avait détestés et dès lors, le fardeau de sa culpabilité n'en avait été que plus lourd.

« Peut-être que si je ne les avais pas déçus aussi cruellement, poursuivait-il, peut-être que si j'avais été capable de gagner leur confiance, ma mère ne se serait pas suicidée après la mort de mon père. Elle aurait dû savoir que je serais là pour la soutenir. Mais elle ne le savait pas. Et elle a préféré mourir plutôt que de vivre sans lui...

« Quand je suis arrivé à Saint-Mark, on m'a donné tout ce que je n'avais jamais eu. L'affection, la compréhension dont j'avais tant besoin, une multitude de possibilités. Les frères avaient foi en moi, ils m'ont tout pardonné, et je sais qu'ils m'ont aimé autant que moi je t'aime maintenant, autant que tu m'aimes. Voilà les seules certitudes que j'ai eues dans ma vie, les bonheurs auxquels je m'accroche maintenant encore, dans mes heures les plus sombres.

« Je me suis fait prêtre pour eux, pour les frères de Saint-Mark, sachant que je leur donnerais une grande joie. Ils n'en voulaient pas d'autre. Je leur ai offert mon cœur, ma vie, mon esprit. Je pensais que je pourrais ainsi racheter mes fautes vis-à-vis de ma mère et de Jimmy et que Dieu me pardonnerait.

« Pendant longtemps cela m'a semblé juste. J'étais heureux à Saint-Mark, puis à Saint-Stephen. J'avais fait ce qu'il fallait. J'aimais l'idée d'avoir échangé ma vie contre la leur... jusqu'au jour où je t'ai rencontrée. Alors, j'ai eu envie de récupérer ma vie. Je n'ai jamais connu le vrai bonheur, le véritable amour, jusqu'à ce que mon regard se pose sur toi. Dès le premier instant, je me suis rêvé comme ton mari, comme ton amant. J'aurais voulu vivre avec toi, t'offrir tout ce que j'avais, moi, ma vie, mon âme... A ceci près que ma vie et mon âme ne m'appartenaient plus.

« Chaque jour j'ai essayé d'imaginer notre existence commune. J'ai essayé de voir ce que j'éprouverais en t'épousant et si je deviendrais le mari que tu méritais. Mais au fond je savais que je te décevrais... Je ne suis pas capable de te rendre heureuse et je ne peux pas revenir sur la promesse que j'ai faite il y a longtemps. Je ne peux pas reprendre ma vie à Dieu, sous prétexte que j'ai trouvé quelqu'un d'autre que j'aime plus, avec qui je préfère être, plutôt que de le servir Lui. Je ne peux pas faire cela aux frères de Saint-Mark, ni à mes collègues, les prêtres de Saint-Stephen. J'ai échangé ma vie contre celles de ma mère et de Jimmy, parce que je les ai trahis. Et si je te choisis, je te trahirai aussi, fatalement, comme je me trahirai moi-même ainsi que ceux à qui j'ai déjà donné mon âme. Tu auras toujours mon cœur, je t'aimerai toujours, je serai toujours près de toi... Je ne supporte pas de vivre sans toi, ni de décevoir les autres une fois de plus... Je ne peux pas les quitter et leur prouver ainsi que je ne vaux rien. Nous n'aurions jamais une vie décente si je me contraignais à quitter l'Eglise. Je sais que, quoi qu'il m'en coûte, c'est ici que je dois rester. Le marché a été conclu il y a longtemps et je ne puis tenir les promesses que je t'ai faites. Or, je ne pourrai pas vivre un seul jour de plus, te sachant à proximité et ne pouvant pas te voir... Je ne peux pas vivre sans toi, Gabriella.

« Je m'en vais à présent retrouver Jimmy et maman. Le temps est venu pour moi de partir. J'ai fait ce que je pouvais ici bas. Durant les années de ma prêtrise, j'ai apporté soulagement et réconfort à beaucoup de gens. Mais comment pourrais-je les regarder en face maintenant ? Gabriella, je ne peux vivre qu'avec toi ou pas du tout. Je n'arriverai pas à tenir mes promesses vis-à-vis de toi, ni vis-à-vis d'eux. Je ne peux pas te laisser, et je ne peux pas les laisser. Je suis déchiré. Je suis un incapable. Comment veux-tu que je sois un bon père pour notre bébé ?

« Gabriella, tu es très forte... (Encore ces mots abhorrés ! Elle tressaillit, mais continua à lire à travers ses larmes.) Beaucoup plus forte que moi. Tu seras une merveilleuse maman pour notre enfant. Et moi, je serai plus heureux de vous regarder du ciel, si toutefois je vais au ciel... Dis à mon fils ou à ma fille que je vous ai beaucoup aimés... que j'étais un homme bon... que j'ai essayé et, oh, Gabbie, dis-lui que je t'ai adorée. Il faut que tu t'en souviennes toujours. Pardonne-moi ce que j'ai fait et ce que je vais faire à présent. Que Dieu vous protège tous les deux. Prie pour moi, Gabriella... je t'aime... et que Dieu me pardonne... »

A cet endroit, l'écriture semblait s'envoler hors de la page. Il avait signé simplement :

« Joe ».

Gabriella regarda la lettre pendant longtemps, en sanglotant doucement. Tout était clair désormais... Il avait cru qu'il les avait tous trahis et il attribuait autant de force à Gabriella qu'il ressentait de peur. Hélas, l'enfant dont il parlait était déjà parti, lui aussi. Si seulement il avait eu le courage de quitter Saint-Stephen, si seulement il s'était accordé une chance d'être heureux, elle lui aurait fait comprendre qu'il se trompait. Et qu'il n'avait trahi personne jusqu'à maintenant... Jusqu'à ce qu'il l'abandonne en lui disant qu'elle était forte, parce que lui ne l'était pas. La solitude engloutit Gabriella. Elle resta immobile, seule au monde, s'accrochant à cette unique lettre... Elle avait retenu un cri en la lisant, puis les larmes l'avaient submergée. Elle lut et relut les deux feuillets qui contenaient les angoisses de Joe, ses peurs, la culpabilité de se sentir responsable de la mort de son frère et du suicide de sa mère.

Et maintenant qui était responsable ? A qui la faute ? A elle, sans doute, car elle lui avait accordé une place qu'elle n'aurait pas dû. Et elle l'avait mené tout droit vers une autre faiblesse, plus grande que les précédentes... Elle avait pourtant agi par amour. Et c'était par amour qu'elle l'avait conduit au sommet de la falaise d'où il n'avait eu d'autre solution que de sauter dans l'abîme, l'entraînant avec lui dans sa chute... Mais elle était vivante. Et il était mort. Il l'avait condamnée à ceci : une chambre dans une pension, loin de tout ce qu'elle aimait, de tout ce qui lui était familier. Il l'avait laissée toute seule, avec quelques souvenirs et une lettre dans laquelle il lui expliquait qu'elle était forte, qu'elle devait rester forte dans l'adversité, et que lui avait opté pour la faiblesse. Et tandis qu'elle relisait les mêmes phrases pour la dixième fois, la colère flamba dans son cœur. Joe n'avait pas osé, n'avait pas essayé, ne l'aimait pas assez pour vivre. Il avait pris la fuite pour retrouver sa mère et Jimmy... Il avait choisi de mourir plutôt que de parier sur l'avenir, sur le bonheur. Il ne lui avait laissé aucun choix. Il s'était précipité vers la seule issue, laissant Gabriella se débrouiller sans lui... Si elle avait su, elle l'aurait secoué, elle l'aurait même quitté si cela avait pu lui redonner le goût de vivre. Mais il n'avait pas partagé ses peurs avec elle. Il était parti. Il avait fini au bout d'une corde, dans une chambre obscure.

Une partie d'elle-même le détestait pour sa lâcheté. L'autre partie l'aimait et l'aimerait toujours. Le soir tombait... A travers son unique fenêtre, elle regarda le ciel s'obscurcir. Les sages paroles de mère Gregoria lui revinrent en mémoire... La mère de Joe s'était suicidée elle aussi. D'après la vieille religieuse, la faille existait déjà chez Joe ; une faille fatale avec laquelle Gabriella n'avait rien à voir. Pourtant, elle se sentait la proie d'une culpabilité insoutenable. Au fond de son cœur, elle savait qu'elle était responsable de sa mort, comme il avait été responsable de la noyade de Jimmy. Il faisait nuit maintenant. Gabriella s'était passée de dîner. Elle resta longtemps allongée dans l'obscurité, sachant qu'en dépit de leur grand amour, elle l'avait tué... Elle avait payé un lourd tribut pour ce péché mais elle avait l'absolue certitude que, malgré cela, Dieu ne lui pardonnerait jamais.

16

Pendant la semaine qui suivit, Gabriella arpenta les rues... Elle chercha un emploi, n'importe lequel, dans tous les endroits possibles et imaginables. Grands magasins, cafétérias, restaurants, et jusqu'à la petite gargote infâme d'en face, au coin de sa rue. Elle ne récolta que des refus. Son diplôme de Columbia, ses dons pour le jardinage, son talent d'écrivain n'impressionnèrent personne. Les patrons des restaurants ne voulaient pas la prendre sous prétexte qu'elle n'avait jamais servi à table. Les chefs du personnel des grands magasins repoussèrent sa candidature parce qu'elle n'avait aucune expérience de la vente.

De bon matin, elle partait quadriller la ville, poursuivant ses recherches jusqu'au soir, espérant ne pas avoir de nouvelle hémorragie, car elle ne pouvait plus s'offrir le luxe de consulter un médecin. Ses économies s'épuisaient rapidement.

Un jour, tard dans l'après-midi, elle fit une halte dans une pâtisserie de la 86e Rue. Elle n'avait rien avalé depuis le matin. Elle ne résisterait pas longtemps à ce régime de famine, mais elle vivait dans la crainte de dépenser ses derniers dollars.

Elle prit un éclair et une tasse de café accompagnée du traditionnel pot de crème fouettée onctueuse. Tandis qu'elle buvait pensivement son café, le patron de l'établissement posa contre la vitre un écriteau sur lequel on pouvait lire : « On demande une serveuse. » Sa démarche serait sans doute inutile, pensa Gabriella, mais elle ne perdait rien à essayer. Elle le fit, alors qu'elle réglait l'addition. De but en blanc, elle déclara qu'elle n'avait aucune expérience, qu'elle avait besoin de travailler, et qu'elle ferait le service de son mieux. Au réfectoire du couvent, admit-elle pour la première fois d'un air désespéré, elle avait souvent servi à table. Jusqu'alors, elle n'avait jamais mentionné le couvent, soucieuse de ne pas se trouver dans la position désagréable de devoir répondre à des questions indiscrètes.

— Vous étiez religieuse ? demanda le patron, intéressé.

Il arborait une moustache blanche broussailleuse et une calvitie luisante qui lui donnaient l'allure de Geppetto, le gentil papa de Pinocchio.

— Non, j'étais postulante.

Ses grands yeux exprimaient une détresse insondable qui donnait envie de la protéger... Elle semblait avoir besoin d'un solide repas, songea son vis-à-vis, ému par son excessive minceur et sa pâleur effrayante.

— Quand pouvez-vous commencer ?

Elle possédait une distinction naturelle, remarqua-t-il. C'était une très jolie fille... Du moins elle le serait sans cette affreuse robe noire lustrée, toute tachée sur le devant. Gabriella la portait continuellement. Elle n'avait pas assez d'argent pour s'en acheter une autre. Pourtant, nota le patron, poursuivant son examen, son allure aristocratique trahissait une origine sociale élevée. Sans doute avait-elle connu des revers de fortune, conclut-il.

— Quand vous voulez, répondit-elle. J'habite près d'ici. Je suis libre immédiatement.

— J'en étais sûr, dit-il avec un sourire.

Elle ne serait pas fagotée ainsi si elle n'avait pas eu besoin d'argent.

— D'accord. Vous commencez demain. Six jours par semaine. De midi à minuit. Nous sommes fermés le lundi.

Cela faisait douze heures par jour. Gabriella, débordante de reconnaissance, aurait fait quinze heures s'il avait fallu. Elle aurait lavé par terre s'il le lui avait demandé...

Il s'appelait M. Baum et il était originaire de Munich, apprit-elle. Quatre autres femmes travaillaient au restaurant, toutes d'un certain âge, dont trois Allemandes. C'était une entreprise familiale. A midi, ils servaient de consistants plats du jour allemands, l'après-midi des en-cas, le soir et jusque tard dans la nuit des pâtisseries. Mme Baum faisait les gâteaux et la cuisine.

Gabriella arborait un sourire béat lorsqu'elle revint à la pension de la 88e Rue.

— Vous, ou vous avez rencontré le Prince charmant ou vous avez trouvé du travail, s'écria Mme Boslicki en la voyant.

La logeuse se faisait un sang d'encre pour elle. Gabriella partait de bonne heure en quête d'un emploi, rentrait le soir épuisée, montait dans sa chambre où elle s'enfermait, toutes lumières éteintes. Pour une jeunette de son âge, ce n'était pas une vie, de l'avis de la propriétaire de la pension.

— J'ai un emploi, annonça-t-elle, rayonnante. (Elle gagnerait deux dollars de l'heure, ce qui lui permettrait de payer son loyer. Jour après jour, l'argent de mère Gregoria fondait.) Dans une pâtisserie de la 86e Rue...

Son lieu de travail se trouvait à quatre pâtés de maisons de là. C'était la solution idéale, en dépit des nombreuses heures de présence. Rester debout toute la journée n'effrayait pas Gabriella malgré les risques d'une nouvelle hémorragie. Deux semaines s'étaient écoulées depuis sa fausse couche... Quinze jours auparavant, Joe était encore en vie. Une semaine plus tôt, elle avait été contrainte de quitter le couvent. Tant d'événements dramatiques étaient survenus en si peu de temps. Enfin, la chance lui souriait.

— Félicitations ! jubila Mme Boslicki, un large sourire aux lèvres. Maintenant le soir, vous descendrez peut-être au salon regarder la télévision et écouter de la musique. Mes autres locataires pensent que j'ai loué la chambre à un représentant de commerce.

— Je ne serai pas là le soir, madame Boslicki. Je travaillerai de midi à minuit... Mais je descendrai aujourd'hui, je vous le promets.

— *Après* avoir mangé un bon repas ! Regardez-vous, ma petite, vous êtes maigre comme un clou... Vous ne trouverez jamais un mari si vous ne vous nourrissez pas correctement. Les hommes n'aiment pas les maigres, vous savez.

Ce disant, elle agita un doigt menaçant sous le nez de Gabriella, qui éclata de rire. Mme Boslicki lui rappelait ses chères vieilles nonnes, même si celles-ci ne la poussaient pas à se chercher un mari. Au contraire...

Gabriella suivit néanmoins ses conseils. Le soir même, elle s'attabla à la gargote d'en face, où elle commanda un pain de viande cuit au four. Elle dégusta lentement ce plat simple mais nourrissant qui lui rappela la cuisine du couvent. La nostalgie l'envahit... Elle aurait donné dix ans de sa vie pour revoir mère Gregoria, ne serait-ce qu'une seconde, descendre majestueusement le grand escalier, les bras croisés, les mains enfouies dans ses manches, le lourd rosaire de bois autour de sa taille... Oh, elle aurait payé cher pour se retrouver un instant entourée des religieuses, sœur Agatha, sœur Timothy, sœur Emanuel... ou encore sœur Immaculata... Ses pensées étaient tournées vers elles quand elle regagna la pension. Se souvenant de sa promesse, elle fit une halte au salon, avec la ferme intention de ne pas rester plus de quelques minutes. Il y avait du monde, découvrit-elle. Ils étaient six ou sept à bavarder et à jouer aux cartes. La télévision était allumée, et un vieil homme qui ressemblait à Einstein s'efforçait d'accorder un antique piano. Il décréta qu'il fallait faire venir d'urgence un accordeur, ce à quoi

Mme Boslicki rétorqua que le son ne lui avait jamais paru plus juste.

Lorsque Gabriella entra dans la pièce, tous la regardèrent avec des yeux surpris, si bien qu'elle en fut gênée. Elle ne s'était pas attendue à ce que les pensionnaires soient aussi nombreux. Hommes et femmes frisaient la soixantaine, en dehors de l'homme au piano, qui était nettement plus âgé. Les femmes avaient des cheveux blancs et sourirent dès qu'elles aperçurent Gabriella. On eût dit qu'une bouffée de jeunesse avait pénétré dans la pièce. Sa beauté resplendissait malgré le vieux vêtement informe et usé — ce soir, elle portait la robe à fleurs bleu marine — et ses chaussures éculées. Ses cheveux blonds et brillants encadraient son délicat visage comme un halo. Ses immenses yeux bleus paraissaient si innocents que personne ne remarqua leur expression triste... Elle semblait trop jeune pour avoir eu des ennuis. Sa seule vue remplit d'un inexplicable bonheur tous ces retraités.

Mme Boslicki la présenta à ses locataires, des Européens pour la plupart. L'une des femmes, Mme Rosenstein, déclara avec fierté qu'elle était une rescapée du camp d'Auschwitz... Elle vivait chez Mme Boslicki depuis vingt ans maintenant.

— Le professeur Thomas, poursuivit la logeuse.

Gabriella se demanda si c'était son prénom ou son nom de famille. Il ébaucha une petite révérence en précisant qu'il s'appelait Theodore Thomas et qu'il n'était plus professeur. Lui aussi était à la retraite. Il avait enseigné la littérature à Harvard, expliqua-t-il, et notamment le roman anglais du dix-huitième siècle.

— Où avez-vous fait vos études ? demanda-t-il avec un sourire espiègle, abandonnant ses efforts pour rendre vie au piano.

L'idée qu'elle aurait pu ne pas faire d'études ne l'avait pas effleuré.

— A Columbia, dit-elle.

— C'est une excellente université.

Il lui sourit. A force d'entendre Mme Boslicki faire l'éloge de Gabriella, ils étaient tous ravis de la rencontrer enfin.

— Et maintenant que faites-vous, jeune dame ? s'enquit-il, et elle lui trouva alors un air de vieux professeur excentrique.

Oui, il était visiblement beaucoup plus âgé que les autres locataires. Gabriella lui attribua mentalement quatre-vingts ans — et elle ne se trompait pas — mais il avait l'œil clair, l'esprit aiguisé et un extraordinaire sens de l'humour.

— Je viens de trouver un emploi dans un restaurant de la 86e Rue, répliqua-t-elle d'un ton victorieux. Je commence demain.

— Un de ces endroits charmants qui servent de délicieuses pâtisseries, j'espère ! Nous vous rendrons une petite visite avec Mme Rosenstein en faisant notre promenade.

Le professeur prêtait une oreille attentive aux souvenirs de Mme Rosenstein. Ils étaient devenus bons amis. Theodore Thomas vivait à la pension depuis presque aussi longtemps qu'elle. Son épouse était morte dix-huit ans plus tôt. Le veuf, qui n'avait plus aucune famille, avait quitté peu après leur appartement et avait élu domicile chez Mme Boslicki. Aujourd'hui, il jouissait des charmes tranquilles de la retraite. Il appréciait la compagnie de sa logeuse et des autres pensionnaires. Il se félicita, néanmoins, de ce que la nouvelle arrivée fût aussi belle qu'intéressante. Elle avait un visage d'ange, une élégance folle, un style hors du commun, devait-il décréter plus tard.

Mais pour l'instant, il se contenta de la bombarder de questions sur ses études. Gabriella se laissa entraîner dans une conversation passionnante sur la littérature, les romans qu'elle avait étudiés à l'université... Elle finit par avouer qu'elle écrivait « un peu » mais ne voulut rien ajouter. Sur ce sujet, elle se montrait d'une extrême modestie. Ses textes ne présentaient aucun intérêt, déclara-t-elle. Elle omit d'ajouter qu'ils avaient plu aux religieuses. Joc en avait lu quelques-uns, bien sûr, lors d'un de leurs rendez-vous à Central Park. Il les avait adorés mais, comme les nonnes, il la connaissait et l'aimait, si bien que son jugement manquait d'objectivité.

— J'aimerais bien vous lire un jour, dit le professeur, lui accordant une importance qu'elle estimait ne pas mériter.

— Je n'ai pas apporté mes écrits avec moi.

— D'où êtes-vous ? voulut-il savoir.

Voilà des siècles qu'il n'avait pas eu la chance de discuter avec une jeune personne de cet âge. C'était rafraîchissant. Ses souvenirs de Harvard l'envahirent. Ah, la jeunesse ! pensa-t-il avec nostalgie. Cette intelligence vive, cette acuité de l'esprit... S'il s'était écouté, il aurait bavardé avec elle pendant des heures.

— Elle est de Boston, répondit Mme Boslicki à la place de Gabriella.

Celle-ci acquiesça, inquiète tout à coup. Si le professeur Thomas avait enseigné à Harvard, il connaissait très bien cette ville. Ce qui n'était pas son cas.

— Ma mère vit en Californie, intervint-elle, dans l'espoir de créer une diversion... Et mon père à Boston.

Et elle nulle part...

— Où ça en Californie ? demanda une des femmes, qui avait une fille à Fresno.

— A San Francisco, dit Gabriella, comme si elle avait vu sa mère la veille, et pas douze ans plus tôt.

— Les deux villes sont magiques, remarqua le professeur Thomas, et il regarda Gabriella droit dans les yeux.

Quelque chose en elle l'émouvait. Une tristesse insondable, une immense solitude. Selon Mme Boslicki, elle avait le mal du pays, mais cela devait être plus grave, plus profond, plus tragique aussi...

Sa douceur toucha tout le monde. Elle échangea quelques propos avec chacun avant de se retirer.

Mme Boslicki lui tendit une paire de serviettes, ce dont Gabriella la remercia poliment.

— Quelle jolie fille ! s'exclama Mme Rosenstein, enchantée.

L'une de ses compagnes dit alors que Gabriella ressemblait à sa petite-fille de Californie.

— Et quelle éducation ! Elle a sûrement des parents formidables.

— Pas nécessairement, coupa le pertinent professeur Thomas. Certains de mes étudiants les plus brillants, les plus convenables, avaient pour parents des gens qui se comportaient comme Attila. Les plus intelligents avaient souvent grandi dans un milieu d'imbéciles... Les gènes nous jouent de drôles de tours, vous savez !

Si Gabriella avait été là, elle aurait apprécié tout particulièrement ce petit exposé sur l'hérédité. Elle avait vécu dans la terreur de ressembler un jour à sa mère et avait souvent guetté les signes d'une cruauté qu'Eloïse lui aurait transmise. Heureusement, ces signes étaient restés indétectables, puis Joe avait délivré Gabriella de la peur de mettre des enfants au monde.

— En tout cas, elle est très sympathique. J'espère qu'elle restera parmi nous longtemps, ajouta le professeur avec chaleur.

— Rassurez-vous ! dit Mme Boslicki. Maintenant qu'elle a un travail, elle n'est pas prête de nous quitter... Je crois qu'elle n'a aucun ami ici. Et ses parents ne l'ont pas appelée de toute la semaine... Je pensais qu'ils se manifesteraient, tout de même, mais elle n'a pas l'air d'attendre de coups de fil. Jusqu'ici elle ne m'a jamais demandé si elle avait des messages.

Chacun y alla de sa remarque. Les locataires de la pension de Mme Boslicki consacraient le plus clair de leur temps à observer les autres. Aucun détail ne leur échappait. Veufs et veuves à la retraite, ils n'avaient rien d'autre à faire. Parfois, un jeune arrivait. Hélas, il ne restait jamais. Il déménageait dès qu'il avait gagné un peu d'argent. Aujourd'hui, en dehors de Gabriella, le plus jeune résidant de la maison était un représentant de commerce d'une quarantaine d'années, qui venait de divorcer. De retour du cinéma, il avait passé la tête par la porte entrebâillée du salon. Mme Boslicki lui avait présenté Gabriella, et il l'avait regardée avec des yeux ronds, frappé par sa beauté. Elle n'avait pas paru le voir, comme s'il avait été transparent. Elle semblait beaucoup plus intéressée par la conversation du professeur Thomas.

— J'aimerais tant poursuivre ma discussion avec elle ! dit celui-ci.

Mme Rosenstein lui sourit.

— Si vous aviez cinquante ans de moins, votre enthousiasme m'aurait inquiétée, mon ami.

Elle avait le béguin pour lui depuis des années, tous le savaient... Comme ils savaient que leur relation était purement platonique.

Il scruta son amie par-dessus ses lunettes.

— Je ne suis pas sûr d'en être flatté, très chère... Mais je me demande pourquoi une jeune femme diplômée de Columbia, jolie et intelligente, se contente d'un emploi de serveuse.

— De nos jours, le travail se fait rare, conclut la pragmatique Mme Boslicki.

Il hocha la tête, pas convaincu. Gabriella avait produit une étrange impression sur lui. Il y avait un mystère dans sa vie, quelque chose qu'elle cachait soigneusement.

Il la revit le lendemain, alors qu'elle s'apprêtait à quitter le petit immeuble. Elle portait toujours l'horrible robe bleu marine. La laideur du vêtement accentuait, par contraste, sa beauté. Gabriella aurait pu se mettre un sac de farine sur le dos, se couvrir la tête de cendres, elle aurait toujours été ravissante.

— Eh bien, où va-t-on ? sourit-il.

Il éprouvait à son égard l'affection d'un grand-père pour sa petite-fille. Elle semblait pâle et fatiguée, et il ne put s'empêcher de se demander si elle avait bien dormi.

— « Chez Baum », répondit-elle en lui rendant son sourire.

Il avait les cheveux plus hirsutes que la veille, comme s'il avait subi une décharge électrique.

— Parfait. Je passerai vous dire bonjour plus tard... Je ferai en sorte de m'asseoir à une de vos tables.

— Merci, dit-elle, touchée par sa sollicitude.

Elle sortit dans la rue. De la fenêtre du salon, Mme Boslicki lui adressa un signe amical de la main. Elle arrosait ses plantes, tandis qu'un de ses chats avait réussi à s'enrouler pratiquement autour de son cou. Gabriella laissa échapper un soupir... C'était un drôle d'endroit, plein de vieilles gens amusants... qu'elle aimait bien finalement. Elle s'y sentait à l'aise maintenant. Après la chaleureuse communauté du couvent où elle avait vécu si longtemps, elle avait trouvé ici une autre famille... Même si elle avait eu les moyens de louer un appartement, elle ne l'aurait pas fait. Elle s'y serait sentie trop seule.

Elle arriva « chez Baum » avec dix minutes d'avance. Elle enfila un tablier propre par-dessus sa robe pendant que Mme Baum la mettait au courant de ses devoirs et que M. Baum vérifiait la caisse enregistreuse — un geste qu'il faisait constamment. Il constata avec satisfaction que la nouvelle serveuse était vraiment une personne agréable à regarder. Certes, sa robe ne la flattait pas, mais elle l'avait lavée et repassée, ses cheveux dorés brillaient. Elle les avait coiffés en arrière, les maintenant à l'aide d'un serre-tête qu'elle avait acheté sur le chemin... Gabriella, qui les trouvait trop courts, avait décidé de les laisser pousser, mais aux yeux des Baum, elle était parfaite.

Au milieu de l'après-midi, leur satisfaction tourna à la béatitude. La « nouvelle » faisait des merveilles. Elle s'adressait aux clients avec une exquise politesse, écoutait leur choix avec la plus grande attention et ne s'était pas trompée une seule fois dans les commandes. Son efficacité n'avait d'égale que sa rapidité. Elle s'occupait de plusieurs tables à la fois avec une aisance de maître d'hôtel... Elle avait souvent fait le service pour deux cents personnes à Saint-Matthew, sans parler des jours où elles avaient des invités, mais cela, ses patrons l'ignoraient. Il suffisait d'être un peu organisée, de s'appliquer, et le reste suivait. Lorsque le professeur Thomas entra dans l'établissement en compagnie de Mme Rosenstein, Gabriella s'était complètement familiarisée avec ses nouvelles tâches.

Ils commandèrent des strudels, des tartelettes aux prunes, du café et une montagne de crème fouettée. Ils lui laissèrent un généreux pourboire. Avant de sortir, ils se mirent à bavarder avec M. Baum qu'ils félicitèrent chaudement tout en s'extasiant sur ses strudels. Le patron du restaurant promit de transmettre leurs compliments à sa femme. Entre-temps, Gabriella s'éclipsa du côté de la cuisine afin de chercher d'autres commandes. En revenant, elle les vit qui prenaient congé. Ils la saluèrent, elle leur fit un signe de la main, et continua son service.

Après cela, ils revinrent tous les jours à la même heure. C'était devenu un rituel, sauf que, dès le lendemain, elle refusa tout pourboire. Leur seule présence constituait une sorte de rente, disait-elle en riant. Et au lieu de lui donner de l'argent, ils n'auraient qu'à complimenter M. Baum pour les succulents strudels de son épouse.

Le lundi, son jour de congé, de retour de la laverie automatique, elle rencontra Mme Rosenstein, qui revenait de chez son dentiste. La vieille dame l'invita à passer la soirée au salon, avec les autres locataires. Peu après, elle confia à Mme Boslicki que Gabriella avait meilleure mine. Elle avait repris des forces, elle semblait moins pâle. Le professeur Thomas, quant à lui, lui trouva un air moins triste lorsqu'il la revit, ce soir-là, au salon. Ils étaient assis côte à côte sur le canapé, bavardant comme de vieux amis, tandis que les autres jouaient aux cartes, quand il dit à mi-voix, de manière que personne ne puisse l'entendre :

— M. Baum prétend que vous étiez religieuse.

Gabriella le regarda, prise de court. Elle n'avait pas imaginé que son patron s'en souviendrait. Elle le lui avait dit uniquement pour le persuader qu'elle savait servir à table, à seule fin de se faire embaucher. Le professeur s'était tu comme s'il attendait une réponse. En fait, il se demandait si, hormis la tristesse qui semblait faire partie intégrante de son caractère, il n'y avait pas un drame plus déchirant. Il penchait pour la seconde solution.

— Pas vraiment, expliqua-t-elle en détournant le regard, puis en le fixant de nouveau. J'étais postulante. Ce n'est pas la même chose.

Mais si ! sourit-il. Disons que la postulante est le têtard et la bonne sœur la grenouille... de bénitier, naturellement.

Son sourire s'épanouit, et Gabriella éclata de rire.

— Je ne crois pas que les sœurs apprécieraient vos comparaisons.

— J'avais toujours un ou deux membres du clergé dans ma classe à Harvard. Beaucoup de jésuites. Intelligents, bien élevés, étonnamment larges d'esprit... Combien de temps êtes-vous restée au couvent ? demanda-t-il à brûle-pourpoint.

Il la vit hésiter. Une ombre de tristesse voila son regard. Le souvenir de tout ce qu'elle avait perdu ravivait singulièrement la douleur qui s'était quelque peu estompée. Le regard clair du professeur la scrutait. Elle sut qu'elle pouvait lui faire confiance.

— Douze ans, répondit-elle d'une voix calme. J'ai grandi là-bas.

— Vous êtes orpheline ? s'enquit-il avec gentillesse.

Il l'interrogeait parce qu'il l'aimait bien. Pas par

curiosité malsaine. C'était un vieil homme sensible et plein de bonté.

— J'ai été abandonnée par mes parents. En fait, les religieuses m'ont tenu lieu de famille.

« Et pourtant, vous êtes partie », songea-t-il, mais il conserva le silence, afin de ne pas la mettre dans l'embarras.

— Cela doit être dur, la vie de nonne... Je n'ai jamais été attiré par les charmes du célibat, dit-il, l'œil brillant... jusqu'à aujourd'hui.

Son regard se reporta intensément sur Mme Rosenstein, qui jouait au bridge, et tous deux échangèrent un sourire de connivence.

Pendant plus de quarante ans, Theodore Thomas avait été un mari fidèle. Il avait lié de profondes amitiés depuis que sa chère femme n'était plus, mais n'avait jamais songé à se remarier ou à s'impliquer dans une relation amoureuse.

— J'ai eu des conversations passionnantes sur ce sujet avec mes étudiants jésuites, reprit-il. Ils n'ont jamais pu me convaincre de l'utilité de la chasteté...

Gabriella revit le visage tourmenté de Joe. Le chagrin se peignit sur ses traits fins, sous le regard désolé du professeur Thomas.

— Excusez-moi, murmura-t-il. Ai-je dit quelque chose qui vous a fait de la peine ?

— Non... bien sûr que non... Simplement... les sœurs me manquent... balbutia-t-elle, les yeux brûlants de larmes. Ce fut très dur de les quitter...

Le professeur hocha la tête. La voix altérée de la jeune femme, l'expression bouleversée de son regard laissaient penser qu'elle n'était pas partie du couvent de son propre gré. Il se dit qu'il était grand temps de changer de sujet de conversation.

— Parlez-moi de vos écrits, dit-il avec chaleur.

— Il n'y a rien à en dire. De temps à autre, il m'arrive d'écrire des histoires bêtes... Rien qui vaille la peine d'en parler, en tout cas rien de comparable avec les auteurs que vous avez enseignés à Harvard.

— Les meilleurs écrivains parlent d'eux-mêmes comme vous. Seuls les mauvais sont contents de leur œuvre... Méfiez-vous de ceux qui vous diront que leur roman est génial. Vous pouvez être sûre de ronfler avant la fin du premier chapitre.

Du doigt, il traça un trait en l'air comme pour souligner sa phrase, ce qui fit rire Gabriella.

— Et maintenant, après ce tour d'horizon littéraire, quand pourrai-je lire vos textes, mademoiselle Harrison ?

Il ne renonçait jamais à une idée qu'il avait en tête... A tort, de l'avis de Gabriella, toujours persuadée qu'il accordait une importance exagérée à son prétendu talent.

Je n'en ai aucun avec moi, je vous l'ai dit.

— Alors, écrivez ! dit-il en ébauchant un large geste de la main comme s'il maniait une baguette magique. Vous n'avez pas besoin de grand-chose : un stylo, du papier, un peu d'inspiration.

Et du temps, pensa-t-elle, de la persévérance, des sentiments, à ceci près que Joe avait emporté les siens dans la tombe.

— Je vous suggère de vous procurer un cahier dès demain.

Cette discussion faisait à Gabriella l'effet de traverser un terrain miné sur la pointe des pieds.

— Vous n'avez jamais écrit votre journal intime ? demanda-t-il innocemment, et, de nouveau, il comprit qu'il avait touché une corde sensible.

Une incommensurable tristesse jeta son ombre sur le visage délicat de Gabriella.

— Je... oui... pendant un certain temps... Plus maintenant.

Il ne lui demanda pas pourquoi elle avait arrêté. Visiblement, y penser l'affectait. Pour quelqu'un d'aussi jeune, elle portait les cicatrices d'un passé douloureux dont certaines semblaient toutes récentes.

— Qu'est-ce que vous préférez ? La poésie ou les nouvelles ?

Il appréciait de plus en plus les idées de sa jeune amie. Elle lui rappelait Charlotte au même âge. Du temps où ils fréquentaient tous les deux l'université de Washington... Ils s'étaient mariés une semaine après la remise des diplômes. Il n'avait eu qu'un seul regret : l'absence d'enfants dans cette union heureuse. Alors, pendant quarante ans, ses étudiants furent ses enfants. Charlotte était musicologue — elle enseignait la théorie et la composition musicales. Elle composait pour lui des chants, de merveilleuses mélodies... Il se mit à raconter son histoire à Gabriella, qui l'écoutait, subjuguée.

— Votre femme était quelqu'un d'extraordinaire.

— Oui, c'est vrai. Je vous montrerai des photos d'elle à l'occasion. Jeune, elle était très belle. J'étais envié par tous les jeunes gens qui la courtisaient. Nous nous sommes fiancés à vingt ans.

Il demanda à Gabriella son âge. Elle répondit qu'elle avait vingt-deux ans, et cela fit naître un sourire nostalgique sur les lèvres du professeur.

— Quelle chance vous avez, ma chère enfant ! La jeunesse est la période la plus fabuleuse d'une vie. Ne la gaspillez pas en regrettant les endroits et les gens que vous avez perdus. Allez de l'avant... D'autres personnes, d'autres endroits, d'autres expériences vous attendent, plus merveilleux et plus passionnants que ceux que vous avez connus. Dépêchez-vous d'en profiter.

Elle était loin de se dépêcher, songea-t-elle amèrement. Elle se traînait plutôt.

— Il est difficile, parfois, de ne pas regarder en arrière, répondit-elle.

— Oui, je vous l'accorde. Nous regardons tous vers le passé. Le secret consiste à ne pas se retourner trop souvent. Laissez les mauvais moments derrière vous, Gabriella.

Les mauvais et les bons... Les doux moments qu'elle avait partagés avec Joe et qui maintenant faisaient partie de ses plus douloureux souvenirs. Leur bonheur avait été si bref... si fugace... et si tourmenté par rapport aux paisibles années de couvent... Elle regarda le professeur Thomas sans chercher à dissimuler son admiration. A quatre-vingts ans, il avait la force d'aller de l'avant avec l'enthousiasme d'un jeune homme... Elle appréciait leurs discussions que le professeur rendait agréables par son esprit pétillant. Il constituait un bel exemple à suivre. Les autres locataires de Mme Boslicki se plaignaient constamment de tout : leurs rhumatismes, leurs ennuis de santé, la baisse de leur pouvoir d'achat, leurs amis récemment disparus, l'état des trottoirs de New York, les excréments de chiens dans les caniveaux. Mais la laideur de la réalité n'exerçait aucune influence sur le professeur Thomas. Pour l'instant, il songeait à l'avenir de Gabriella... Et il se promit de lui montrer le chemin qui la mènerait tout droit vers la liberté et le bonheur.

Ils discutèrent longuement ce soir-là. Il dédaigna la partie de bridge de Mme Rosenstein et de ses amis mais il joua volontiers aux dominos avec Gabriella. Il gagna haut la main, bien sûr, mais il lui apprit toutes ses stratégies... En montant se coucher, Gabriella se sentit pour la première fois depuis longtemps en paix avec elle-même. Elle venait de passer une agréable soirée. Un petit instant de plaisir partagé. Et soudain, la vie, sa vie, lui parut riche de promesses et pleine de nouvelles aventures. Elle avait discuté des heures durant avec un vieux monsieur qui, en dépit de son grand âge, avait un esprit bien plus vif que beaucoup d'hommes jeunes. Le lendemain, avant de se rendre à son travail, elle entra dans une papeterie et acheta un cahier...

Le professeur Thomas arriva à l'heure habituelle

chez Baum, sans Mme Rosenstein, qui avait rendez-vous chez son médecin.

— Eh bien, ça y est ? demanda-t-il de sa voix pertinente à Gabriella, après avoir commandé son strudel et son habituel café à la crème fouettée.

— Je vous demande pardon ?

L'établissement n'avait pas désempli de tout l'après-midi.

— Avez-vous acheté le cahier ?

Elle lui adressa un sourire victorieux, amusée par sa persévérance.

— Oui, dit-elle. Je l'ai acheté.

— Je suis fier de vous. Commencez à le remplir.

— Je suis épuisée quand je rentre à la maison tard la nuit.

Le médecin lui avait expliqué qu'elle serait fatiguée pendant des mois après sa fausse couche, et elle commençait à le croire. Mais le professeur Thomas n'était pas du genre à accepter des excuses.

— Alors faites-le le matin, avant votre travail. Il faut écrire tous les jours. C'est bon pour le cœur, l'âme, l'esprit et le corps. Si vous êtes un véritable écrivain, Gabriella, l'écriture deviendra vite votre oxygène. Vous ne pourrez pas vivre sans. Ecrivez *tous les jours*, répéta-t-il, puis il fit semblant de la fusiller du regard. Allez me chercher mon strudel maintenant !

— Tout de suite, monsieur !

Il ressemblait à un grand-père attentif, au grand-père qu'elle n'avait jamais eu, auquel elle n'avait jamais rêvé, petite, parce que ses parents, leurs scènes et les mauvais traitements occupaient toute son attention. Le professeur Thomas représentait à ses yeux une sorte de guide, un cadeau du ciel.

Il continua à venir tous les jours à la pâtisserie. Le lundi, ils prirent l'habitude de dîner en ville. Il lui parlait de ses souvenirs d'enseignant, de sa femme, de sa vie à Washington, de son enfance et de son adolescence dans les années 1890. Elle avait du mal à imaginer une époque aussi reculée et, en même temps, elle s'émerveillait de cet esprit si éclectique, si moderne. Elle adorait discuter avec lui et plus encore l'écouter. Le plus souvent, leurs discussions portaient sur le sujet qui leur tenait particulièrement à cœur, l'écriture. Elle avait terminé une courte nouvelle, qui avait produit une forte impression sur le professeur. Il l'avait lue et relue, y avait apporté quelques corrections et lui avait expliqué comment elle aurait pu développer plus efficacement l'intrigue. Selon lui, acheva-t-il, elle avait un réel talent. Elle essaya de minimiser ses compliments, disant que c'était gentil de lui remonter le moral mais qu'elle n'en croyait pas un mot... Il se fâcha presque et agita l'index d'un air menaçant. Autrefois, ce geste mettait aussitôt ses étudiants sur leurs gardes. Il ne fit pas peur à Gabriella, qui lui vouait à présent une profonde affection.

— Jeune dame, attention ! Quand je dis que vous avez du talent, je le pense ! On ne m'a pas engagé à Harvard pour des prunes, d'accord ? Vous devez travailler encore, affiner votre style, mais du talent, vous en avez à revendre ! Vous avez un ton juste, le sens du romanesque, et vous savez quand et comment dire les choses. Est-ce clair ? Ne pas continuer serait de la pure lâcheté. Avez-vous peur d'écrire, Gabriella ? Peur de réussir ? Peur de devenir un jour un écrivain connu ? Eh bien, autant l'affronter tout de suite. Vous avez un don rare. Ne le gaspillez pas...

Pour une fois que quelqu'un la traitait de lâche, Gabriella ne s'en offusqua pas. Elle esquissa un sourire triste. La phrase du professeur avait réveillé, par contraste, les mots qu'elle avait toujours détestés.

— D'habitude, les gens me disent que je suis forte, lança-t-elle, livrant sans réfléchir un de ses secrets, le premier. Et ensuite, ils me laissent tomber.

Il hocha la tête avec sagesse, attendit qu'elle continue, mais comme elle ne disait plus rien, il ajouta :

— Ce sont eux les lâches. Les faibles admirent

votre force, mais n'osent pas être forts eux-mêmes... Ils utilisent votre force comme une excuse pour vous blesser. Sous-entendu : « Vous êtes forte, donc vous pouvez supporter les coups bas » ! On attend beaucoup des forts en ce bas monde, Gabbie. La force est un fardeau lourd à porter. Mais un jour vous rencontrerez quelqu'un d'aussi fort que vous. Vous le méritez.

— Je crois que c'est déjà fait.

Elle lui sourit et tapota sa main noueuse.

— Vous, vous avez de la chance que je n'aie pas cinquante ou soixante ans de moins... Je vous aurais montré ce que c'est que la vie. Alors que maintenant, c'est à vous de me le rappeler.

Ils éclatèrent d'un rire complice.

Chaque semaine, il lui fit découvrir de petits restaurants amusants d'abord proches de la pension, puis leurs expéditions s'étendirent à West Side ou au Village. Parfois, ils prenaient le métro pour y aller. Il tenait à l'inviter, bien que son budget parût extrêmement limité, et Gabriella choisissait toujours les plats les moins chers. Il se plaignait qu'elle ne mangeait rien, reprenant à son compte la remarque de Mme Rosenstein selon laquelle Gabriella était mince comme un fil. Parfois, il la forçait à prendre un dessert, en dépit de ses protestations. De temps à autre, il la grondait de ne pas fréquenter de jeunes gens de son âge. Il faisait même semblant de se fâcher, ce qui arrachait un sourire à Gabriella.

— Vous devriez vous amuser avec des jeunes de votre âge.

— Leurs jeux sont trop rudes... D'ailleurs, j'en ignore les règles... Et j'adore discuter avec vous.

— Alors prouvez-le... En écrivant.

A force de l'encourager, de la pousser, de la houspiller, aux approches de Thanksgiving, deux mois après leur rencontre, elle avait rempli trois cahiers... Il lisait tout, naturellement, la félicitait pour certaines nouvelles, qu'il estimait excellentes, et pour son style qui, à son avis, s'était beaucoup amélioré. Plus d'une fois il l'avait incitée à envoyer ses écrits à des magazines, comme mère Gregoria l'avait déjà fait, mais elle s'y refusait. Elle croyait nettement moins à son propre talent que le professeur.

— Non. Je ne suis pas prête.

— On dirait Picasso. Qu'est-ce que ça veut dire être prêt ? Est-ce que Steinbeck était prêt ? Hemingway, Shakespeare, Dickens, Jane Austen étaient-ils prêts ? Ils y sont allés et voilà tout. On ne cherche pas la perfection, mon petit, mais la communication... A propos, irez-vous passer Thanksgiving chez vous ?

La scène se déroulait dans un minuscule restaurant italien d'East Village. Le sourire de Gabriella s'effaça, elle leva sur lui un regard indéchiffrable.

— Euh... non...

Elle avait scrupule à avouer qu'elle n'avait pas où aller. Il savait qu'elle avait grandi chez les sœurs, mais rien de plus. Pas qu'elle avait perdu tout contact avec ses parents, ni qu'elle n'était plus la bienvenue au couvent. Il était sa seule famille à présent.

— Non... je ne crois pas...

— Tant mieux, dit-il d'un air satisfait. J'espérais passer cette fête avec vous.

Mme Boslicki préparait tous les ans la dinde traditionnelle pour ses locataires. Peu d'entre eux avaient encore de la famille. Le représentant de commerce divorcé était déjà reparti dans une autre ville.

— Moi aussi, dit-elle.

Elle se mit à lui parler des difficultés que lui posait sa dernière nouvelle... Celle-ci comportait une faille dans la construction, dit-elle. La fin posait problème. Compte tenu de la psychologie des personnages, elle n'arrivait pas à choisir entre deux dénouements possibles : la violence ou l'amour.

— Ce sont deux possibilités apparemment opposées, ma chère enfant, dit-il, songeur. Les deux sont parfois inextricablement liés, amour et violence...

Elle pensa à Joe et une ombre passa dans ses yeux bleus, une ombre frémissante que le professeur fit semblant de ne pas remarquer. Il y avait une tragédie dans le passé de cette jeune femme et il se demandait quand elle se déciderait à lui en parler... Il se fiait à son instinct. Pour l'instant, il devinait. Mais sa sagesse lui conseillait de ne jamais poser de question directement.

— En fait, l'amour *est* violent, poursuivit-il. Il est douloureux. Dévastateur. Il n'y a rien de pire. Ou de mieux... Des hauts et des bas également insupportables... Entre nous, l'absence d'amour est encore plus pénible.

C'était un vieux rêveur impénitent, se dit-elle, réprimant un sourire attendri. Elle pouvait presque l'imaginer en jeune homme amoureux de sa fiancée, le héros romantique par excellence.

— Mais vous, Gabriella ? Je suppose que l'amour vous a fait souffrir... Je le vois dans vos yeux chaque fois que l'on évoque ce sujet, reprit-il doucement, presque tendrement, en lui touchant la main. Quand vous écrirez là-dessus, vous souffrirez encore rétrospectivement. Mais l'écriture est aussi une libération. Cependant, ne l'abordez pas tant que vous ne vous sentirez pas prête.

— Je...

Elle s'interrompit un instant, de peur de réveiller la vieille douleur. Trop tard, elle était déjà lancée.

— J'ai été très amoureuse de quelqu'un, une fois.

Elle s'était exprimée du ton bas que l'on prend pour confier un terrible secret, mais le professeur sut aussitôt qu'elle ne lui avait dévoilé que le sommet de l'iceberg.

— A votre âge, Gabriella, « une fois » n'est pas forcément la seule. Vous aurez d'autres amours, d'autres passions.

Il n'avait aimé que Charlotte, mais ils avaient eu une chance inouïe que la plupart des gens n'ont pas.

— Si j'ai bien compris, cela s'est mal passé, insista-t-il.

Elle prit une profonde aspiration.

— Il est mort en septembre, murmura-t-elle, et le professeur hocha la tête, n'osant demander plus. J'ai cru que j'allais en mourir. J'ai bien failli, du reste.

Les souvenirs l'assaillirent, l'annonce brutale du suicide de Joe, la fausse couche, le départ du couvent, bien que, bizarrement, elle se sentît mieux.

— Je suis désolé.

Il avait deviné la tragédie et il ne s'était pas trompé. Il était prêt à parier que ce n'était pas tout, mais c'était assez pour aujourd'hui.

— La mort sépare ceux qui s'aiment, philosopha-t-il. Cela ne devrait pas exister. L'amour ne devrait jamais se terminer. Même après quarante ans de vie commune, si vous saviez combien de choses j'avais encore à dire à Charlotte...

Gabriella acquiesça de la tête. Une boule d'émotion lui nouait la gorge. Son compagnon eut le bon goût de changer de sujet de conversation. Il se demandait comment l'homme que sa jeune amie avait aimé était mort. Il opta pour un accident. De toute façon, cela importait peu. Ce qui comptait, c'était qu'elle était restée seule, le cœur brisé. Il n'imaginait pas la vérité. L'ampleur du drame. Le scandale. Si jamais Gabriella écrivait son histoire, elle heurterait l'esprit délicat du vieux professeur, elle le savait.

Ils rentrèrent à la pension en taxi. Il faisait un froid glacial. Le professeur Thomas se sentait gagné par l'émotion. Gabriella s'était confiée à lui... Il savait ce qu'il lui avait coûté d'évoquer l'homme que la mort avait fauché deux mois plus tôt. Il aurait voulu faire quelque chose pour elle. Au fond, l'écouter constituait peut-être la meilleure des thérapies. De son côté, elle avait une impression d'allègement de sa douleur.

Ils descendirent devant l'immeuble de Mme Boslicki et levèrent en même temps les yeux au ciel. Des flocons blancs tourbillonnaient dans l'air. La première neige de l'hiver... celle que Gabriella aimait à contempler dans le jardin du couvent. Petite, elle jouait au milieu des parterres enneigés avec la permission des religieuses... Elle eut un sourire nostalgique. Les souvenirs heureux aident à vivre. Il faut bien s'accrocher à quelque chose.

— J'ai passé une soirée délicieuse, dit-elle doucement tandis qu'ils s'arrêtaient devant la chambre du professeur, située au premier. Merci de tout cœur.

— Tout le plaisir fut pour moi, ma chère enfant.

Il ébaucha sa drôle de petite révérence qui la faisait toujours sourire. Elle n'imaginait pas ce que ces soirées signifiaient pour lui. Il la considérait comme sa fille ou plutôt comme sa petite-fille bien-aimée. Sa petite-fille qui, ce soir, lui avait confié son premier secret. C'était un signe de confiance qu'il avait profondément apprécié.

— J'ai hâte de fêter Thanksgiving, dit-il avec sa gentillesse coutumière.

— Moi aussi.

Elle gravit les marches lentement, absorbée dans ses pensées. Elle avait tout perdu, mais elle avait trouvé quelque chose d'aussi précieux qu'un diamant étincelant sur la neige... Et tandis qu'elle poussait la porte de sa petite chambre, elle se dit que sa vie serait bien triste sans le professeur Thomas.

17

Thanksgiving fut pour tous une fête merveilleuse. La neige habillait de blanc les rues et les trottoirs, tout mouvement s'était arrêté dans la ville. Des skieurs apparurent dans Central Park, des bonshommes de neige étaient érigés un peu partout, des enfants se lançaient des boules de neige. La dinde de Mme Boslicki remporta un vif succès ; la volaille était tellement énorme qu'elle tenait à peine dans le four. Comme tous les ans, le professeur Thomas la découpa. A table, chacun semblait avoir une histoire drôle à raconter à propos des Thanksgiving passés. Les convives firent honneur au succulent repas, puis ils allèrent se promener tous ensemble. Le restaurant des Baum étant fermé ce jour-là, Gabriella put apprécier pleinement la compagnie de ses amis. Elle se sentait protégée par cette nouvelle famille de personnes âgées...

Le reste de la semaine se déroula en projets pour Noël et soudain, des décorations étincelantes agrémentèrent les grandes artères et les vitrines des boutiques. Mme Boslicki et Mme Rosenstein partirent faire des achats. Lorsqu'elles revinrent, elles racontèrent, émerveillées, qu'une foule bigarrée avait pris d'assaut les grands magasins. Gabriella, en congé, passa le week-end dans sa chambre à travailler sur une nouvelle et, le dimanche soir, elle laissa tomber son cahier sur les genoux du professeur, un large sourire aux lèvres.

— Voilà ! Cessez de vous plaindre maintenant.

— D'accord... d'accord... voyons ce que vous nous avez concocté.

Peu après, il s'absorba dans la lecture. Il tournait les pages, fasciné. L'histoire était parfaite ! Un conte de Noël si pathétique, si émouvant, qu'il en eut les larmes aux yeux. Un style flamboyant. Une fin inattendue... Il poussa un cri de triomphe sous les yeux de Gabriella, qui le regardait lire, les bras croisés, installée dans le confortable fauteuil du salon.

— Ça vous a plu ?

Question inutile. L'expression béate de son premier lecteur en disait long sur ses sentiments.

— Si ça m'a plu ? J'ai *adoré* !

— Certains détails sont à revoir, dit-elle d'une voix nerveuse lorsqu'il s'écria qu'il fallait absolument, cette fois-ci, que ce petit chef-d'œuvre finisse sur le bureau d'un éditeur.

— Laissez-moi procéder d'abord à une petite prospection, répondit-il, glissant le cahier dans la poche de sa veste avant qu'elle puisse réagir, puis l'entraînant dans une partie de dominos qui la dérida.

Le cœur de Gabriella battait très fort. L'impression que son texte avait produite sur son vieil ami l'emplissait d'une profonde satisfaction... En fait, bien qu'à contrecœur elle admettait qu'elle venait de composer sa meilleure histoire. Elle était si contente qu'elle battit pour la première fois son adversaire aux dominos. Cette nuit-là, elle monta se coucher avec une sensation de plénitude... Elle avait travaillé dur, la veille, jusqu'à trois heures du matin. Elle avait eu l'impression de maîtriser parfaitement son sujet et cela avait fait naître en elle une exaltation inconnue jusqu'alors. A l'instar d'une drogue, elle ne pouvait plus se passer d'écrire.

Le lendemain, encore étourdie, elle prit le chemin du restaurant. Ayant fermé tout le week-end, M. Baum avait décidé d'ouvrir exceptionnellement le lundi... Le professeur Thomas continuait de venir tous les jours à la même heure, seul ou accompagné de Mme Rosenstein ou d'un autre locataire. Dans l'après-midi, après que le professeur eut dégusté son traditionnel strudel avec un café à la crème, Gabriella lui recommanda la plus grande attention. Il avait gelé dans la nuit et la neige, en durcissant, avait transformé les rues en patinoires.

Aujourd'hui, les clients semblaient plus gais qu'à l'ordinaire. A toutes les tables, on évoquait les achats de Noël... M. et Mme Baum, qui avaient fêté Thanksgiving avec leurs trois filles, recevaient leur clientèle avec davantage de chaleur que d'habitude. Ils allèrent jusqu'à demander à Gabriella si son week-end s'était bien passé, chose extraordinaire compte tenu du fait qu'ils la considéraient comme une simple employée.

De retour à la pension, à minuit, Gabriella fut accueillie par une Mme Boslicki tout excitée, qui passa la tête par la porte entrebâillée du salon et lui fit signe d'approcher. Le cœur de Gabriella s'arrêta. Instantanément l'inquiétude l'envahit au sujet du professeur, mais l'air détendu de la logeuse la rassura.

— Nous avons un nouveau locataire ! annonça-t-elle triomphalement.

Voilà des semaines qu'elle cherchait à louer la chambre du représentant de commerce.

— Formidable ! la félicita Gabriella, soulagée que son cher professeur ne fût pas en cause.

Il avait pris une importance extrême dans sa vie. En peu de temps, il avait remplacé à la fois ses parents et les religieuses. Parfois, elle s'inquiétait tellement pour lui qu'elle en avait des cauchemars. Elle avait gardé l'habitude de dormir pelotonnée au pied du lit.

— Il est très beau, ajouta Mme Boslicki, parlant du nouveau locataire.

— Ah bon, répondit platement Gabriella, qui ne voyait pas vraiment en quoi cela pouvait la concerner.

Mme Boslicki affichait une expression admirative. En se demandant si sa logeuse ne s'était pas entichée du nouvel arrivant, Gabriella eut un sourire.

— Vingt-sept ans ! Un jeune homme brillant. Des études universitaires.

Décidément, elle lui faisait l'article ! Le sourire de Gabriella s'effaça lorsqu'elle comprit où l'autre femme voulait en venir. C'était hors de question. Aucun homme, si séduisant, si intelligent fût-il, ne pouvait éveiller son intérêt... A part le professeur Thomas, bien sûr...

— Bonne nuit, madame Boslicki, dit-elle fermement.

Au terme d'une interminable journée, les pourboires représentaient une jolie petite somme... Depuis qu'elle gagnait sa vie, Gabriella avait renouvelé sa garde-robe, au grand soulagement des Baum. Les deux horribles robes du couvent avaient été remplacées par des jupes droites et des sweaters. Elle s'était offert un rang de fausses perles. La première fois qu'elle l'avait porté, en se regardant dans le miroir, elle avait eu peur de ressembler à sa mère... Mais, selon le professeur Thomas, le collier lui seyait à ravir. D'après lui, Gabriella n'avait rien à envier à Grace Kelly.

Elle monta les marches, ravie que la chambre du nouveau locataire soit située au deuxième étage. Elle ne se serait pas sentie à l'aise si elle avait dû partager sa salle de bains avec un homme... La salle de bains de son étage était utilisée uniquement par des femmes et c'était très bien ainsi. Elle espérait rencontrer le nouveau venu le plus tard possible... sinon jamais.

Elle tomba sur lui dès le lendemain, alors qu'elle partait pour le restaurant, emmitouflée dans son lourd manteau en laine grise — son dernier achat, en même temps qu'une paire de cache-oreilles d'un blanc duveteux. Debout près de la porte, il aidait Mme Boslicki à porter son sac de provisions. Il adressa à Gabriella un sourire agréable.

— Bonjour. Je suis Steve Porter, se présenta-t-il. Le petit dernier du groupe.

— Enchantée, répondit-elle froidement.

Elle ne le trouva pas particulièrement beau. Il avait d'épais cheveux bruns, des yeux sombres, une silhouette longue et mince, des épaules carrées... Grand, il semblait en pleine santé, mais quelque chose en lui dérangeait Gabriella... En y réfléchissant, sur le chemin de son travail, elle se dit qu'elle n'aimait pas son arrogance. Oui, il paraissait trop sûr de lui. Et trop familier. Bref, il n'avait rien à voir avec Joe, le seul homme qu'elle avait connu, devenu à ses yeux le modèle absolu de la perfection. D'instinct, le nouveau locataire de Mme Boslicki lui avait déplu... Elle le dit carrément au professeur Thomas, alors qu'ils jouaient aux dominos.

— Ne soyez pas grincheuse, Gabbie... Il est beau garçon et il le sait. Faut-il le tuer pour ça ?

— Il ne me plaît pas, déclara-t-elle d'un ton ferme.

— Vous avez peur d'être blessée une fois de plus... Vous savez, ils ne meurent pas tous. Ils ne s'en vont pas tous... Ils ne vous quitteront pas tous...

Elle se contenta de secouer la tête, refusant de poursuivre cette conversation. Elle se concentra sur la partie, mais tous deux savaient qu'elle faisait semblant... En fine mouche, le professeur avait deviné sa crainte... En effet, Gabriella ressentait la présence de Steve Porter dans la maison comme une menace. Rien d'étonnant après tant d'années de couvent.

— Ne vous en faites pas, reprit le professeur. Vous lui êtes probablement indifférente.

Il remarqua son expression de soulagement. Oui, sans aucun doute, elle avait peur. Il espérait toutefois que le dénommé Steve finirait par s'intéresser à elle. Gabriella était jeune, belle, il fallait qu'elle fréquente des hommes de son âge. Le professeur ne souffla mot. Connaissant l'entêtement de sa jeune amie, il préféra confier cette mission au destin.

Pendant les semaines qui suivirent, Gabriella fit tout pour éviter Steve Porter. Les rares fois où elle le croisa dans l'entrée, elle se montra à peine polie, ce qui ne lui ressemblait pas. Elle témoignait de la gentillesse à tous, sauf à lui. Elle lui réservait toujours un accueil glacial. Mais il ne paraissait pas s'en apercevoir. Sa bonne humeur le mettait à l'abri de telles déceptions. Il se comportait avec une parfaite correction à l'égard des locataires les plus âgés... Il leur acheta de petits cadeaux de Noël qu'il déposa dans le salon. Et il fit l'acquisition de guirlandes et de décorations. Mme Boslicki ne fêtait jamais Noël officiellement, de crainte d'offusquer ses pensionnaires juifs. Mais personne ne s'en plaignit. Au contraire, tout le monde fut ravi. Aux yeux des retraités, Steve Porter appartenait à la catégorie des « jeunes gens bien élevés ». Bientôt, tous le trouvèrent adorable. Il venait de Des Moines et cherchait un emploi dans une compagnie d'électronique. Les vieux locataires couvaient les deux jeunes du regard. Secrètement, ils souhaitaient une idylle. C'était compter sans l'obstination de Gabriella. Alors que Steve demeurait toujours aimable, elle s'escrimait à lui faire comprendre qu'il ne l'intéressait pas.

Il ne bronchait pas. Il acheta pour tous des couronnes de Noël. Gabriella faillit pousser un cri indigné quand elle découvrit la sienne sur sa porte. Elle n'osa pas la retirer. Il aurait dû lui demander son avis, pensa-t-elle, agacée. Ce fut en ruminant sa colère qu'elle sortit en direction de la 86e Rue.

— Vous avez l'air de bonne humeur, la taquina M. Baum, quand elle entra dans le restaurant.

Il était rare de la voir morose mais après tout, cela la regardait, se dit son patron. Il ne lui demanda rien.

C'était une semaine avant Noël. L'approche des fêtes stressait les uns tout en enchantant les autres. Oui, les fêtes révélaient ce qu'il y avait de bon et de mauvais dans chacun, philosophait en silence M. Baum. Lui-même adorait Noël. Mme Baum avait préparé ses délicieux petits pains d'épices en forme de maisons, dont les enfants étaient friands. Elle faisait les meilleurs pains d'épices du quartier. M. Baum les disposait en rang dans la vitrine pour attirer le chaland. Une demi-douzaine de personnes attendait devant la caisse enregistreuse. Chaque enfant montrait à ses parents la petite maison qu'il voulait. Cette année, M. Baum s'était surpassé : la vitrine regorgeait de confiseries, de guirlandes en sucre glace, de petits rennes en chocolat... Gabriella avait un faible pour les rennes. Ils contenaient toute la magie de Noël... Une date qui n'avait jamais rien eu de magique dans son enfance. Petite, Gabriella ne recevait ni cadeaux, ni maisons en pain d'épices. Le père Noël ne lui rendait jamais visite... Pour elle, Noël correspondait à une sombre période. L'humeur de sa mère était plus exécrable encore durant les fêtes, et sa colère ne manquait jamais de rejaillir sur Gabriella.

Elle s'efforçait d'endiguer le flot de ses souvenirs tout en prenant les commandes, quand une femme entra, accompagnée d'une petite fille. L'enfant, au comble de l'excitation, pointait le doigt sur les maisons en pain d'épices de Mme Baum.

— Celle-là ! Celle-là ! criait-elle.

Elle devait avoir cinq ans et ne tenait pas en place. Sa mère, qui la tenait par la main, lui ordonna de se calmer.

Elles faisaient la queue devant la caisse et, lorsque leur tour arriva, la petite fille se mit à sautiller en tapant dans ses menottes gantées de mitaines rouges. Elle avait un drôle de bonnet sur la tête, orné d'une clochette qui émettait un son argentin à chacun de ses mouvements, une note mélodieuse qui, pour Gabriella, contenait toute la féerie de Noël. Mais brusquement, tandis qu'elle sautillait, elle fit un faux pas. Elle trébucha et tomba. Sa mère l'empoigna sans ménagement par le bras et la remit brutalement sur ses jambes. L'enfant se mit à pleurer, alors que sa mère la grondait d'une voix forte :

— Arrête maintenant ! Tu n'as eu que ce que tu méritais. Et si jamais tu t'avises de recommencer, Allison, je te jure que je te donnerai une correction inoubliable.

Gabriella se figea. Elle regarda la mère et la fille, oubliant les clients, leurs commandes, et jusqu'au moment présent. Son esprit remontait fiévreusement le temps. Les mots familiers, la voix acerbe, la méchanceté qui convulsait les traits de la femme, tout la propulsait vers un passé lointain. Et ce ton acerbe avec lequel elle s'était exprimée, tandis que la petite fille pleurait à chaudes larmes ! Le geste brutal de la mère, quand elle l'avait redressée, semblait lui avoir démis l'épaule, car les pleurs se muèrent rapidement en sanglots. Une fois, Eloïse avait eu le même geste. Elle avait secoué si violemment le bras de Gabriella que son coude était sorti de l'articulation. Aujourd'hui encore, elle se rappelait parfaitement la douleur irradiante... Son père avait remboîté le coude en le faisant tourner doucement, puis en le remettant en place d'un coup sec. Plus tard, ses parents s'étaient disputés, et sa mère s'était vengée atrocement... Et maintenant cette femme semblait en proie à la fureur, alors que l'enfant poussait des cris stridents. Gabriella s'avança lentement vers elles, suggérant que peut-être le bras ou plus précisément le coude de la petite fille avait été démis.

— Ne soyez pas ridicule ! hurla la femme, folle de rage. Elle pleurniche parce qu'elle adore se faire plaindre. Elle va très bien.

Allison, visiblement, souffrait le martyre. Mortellement pâle, elle sanglotait en se tenant le coude.

— Bon, tu veux un pain d'épices ou pas ? glapit la femme, tirant de nouveau sur le bras meurtri, et tous les spectateurs de la scène tressaillirent à l'unisson. Allison, si tu ne cesses pas de pleurer tout de suite, je vais t'administrer une fessée monumentale devant tout le monde.

— Oh non, vous ne ferez pas cela ! dit Gabriella tranquillement, luttant contre la rage qui la submergeait. Vous ne ferez pas une chose pareille.

Cela n'arriverait pas deux fois. Elle ne regarderait pas cette sorcière tourmenter sa victime sans rien dire.

— Je fais ce que je veux ! s'écria la femme, hors d'elle. J'inculque à ma fille la discipline dont elle a besoin. De quel droit vous en mêlez-vous ?

Elle affichait une expression ulcérée. Elle portait un ruineux manteau de vison et avait remonté Madison Avenue à pied pour se rendre à son appartement de Park Avenue. Mais le spectacle n'était que trop familier à Gabriella. Et le mot *discipline* avait résonné dans son cœur comme un glas.

— Vous ne lui inculquez aucune discipline, répondit-elle d'une voix qu'elle ne reconnut pas elle-même. Vous l'humiliez. Vous la torturez devant tous ces gens. Pourquoi ne lui demandez-vous pas pardon ? Pourquoi n'essayez-vous pas de soigner son bras ? Enlevez-lui son manteau et vous verrez bien qu'il est déboîté.

La femme se tourna vers M. Baum d'un air de reine outragée.

— Qui est cette personne ? Comment ose-t-elle me parler sur ce ton ?

Comme l'enfant pleurait et gémissait toujours, elle la secoua de nouveau par le bras et cette fois, la petite fille poussa un hurlement de douleur qui faillit faire éclater le bon tympan de Gabriella. Sans réfléchir davantage, celle-ci éloigna la petite martyre de sa tortionnaire et lui retira doucement son manteau rouge. Ce qu'elle avait craint apparut au grand jour. Le petit avant-bras formait un angle bizarre et quand Gabriella le toucha, la fillette poussa un nouveau cri.

— Ne touchez pas ma fille ! Je vais appeler la police !

Gabriella se tourna alors vers elle, les yeux assombris, le visage menaçant.

— C'est cela ! Appelons la police. Et expliquons aux policiers que vous maltraitez votre fille... Encore un mot et je vous casse la figure !

La femme en resta bouche bée. Gabriella se tourna

vers l'enfant. Elle cherchait dans sa mémoire les gestes de son père, en priant pour que cela marche. Elle prit le bras blessé. Il y eut un terrible craquement lorsqu'elle tira dessus, puis elle le fit tourner d'un coup sec. L'instant suivant, les pleurs cessèrent. Un sourire apparut sur la frimousse mouillée de larmes. Alors, comme si elle s'était ranimée, la mère arracha le petit manteau rouge des mains de Gabriella, le jeta sur les épaules de la fillette et la poussa vers la sortie.

— Si jamais vous touchez encore à mon enfant, j'appelle la police et je vous fais arrêter ! hurla-t-elle.

— Et si jamais vous lui refaites cela, je vais témoigner contre vous devant la cour et nous verrons qui se fera arrêter.

Elle ne s'attendait pas à recevoir des remerciements, bien sûr. Elle était habituée à ce genre de situation. Encore heureux qu'elle ait pu aider la petite fille, arrêter sa souffrance... Momentanément. A présent, à moitié dehors, Allison se cramponnait à la porte. Elle portait de nouveau son manteau rouge et réclamait le pain d'épices que sa mère ne lui avait pas acheté.

— S'il te plaît maman... tu as dit que j'en aurais un.

— Pas maintenant, Allison. Pas après ce que tu viens de faire. Nous allons directement à la maison. Je dirai à papa que tu as été une méchante petite fille et il va te donner une bonne fessée ! Tu as mis maman dans l'embarras devant des étrangers.

Les clients de la pâtisserie la regardaient, horrifiés. Mais elle ne le remarqua même pas. C'était un monstre d'égoïsme et de perversité.

— Mais tu m'as fait mal au bras, maman...

Ce disant, Allison jeta par-dessus son épaule un regard implorant à Gabriella. Elle aurait voulu rester ici, auprès de cette gentille fée, la seule qui ait jamais pris sa défense. Comme jadis, lorsque Gabriella regardait Marianne Marks, la jolie dame blonde qui lui avait fait essayer son diadème. Comme elle avait désiré que ce fût elle sa mère ! Il y a toujours une bonne âme qui croise le chemin des enfants martyrs, se dit-elle, mais il est rare de déceler leur terreur.

Gabriella regarda Allison décoller du trottoir tandis que sa mère la soulevait rageusement pour la forcer à avancer. Le petit corps se tordait, tentant de retrouver l'équilibre. Les petites jambes suivaient tant bien que mal le train d'enfer que sa mère leur imposait... Allison n'aurait pas de pain d'épices aujourd'hui. Elle n'aurait rien... Tout le long de la route, elle s'entendrait dire et répéter que si elle n'était pas une petite fille aussi méchante, maman et papa n'auraient pas à la punir. Les deux silhouettes disparurent au coin de la rue enneigée, la grande gesticulant, et la petite voûtée, tête basse. Gabriella les avait suivies du regard. Une violente nausée lui souleva le cœur. Elle se tourna vers les Baum. Leurs visages fermés lui glacèrent le sang. Au lieu de l'approuver, ils étaient furieux contre elle. Chez eux, le client était roi. Le reste importait peu. Leur vendeuse leur avait fait perdre une cliente ; à cause d'elle, ils avaient manqué la vente d'un pain d'épices. C'était impardonnable. D'ailleurs, en l'observant, Mme Baum avait pensé qu'elle était folle. Ils avaient failli frôler la catastrophe. Encore un peu et Gabriella aurait frappé la femme au manteau de vison... Elle l'aurait fait avec plaisir. Les souvenirs qu'elle croyait enfouis rejaillissaient. Elle ressentit la même douleur aiguë dans l'oreille que lorsque sa mère lui avait percé le tympan.

— Enlevez votre tablier, dit M. Baum calmement, alors que les clients et les autres employés les regardaient. Vous êtes licenciée.

Il tendit la main vers le tablier blanc amidonné, tandis que sa femme approuvait de la tête.

— Je suis désolée, monsieur Baum. Mais il fallait que quelqu'un intervienne.

— Vous n'aviez pas le droit de vous en mêler... C'est sa fille, elle a le droit d'en faire ce qu'elle veut.

Ainsi, rien n'avait changé. La société livrait sans

pitié les enfants maltraités au bon vouloir de leurs parents, si cruels, si dangereux, si inhumains fussent-ils. Personne ne s'élevait contre cela. Personne ne s'opposait à l'œuvre destructrice. Mais alors ? Qu'adviendrait-il des pauvres petites victimes ? Qui prendrait leur défense ? Les forts, les courageux. Pas les frileux, les lâches comme les Baum ou comme son père, qui l'avait abandonnée entre les mains de sa mère.

Gabriella dévisagea son patron.

— Et si elle la tue ? Alors ? Si elle la frappait jusqu'à ce que mort s'ensuive ici même, dans votre établissement ? Si en rentrant à la maison elle l'achève, monsieur Baum ? Que ferez-vous demain, en apprenant la mort de cette petite fille par le journal ? Que direz-vous ? Que vous êtes désolé ? Que vous auriez voulu l'aider ? Ou que vous n'en saviez rien ? Mais vous saviez. Nous savons tous. Nous avons assisté aux sévices, mais la plupart d'entre nous s'empresseront d'oublier une scène quelque peu embarrassante... trop pénible pour les âmes sensibles. Et l'enfant, monsieur Baum ? C'est l'enfant qui a eu mal, pas sa mère !

— Sortez de mon restaurant, Gabriella ! Ne revenez plus jamais ici. Vous êtes une folle dangereuse.

M. Baum se tourna vers ses clients, qui ne soufflaient mot. En effet, ils avaient hâte d'oublier.

— J'espère bien que je suis dangereuse pour des gens comme cette femme, répondit-elle en ôtant son tablier et en le posant sur le comptoir... Mais c'est vous, qui faites semblant de ne rien voir, qui êtes le vrai danger.

Elle jeta un regard circulaire sur les clients, sur ses patrons, sur les autres employés. Personne ne leva les yeux. Elle saisit son manteau sur la patère. Pour la première fois, elle aperçut le professeur Thomas. Il la regardait droit dans les yeux. Il avait vu la scène — il était entré dans la pâtisserie au moment où la petite fille éclatait en sanglots... Il aida Gabriella à enfiler son manteau et sortit avec elle en lui entourant les épaules de son bras. Il la sentait trembler violemment. La tête haute, altière, les yeux brillants de larmes, elle se tourna vers lui.

— Avez-vous vu ce qui s'est passé ? murmura-t-elle sans pouvoir s'arrêter de trembler.

Il l'entraîna loin du restaurant, trop ému pour parler.

— Gabriella, articula-t-il enfin, vous êtes quelqu'un d'extraordinaire. Je suis fier de compter parmi vos amis... Votre intervention a été à tous points de vue remarquable. Les gens ne peuvent pas comprendre.

Ils longèrent les immeubles. Le professeur lui entourait toujours les épaules. Il avait envie de la protéger du passé comme de l'avenir.

— Cela les arrange, dit-elle tristement. C'est plus facile de se cacher la tête dans le sable. De ne rien voir. Mon père se comportait ainsi. Il la laissait faire...

C'était sa première allusion à son enfance. Le professeur y décela un besoin de se confier...

— Vous avez subi la même chose que cette petite fille ?

Il n'avait jamais eu d'enfants, mais ne pouvait imaginer que l'on puisse les maltraiter. De telles horreurs dépassaient son entendement.

— Et bien pire, répondit Gabriella franchement. Ma mère me battait sans pitié et mon père ne disait rien. Je suis encore vivante parce qu'elle m'a abandonnée. Je suis presque sourde d'une oreille, j'ai eu des côtes cassées, des cicatrices, des points de suture, des hématomes, des commotions cérébrales. Elle me laissait par terre, en sang, puis elle me battait encore sous prétexte que j'avais taché le tapis. Elle n'a jamais cessé de me torturer, jusqu'au jour où elle m'a laissée au couvent.

— Oh, mon Dieu...

Des larmes noyèrent les yeux du professeur. Soudain, il se sentit terriblement vieux. En quelques phrases, elle avait brossé le sombre tableau de l'affreux cauchemar de son enfance. Il la crut sur parole. Cela expliquait certains traits de son caractère. Sa timidité, sa méfiance, la volonté de se mettre à l'abri, au couvent d'abord, à la pension ensuite... Il comprit aussi pourquoi les gens lui disaient qu'elle était forte... Elle était plus que cela. Elle avait le pouvoir des âmes qui ont défié le diable. De ceux qui ont traversé les enfers. Malgré ses cicatrices, ses blessures, ses cauchemars, elle avait survécu, intacte. Entière. Une forte personnalité. En dépit de tous ses efforts pour la détruire, sa mère n'avait pas réussi à tuer son âme. Il formula ces pensées à voix haute, alors qu'ils se dirigeaient vers la maison de Mme Boslicki.

Gabriella hocha la tête.

— Oui, dit-elle, c'est pourquoi elle me détestait autant. J'ai toujours su qu'elle voulait me tuer.

Elle ne regrettait pas son intervention en faveur de la fillette, au restaurant des Baum. Son acte de courage lui avait coûté son emploi, mais cela valait la peine.

— Quelle chose terrible à dire de votre propre mère ! Mais je vous crois... Où est-elle maintenant ? s'enquit-il anxieusement, en fronçant les sourcils.

— Je n'en ai pas la moindre idée. A San Francisco, je suppose. Elle ne m'a pas donné de ses nouvelles depuis qu'elle m'a abandonnée.

— Et c'est aussi bien. Inutile de chercher à la revoir. Elle vous a déjà fait trop de mal.

Et ce père qui ne faisait rien, se dit-il, songeur. Même les animaux s'occupent de leurs petits.

Ils arrivèrent devant l'immeuble vétuste qui abritait la pension. Mme Rosenstein alla au-devant d'eux dans l'entrée, intriguée de voir Gabriella à cette heure-ci. Peut-être le professeur avait-il eu un malaise et l'avait-elle accompagné.

— Vous allez bien ? demanda-t-elle à tous les deux.

Ils hochèrent la tête en même temps.

— Je me suis fait licencier, déclara Gabriella.

Elle ne tremblait plus. Un calme singulier avait remplacé son agitation. Le professeur monta dans sa chambre d'où il redescendit avec une bouteille de cognac et de petits gobelets.

— Comment cela s'est-il passé ? l'interrogea Mme Rosenstein en refusant le petit verre de cognac que le professeur lui tendait. Je croyais que tout marchait à merveille.

— Oui, jusqu'à aujourd'hui.

Gabriella prit une gorgée de cognac. L'alcool fit monter des larmes à ses yeux, mais une fois la sensation de brûlure passée, elle se sentit mieux.

— J'ai eu le malheur de remettre quelqu'un à sa place. Mes patrons ne l'ont pas supporté, reprit-elle avec un sourire.

C'était pourtant loin d'être drôle, mais seuls le professeur et elle le savaient.

— Ce *quelqu'un* vous a manqué de respect ? s'indigna Mme Rosenstein.

— On vous expliquera plus tard, intervint le professeur, qui en était à son deuxième gobelet.

Mme Boslicki, alertée par les voix, fit son apparition.

— Que se passe-t-il ? Une réception à laquelle je ne suis pas invitée ?

— Nous fêtons quelque chose, coupa Gabriella en riant.

Elle ressentait les effets euphorisants de l'alcool. Une sorte d'agréable étourdissement, qui estompait les mauvais souvenirs.

— Vraiment ? Et que fêtons-nous ?

— La perte de mon emploi ! s'esclaffa Gabriella.

Mme Boslicki fusilla le professeur d'un regard désapprobateur.

— Elle est ivre ?

— Croyez-moi, elle a bien gagné ce moment de détente, répliqua le professeur.

Il se souvint tout à coup de la raison pour laquelle il s'était dépêché d'aller « chez Baum » aujourd'hui.

Pour une raison qui méritait également d'être célébrée. Il extirpa une enveloppe de la poche de son veston.

— Si vous n'êtes pas trop grise, lisez ceci, déclara-t-il en couvant Gabriella d'un regard plein d'affection.

Elle ouvrit l'enveloppe, en sortit une lettre, la déplia. Elle n'avait jamais bu de cognac auparavant... Le liquide ambré l'avait apaisée, réchauffée. Mais alors qu'elle parcourait la lettre, ses yeux s'écarquillèrent, et les vapeurs de l'alcool se dissipèrent aussitôt.

— Oh, mon Dieu... mon Dieu... ce n'est pas possible ! Comment avez-vous fait ?

La surprise céda le pas à la joie. Elle se mit à sauter comme une gamine en serrant la lettre dans sa main.

— Mais qu'est-ce que c'est ? voulut savoir Mme Boslicki, dévorée par la curiosité.

Décidément, ils étaient tous devenus fous. Ou alors ils buvaient depuis ce matin, et elle ne s'en était pas rendu compte.

— Est-ce qu'elle a gagné aux courses ?

— Mieux que cela ! s'exclama Gabriella, enlaçant sa logeuse, puis Mme Rosenstein, et enfin le professeur.

Celui-ci avait envoyé sa nouvelle au *New Yorker* sans rien dire à l'intéressée... qui venait de recevoir la réponse. Le rédacteur en chef était heureux d'informer Mlle Harrison que son texte serait publié dans le numéro de mars. Un chèque suivrait et, par ailleurs, il la priait de lui faire connaître le nom de son agent littéraire au cas où elle en aurait un... Un chèque de mille dollars ! En un jour, grâce au professeur, elle était devenue un écrivain. Il avait pris l'initiative qu'elle ne se serait jamais autorisée.

— Comment vous remercier... murmura-t-elle.

Il lui apportait la preuve qu'elle avait du talent. Mère Gregoria le lui avait suffisamment répété, également. Ils avaient raison... Elle avait encore peine à le croire.

— En écrivant. Je serai votre agent. A moins que vous n'en vouliez un vrai.

Un jour, certainement, elle aurait besoin d'un agent littéraire qui s'occuperait de tout. Peut-être plus vite qu'elle ne le pensait. Elle avait l'étoffe d'un grand écrivain, il l'avait compris à la lecture de sa première histoire.

— Entendu, professeur... Tout ce que vous voudrez... Voilà le plus beau cadeau de Noël que j'aie jamais reçu.

Elle se fichait éperdument d'avoir perdu son travail. Elle était un auteur maintenant. Ses textes allaient être publiés... Elle trouverait toujours un emploi de serveuse quelque part.

Ce soir-là, elle resta avec le professeur au salon après que les autres se furent retirés. Ils évoquèrent l'incident du restaurant, ce que cela avait signifié pour elle, son enfance, ses écrits. Un nouvel espoir était né. Une lumière qui éclairerait sa vie à présent. Elle tenait toujours la réponse du *New Yorker* à la main. La preuve tangible d'une grande promesse.

Elle le remercia encore, pour la énième fois, avant de monter. Peu après, seule dans sa petite chambre, elle se remémora cette journée si particulière. Ses pensées dérivèrent vers Joe, Joe qui serait si fier d'elle... Si les choses avaient été différentes, s'ils s'étaient mariés, ils auraient vécu chichement dans un minuscule appartement sans confort. Ils auraient fêté ensemble leur premier Noël, et elle serait enceinte de cinq mois.

La vie en avait décidé autrement. Il n'avait pas eu le courage de lutter. Il s'était laissé gagner par la peur et n'avait pas pu traverser le pont qui menait vers le bonheur. Un bonheur qu'il s'était interdit une fois pour toutes. Elle se rendit compte soudain combien elle était forte. Là résidait toute la différence entre eux. Elle, elle aurait traversé le pont... Elle se serait battue pour son amour. Pas lui, même s'il l'aimait. Est-ce qu'il se serait interposé entre la mère et la petite fille au restaurant ? Probablement pas. En tout cas, elle en doutait. Joe était un homme gentil. Elle n'aimerait jamais personne comme lui. Pourtant, quelque part au fond de son subconscient, elle savait qu'il ne l'avait pas suffisamment aimée pour se battre. Il avait rebroussé chemin au dernier moment et ils avaient tout perdu. Maintenant, peu à peu, elle reprenait le dessus... La vie recommençait... Elle ne lui en voulait plus. Mais chaque fois qu'elle pensait à lui, elle éprouvait une peine immense.

Elle regarda par la fenêtre. Le visage de Joe semblait si clair dans son esprit qu'elle crut pouvoir le toucher. Son sourire, ses yeux bleus, l'étreinte de ses bras, la douceur de ses baisers... Son cœur se déchirait rien qu'au souvenir de ces instants merveilleux. Pourtant, malgré son grand, son merveilleux amour pour lui, elle était sûre d'une chose à présent. Elle était une survivante. Il l'avait abandonnée et elle n'était pas morte... Et pour la première fois de sa vie, elle contemplait son avenir avec un sentiment d'exaltation... libérée enfin de la peur.

18

L'avant-veille de Noël, moins d'une semaine après avoir été licenciée, Gabriella se rendit dans une librairie en quête d'un cadeau pour le professeur Thomas... un livre qui lui ferait vraiment plaisir et qui ne se trouvait pas déjà sur les rayonnages encombrés de sa bibliothèque.

Elle chercherait du travail après les fêtes. Grâce à ses économies, elle pouvait payer le loyer de janvier. Le chèque du *New Yorker*, qui ne tarderait pas à arriver, constituait une véritable aubaine. A ce titre, le professeur méritait un présent exceptionnel. Gabriella avait déjà acheté les cadeaux des autres locataires de la pension Boslicki... sauf celui de Steve Porter. Elle avait décidé de ne rien lui offrir.

Elle avait songé à envoyer quelque chose à mère Gregoria puis s'était ravisée. Vu les circonstances, la supérieure était dans l'obligation de refuser tout présent venant d'elle. Elle lui enverrait un exemplaire du *New Yorker* lorsque son histoire paraîtrait... Comme la vieille religieuse serait fière d'elle ! Car, bien qu'elle n'eût jamais répondu au courrier de Gabriella, celle-ci savait combien elle avait compté pour elle. La Mère supérieure l'aimait comme son propre enfant. Ne plus la voir avait longtemps plongé Gabriella dans la détresse. C'était le premier Noël qu'elle passerait sans cette femme admirable, qui l'avait serrée sur son cœur quand elle avait dix ans et qu'elle était seule au monde.

Perdue dans ses réflexions, elle entra dans une importante librairie de la Troisième Avenue... Les rayonnages croulaient sous les nouveaux titres, mais il y avait une section de vieux livres reliés en basane, quelques premières éditions rares. Les prix lui donnèrent des sueurs froides... Certains s'élevaient à plusieurs centaines de dollars. Elle fixa son choix sur trois volumes d'occasion reliés en cuir, d'un auteur que le professeur citait volontiers... Ils étaient vraiment anciens si elle en jugeait par la couverture lustrée à force d'avoir été touchée et caressée par des mains d'amateurs. Elle régla son achat en comptant avec prudence chaque billet qu'elle sortait de son portefeuille. De sa vie, elle n'avait fait une acquisition aussi chère mais le professeur méritait amplement ce petit sacrifice.

— Excellent choix ! la félicita le jeune Anglais à la caisse, tandis qu'elle calculait le montant de ses économies. Je les ai achetés l'année dernière à Londres et j'ai été surpris qu'ils ne soient pas partis tout de suite. Il s'agit d'une édition très rare.

Ils parlèrent un instant d'édition et de littérature. A un moment donné, il posa sur elle un regard plein de curiosité et lui demanda si elle était elle-même auteur.

— Oui, admit-elle précautionneusement. Auteur débutant, je dirais. J'ai vendu un de mes textes au *New Yorker*, grâce au monsieur à qui je vais offrir ces livres.

— Il est votre agent ?

— Non. Un ami.

— Je vois.

Il écrivait aussi, lui apprit-il. Depuis un an, il s'échinait à terminer son premier roman.

— Je m'en tiens aux nouvelles, sourit-elle. Je n'ai pas assez de souffle pour me lancer dans le roman.

— Vous y viendrez, répondit-il, plein de confiance. Notez, je ne vous le souhaite pas. J'ai commencé aussi par des nouvelles, des poèmes... Hélas, l'art ne nourrit pas son homme.

— Je sais. J'ai travaillé comme serveuse pour gagner ma vie.

— Moi aussi... Barman à East Village, serveur chez Elaine. Maintenant je travaille ici. Je suis le directeur, en fait, et les propriétaires de la librairie m'autorisent à m'occuper des achats. Ils vivent aux Bermudes et sont tous les deux écrivains.

Il mentionna deux noms qui firent impression sur Gabriella. Des noms très connus. Mais de nouveau, il la regarda avec curiosité.

— Je suppose que vous ne voudriez pas quitter votre emploi de serveuse.

Les pourboires rapportaient, il le savait, mais d'un autre côté, les heures de présence et les conditions de travail étaicnt très dures.

— En fait, mon emploi m'a quittée, répondit-elle en riant. Je me suis fait renvoyer cette semaine. Joyeux Noël.

— Mon assistante attend un bébé. Elle s'en va vendredi prochain... Seriez-vous intéressée par ce poste ? Le salaire est correct. Vous pourrez même lire pendant les heures creuses.

Il lui adressa un sourire timide avant de reprendre :

— Je n'ai pas trop mauvais caractère. Il semble même que je ne sois pas un patron tyrannique. A propos, je m'appelle Ian Jones.

Elle serra la main qu'il lui tendait, se présenta à son tour. Oui, l'offre l'intéressait. A vrai dire, elle la trouvait passionnante. Le salaire parut plus que correct à Gabriella. Elle gagnerait beaucoup plus que chez Baum, pourboires compris. Et elle travaillcrait moins. De plus, cet emploi lui correspondait à merveille. Elle s'empressa d'accepter, demanda à son nouvel employeur s'il souhaitait des références mais il répondit que non. Il se fiait à son flair... Et à l'apparence de sa future employée : distinguée, jolie, intelligente, s'exprimant dans un langage châtié et écrivain de surcroît. En un mot, parfaite ! Ils fixèrent le début de leur collaboration au lendemain du nouvel an.

Il emballa les trois volumes dans du papier cadeau. Son paquet sous le bras, elle prit le bus. Elle pénétra dans son immeuble, un large sourire aux lèvres, avant de laisser exploser sa joie.

— Vous avez vendu une autre histoire ? demanda Mme Boslicki tout excitée en la voyant danser et sauter dans l'entrée.

— Non, mieux que cela. Ou presque. J'ai trouvé un emploi formidable. Dans une grande librairie. Je commence le 2 janvier.

Plus tard, elle annonça la bonne nouvelle au professeur. Il en fut ravi pour elle. Le vieil homme ne se sentait pas bien. Il avait attrapé un mauvais rhume qui évoluait rapidement en bronchite. Il reçut Gabriella en robe de chambre chez lui, dans sa confortable pièce chaleureuse. Ils discutèrent longtemps des projets d'avenir de la jeune femme. Elle avait hâte de lui donner son cadeau.

En route vers le quatrième étage, elle croisa Steve Porter dans l'escalier. Il paraissait aussi déprimé que Gabriella était enchantée... Lorsqu'il sut qu'elle avait trouvé un nouveau travail, il la félicita et lui souhaita bonne chance. Le sort s'était montré moins favorable à son égard, dit-il. Voilà un mois qu'il sillonnait New York à la recherche d'un emploi. Il avait postulé dans toutes les compagnies d'électronique, avait eu plusieurs rendez-vous, sans aucun résultat. Il commençait à être à court d'argent.

— J'ai entendu dire que vous allez être publiée dans le *New Yorker*, continua-t-il, admiratif. Vous avez de la chance, en ce moment. J'en suis très heureux.

Il ignorait qu'elle avait déjà eu son lot de misères. Que pour la première fois elle apercevait une lueur d'espoir au bout du tunnel. Lui semblait si triste, si abattu, qu'il faisait peine à voir. Elle ressentit aussitôt la pointe familière de la culpabilité. C'était injuste d'afficher sa satisfaction, alors que, visiblement, il n'en menait pas large. Elle regretta son attitude déplaisante vis-à-vis de lui.

— A propos, merci pour la couronne de Noël, répondit-elle, le remerciant pour la première fois.

Il avait témoigné beaucoup de gentillesse à tous les locataires, et elle n'avait cessé de le critiquer. Elle en avait honte à présent.

— Je croise les doigts pour vous, Steve.

— Merci. J'en ai besoin.

Il continua son chemin, puis revint sur ses pas, hésitant.

— Je voulais vous demander quelque chose qui peut vous paraître bizarre, Gabriella... Je me demandais si vous voudriez m'accompagner à la messe de minuit, la veille de Noël.

Elle le regarda, touchée. Ce Noël représentait un cap difficile pour elle, le premier sans Joe et sans les religieuses. Elle n'était pas allée à l'église depuis qu'elle avait quitté le couvent.

— Je ne suis pas sûre d'avoir envie d'y aller, répondit-elle honnêtement. Mais si je me décide, alors oui, j'irai avec vous. Je vous remercie de me l'avoir proposé en tout cas.

— De rien. C'est normal.

Il descendit l'escalier, afin d'aller voir s'il avait des messages. Comme il cherchait du travail, il passait des dizaines de coups de fil et attendait plusieurs réponses. Gabriella le suivit du regard. Elle avait eu tort, se rendit-elle compte. Steve était un gentil garçon. Tout comme Ian Jones, son employeur. Elle avait hâte de commencer à travailler avec lui. Ian avait dit qu'il vivait avec quelqu'un. A l'évidence, son penchant pour sa nouvelle assistante se résumait à un intérêt purement professionnel, tout au plus intellectuel, et cela convenait parfaitement à Gabriella. Elle n'avait guère l'intention de s'impliquer dans une relation sentimentale. Ou de sortir avec un homme. Joe lui manquait encore terriblement, à tel point qu'elle se demandait s'il y aurait jamais placc pour quelqu'un d'autre dans sa vie. Joe avait été quelqu'un d'exceptionnel. Personne ne lui ressemblait... Mais c'était gentil de la part de Steve de l'inviter à la messe de minuit... Et pourquoi ne deviendraient-ils pas amis, après tout ? Sa bonne humeur l'incitait à accepter des amitiés qu'elle aurait, d'emblée, refusées une semaine plus tôt. Elle en parla d'ailleurs au professeur le soir même, alors qu'ils dînaient dans la chambre de ce dernier — Gabriella était allée chercher des plats cuisinés chez lc traiteur du coin.

— Vous aviez raison, je crois, admit-elle. Steve est un brave garçon, après tout. Il paraît qu'il a beaucoup de mal à trouver du travail.

— Oui, et c'est surprenant compte tenu de son intelligence. J'ai discuté quelquefois avec lui et j'ai apprécié son esprit. Il a plusieurs cordes à son arc. Il a fait ses études à Yale où il a obtenu son diplôme avec mention. Il a également une maîtrise de la Business Administration de Stanford. Impressionnant, non ?

Le vieil homme souhaitait que Gabriella et ce jeune homme se voient plus souvent. Il était brillant, bien élevé, bardé de diplômes. Dès qu'il trouverait du travail, il irait loin... Il suffisait de patienter. Gabriella l'écoutait, hochant la tête. Elle avait eu une chance folle de trouver un nouvel emploi juste après avoir perdu le précédent. Elle ne regrettait pas la pâtisserie des Baum. En y repensant, elle se félicitait même d'avoir volé au secours de la petite fille. Peut-être que son intervention ferait comprendre à Allison que la terre n'était pas peuplée que de gens indifférents.

A mesure que la soirée s'avançait, la toux du professeur empirait. Gabriella le laissa se reposer et monta dans sa chambre avec la ferme intention de commencer une nouvelle histoire qui lui trottait dans la tête. Sous sa porte, elle trouva un billet de Steve. Un mot poli, rédigé d'une écriture nette et claire.

« Chère Gabbie,

Je voudrais vous remercier pour vos encouragements. En ce moment, croyez-moi, ils ne sont pas de trop ! J'ai eu pas mal de problèmes familiaux. Maman a été malade toute l'année et nous avons perdu papa l'hiver dernier... Nous avons, elle et moi, besoin de nous remonter le moral. Hélas, je ne puis rentrer à Des Moines tout de suite, alors, si vous acceptiez d'aller avec moi à la messe de minuit, j'en serais ravi. Sinon, nous nous verrons une autre fois. Peut-être pourrions-nous dîner ensemble. (Je suis un cordon-bleu ! Au cas où cette chère Mme Boslicki me permettrait d'utiliser sa cuisine, je vous régalerais des meilleurs steacks-spaghettis que vous ayez jamais goûtés. Mes pizzas sont également réputées. A vous de choisir le menu !) J'espère que ces fêtes de Noël se termineront pour vous aussi bien qu'elles ont commencé.

Amicalement,

Steve »

Elle lut ces lignes avec attention, émue par les malheurs de sa famille. Visiblement, Steve avait entamé sa traversée du désert. Elle se promit une fois encore de lui témoigner davantage d'amitié. Gabriella se demanda pour quelle raison il avait éveillé sa méfiance, au début. Elle ne sut pas répondre. C'était un jeune homme qui s'efforçait de faire plaisir à son entourage. Tout le monde l'aimait bien... On ne peut pas résister éternellement à une aussi grande gentillesse, pensa-t-elle. Elle avait honte de ses soupçons. Sans doute la vie l'avait-elle rendue prudente... Et peut-être lui ferait-elle du bien en l'accompagnant à la messe de minuit. Elle le devait à Joe et à mère Gregoria. Elle prierait pour eux...

Elle posa la lettre de Steve sur sa coiffeuse... et l'oublia. Peu après, elle noircissait les pages de son cahier. Elle ne le revit pas avant la veille de Noël. Dans l'après-midi, elle lui fit la réponse qu'il semblait attendre comme on espère un miracle. Elle irait avec lui à l'église, ce soir. Il se répandit en remerciements. Elle ne se sentit que plus coupable de son attitude passée. Le même soir, elle le dit au professeur Thomas en lui montant un plateau.

— Vous devriez avoir honte ! la taquina-t-il. C'est un charmant jeune homme qui vit une mauvaise période.

Il recevait de nombreux messages chaque jour, au dire de leur logeuse, mais jamais une offre d'emploi. Le professeur disait qu'il avait peut-être mis la barre trop haut, et qu'il ne fallait pas non plus s'imaginer qu'il allait diriger tout de suite la General Motors. Oubliant ses anciennes critiques, Gabriella prit sa défense... Elle, qui l'avait taxé d'arrogance, lui trouvait maintenant beaucoup de modestie. Un élan de sympathie la poussait vers lui.

Ils se retrouvèrent dans l'entrée à onze heures et demie. Ensemble, ils sortirent dans la nuit glaciale. Une couche de givre recouvrait le sol, leur souffle formait de petits nuages blancs. Ils avançaient sans se parler, car à chaque inspiration, le froid intense leur brûlait les poumons. On eût dit que des milliers d'aiguilles leur piquaient le visage. Enfin ils arrivèrent à Saint-Andrew, une église de petites dimensions, prise d'assaut par les paroissiens. Ils pénétrèrent dans l'édifice bondé et une émotion familière étreignit Gabriella quand elle s'agenouilla sur un prie-Dieu, près de Steve. Les bougies répandaient une douce lumière dorée et le parfum entêtant de l'encens saturait l'air. Une vague de nostalgie et de chagrin l'inonda, comme le voyageur qui, après un long périple, rentre enfin à la maison. Elle resta à genoux presque tout le temps et quand Steve baissa le regard sur elle, il s'aperçut qu'elle pleurait. Sans un mot, il posa la main sur l'épaule de la jeune femme, afin de lui montrer qu'il compatissait, puis il la retira, de crainte de l'importuner.

Les hymnes, magnifiques, s'élevaient vers le ciel. Elle les connaissait toutes. L'assemblée chanta

« Douce Nuit » puis, lorsque la chorale entama l'« Ave Maria », tous deux eurent les larmes aux yeux... Leurs souvenirs les berçaient. Elle songeait au couvent. Il devait penser à son père qu'il avait perdu et à sa mère malade...

Après la messe, Gabriella alluma trois bougies à l'autel de la Sainte Vierge, l'une pour mère Gregoria, l'autre pour Joe, la troisième pour leur bébé qui n'avait jamais vu le jour. Une fervente prière lui montait aux lèvres... Elle se sentait en paix en sortant de l'église. Steve fit une réflexion sur les personnes qui passaient Noël loin de leur famille, loin des gens qu'ils aimaient. Gabriella respira profondément l'air glacé, hochant la tête en silence.

— J'ai l'impression que vous avez passé une mauvaise année, vous aussi, remarqua-t-il alors, se rappelant qu'elle avait pleuré pendant la messe.

— C'est exact.

Ils marchaient côte à côte, mais il se garda bien de la toucher. Tout à l'heure pourtant, lorsqu'il avait posé brièvement la main sur son épaule, elle ne s'était pas esquivée.

— J'ai perdu deux personnes que j'aimais, cette année, poursuivit-elle. Et il y en a une troisième que je n'ai plus le droit de voir. Quand j'ai emménagé chez Mme Boslicki, j'allais vraiment très mal.

« Très mal » était un doux euphémisme, mais il n'existait aucun mot pour décrire son désarroi d'alors.

— Chère Mme Boslicki ! soupira Steve avec gratitude. La pauvre femme passe le plus clair de son temps à recevoir des coups de fil pour moi.

— Je suis sûre qu'elle le fait de bon cœur.

Alors qu'ils s'approchaient de la pension, Steve proposa à Gabriella de prendre un café. Il était une heure du matin, mais la cafétéria du coin de la rue était encore ouverte.

— Oui, pourquoi pas ? accepta-t-elle sans hésitation.

Tant mieux, même... Si elle rentrait tout de suite, elle ne dormirait pas. Elle penserait à Joe et finirait la nuit en pleurs. En cette veille de Noël, la solitude lui pesait plus que jamais. Tous deux avaient besoin de compagnie. Steve aussi avait ses soucis, ses problèmes.

Il lui raconta son enfance à Des Moines, ses études à Yale et à Stanford. Il avait apprécié la Californie mais New York offrait davantage de possibilités à quelqu'un de son niveau. Il avait pensé qu'ici il trouverait plus facilement du travail et maintenant il se demandait s'il n'avait pas fait le mauvais choix.

— Le temps le dira, répondit-elle calmement.

Il lui demanda alors si c'était vrai qu'elle venait d'un couvent et elle acquiesça.

— Oui. J'ai vécu pendant douze ans à Saint-Matthew... J'ai dû partir pour des raisons compliquées.

— Mais la vie est compliquée ! Rien n'est facile.

— Parfois, c'est plus facile qu'on ne croit. En fait, nous nous compliquons l'existence à loisir. Je commence à voir les choses sous cet angle. Cela irait mieux, si nous le voulions.

— J'aimerais vous croire, dit-il tandis que la serveuse leur apportait leur troisième café — ils avaient commandé des décaféinés.

Steve reprit le récit de ses souvenirs. A Yale, il avait été fiancé à une jeune fille. Ils projetaient de se marier l'été dernier, le 4 juillet précisément. Et deux semaines avant la cérémonie, en allant voir Steve, elle avait trouvé la mort dans un accident de la route. Les larmes aux yeux, il ajouta qu'elle attendait un bébé. C'était la raison pour laquelle ils avaient décidé de se marier, d'ailleurs. Gabriella le regarda avec étonnement. C'était l'envers de son histoire avec Joe. Néanmoins elle n'osa en parler. Une histoire d'amour entre un prêtre et une postulante entrait dans la catégorie des sujets tabous... Elle n'en avait parlé à personne, pas même au professeur Thomas.

— J'ai ressenti la même chose quand Joe est mort,

admit-elle. Nous pensions nous marier après avoir réglé... quelques problèmes.

Elle regarda Steve de ses grands yeux tristes.

— Il s'est suicidé en septembre.

— Oh, mon Dieu... Gabriella... c'est affreux !

Sans réfléchir, il lui prit la main. Elle accepta ce geste d'amitié.

— Aujourd'hui, quand je regarde en arrière, dit-elle, je me demande par quel miracle j'ai survécu. Tout le monde me tenait pour responsable, du moins je le crois, et je n'ai jamais eu la force de me convaincre que je n'y étais pour rien. Ce n'était qu'une culpabilité de plus, la pire de toutes, cependant.

— Il ne faut pas vous en vouloir. Il y a des tas de raisons qui poussent les gens à attenter à leurs jours. La tension. La pression. L'émotion qui les empêche de voir clair.

— C'est plus ou moins ce qui s'est passé. Sa mère s'était suicidée quand il avait quatorze ans et, naturellement, il se sentait fautif. Mais j'ai beau y réfléchir, je n'arrive pas à me pardonner complètement. Je ne peux pas m'empêcher de me dire qu'il est passé à l'acte à cause de moi... Parce qu'il estimait qu'il ne correspondait pas à mon attente.

— Vous lui avez mis là un lourd fardeau sur les épaules.

La phrase avait échappé à Steve. Il ne voulait pas la blesser. Elle avait traversé de rudes épreuves, comme lui. En retournant à la pension, il lui entoura tendrement les épaules de son bras. Elle ne résista pas... C'était une étrange nuit de Noël, une nuit de confidences. Ils s'étaient découvert beaucoup de points communs.

Il la laissa sur les marches de l'escalier, soucieux de ne pas la brusquer. Il agita la main tandis qu'elle gravissait les étages, avant d'entrer dans sa propre chambre. Cette nuit-là, elle pensa à lui avec un sourire. C'était un homme sympathique. Il avait connu les mêmes angoisses, les mêmes déchirements qu'elle. Elle s'assit sur le bord de son lit, comme elle en avait pris l'habitude, la lettre de Joe à la main. En la lisant, les larmes l'aveuglèrent. Si Joe ne l'avait pas abandonnée, elle serait avec lui à présent, elle n'aurait pas à supporter cette écrasante solitude, ni à se confier à un parfait étranger une veille de Noël... Sa mort délibérée constituait la pire des injustices... Il n'avait pas le droit de la laisser... Mais elle ne lui en voulait plus. La colère, la révolte avaient cédé la place à la tristesse. Elle se coucha enfin. Dès qu'elle ferma les yeux, Joe surgit dans son rêve. Il l'attendait dans le jardin du couvent...

19

Le jour de Noël, Mme Boslicki fit rôtir une de ses succulentes dindes. Steve, qui, cette fois-ci, comptait parmi les convives, raconta mille histoires drôles. Il fit rire aux larmes ses compagnons de table, après quoi ils échangèrent leurs cadeaux. Au dernier moment, Gabriella lui avait acheté une lotion après-rasage. Justement il n'en avait plus, déclara-t-il, enchanté, et n'avait pas les moyens de faire face à cette dépense.

Le professeur Thomas adora les livres que Gabriella lui offrit. Il avait peine à croire qu'elle ait pu trouver une édition aussi ancienne à New York. Elle lui expliqua qu'elle devait son nouvel emploi à cet achat providentiel. Cette nuit-là, les discussions allèrent bon train. Comme d'habitude, le professeur gagna la partie de dominos contre Gabriella. Il remarqua, avec plaisir, qu'elle et Steve s'étaient rapprochés.

Le vieil homme ne se remettait pas de sa bronchite. Depuis des semaines, la même toux sèche lui déchirait les poumons. Après le dîner, Mme Boslicki lui fit du thé au citron et au miel auquel il ajouta une goutte de cognac. Il offrit un verre à Steve. Ce dernier débordait de reconnaissance. Sans eux, il aurait passé le pire Noël de sa vie, dit-il en adressant un regard appuyé à Gabriella.

Il l'accompagna jusqu'à sa chambre où il s'attarda un moment. Il avait dépensé ses derniers dollars pour offrir un livre relié à sa nouvelle amie, une écharpe de laine au professeur, de petits cadeaux choisis avec soin aux autres.

— Vous êtes ma famille maintenant, déclara-t-il.

Gabriella hocha la tête. Elle ressentait la même chose. Ils parlèrent de son nouvel emploi et de ses écrits, laissant délibérément à l'écart les sujets épineux comme le passé... Elle y avait pensé pourtant, ce soir, à ce passé qui ne se laissait pas oublier. A Joe surtout. Elle se surprit à regretter de n'avoir aucune photo de lui. Cela faisait partie de ses terreurs, de ne plus se rappeler un jour aussi nettement son visage, ses yeux, son regard, et son sourire éblouissant... Les souvenirs avaient afflué pendant le repas, jusqu'à la formidable partie de base-ball qui avait opposé Saint-Matthew à Saint-Stephen. Elle avait même souri à ce souvenir... Joe la hantait et Steve l'avait senti. Mais il n'avait pas l'intention de la brusquer. En prenant congé, il ne put s'empêcher de lui effleurer la joue du bout des doigts. Et cette gentille caresse eut le don de réveiller en elle une profonde inquiétude. Il était trop tôt pour qu'elle s'implique dans une relation avec un autre homme. Elle ignorait si elle serait jamais capable de remplacer Joe dans son cœur. Steve était si différent ! Plus ancré dans le monde, plus terre à terre, avec un esprit d'homme d'affaires qui manquait d'innocence, de naïveté. Il n'avait pas l'aura magique de Joe, mais c'était un garçon adorable. Et il était *vivant*, lui susurra une petite voix intérieure. Joe, lui, avait choisi la mort. Il n'avait pas eu le courage de vivre pour elle, cela elle ne pouvait plus le nier.

Le lendemain de Noël, il vint frapper à sa porte, avec une tasse de chocolat chaud. Il l'entourait d'égards, de petites attentions de toutes sortes. Impressionné, il regarda le bloc-notes ouvert sur la table de Gabriella.

— Puis-je lire un de vos textes ?

Elle lui tendit quelques pages ; il les parcourut d'un air émerveillé qui toucha Gabriella. Ils échangèrent des propos sur la littérature pendant un long moment, après quoi ils partirent se promener. Il faisait froid de nouveau, le temps était à la neige. Le lendemain matin, Gabriella admira par sa fenêtre la vue de la ville enneigée. Ils ressortirent peu après et engagèrent une bataille de boules de neige comme des gamins. Steve dit que cela lui rappelait son enfance. Gabriella garda un silence prudent. Elle n'avait pas envie de partager avec lui les sombres secrets de son enfance malheureuse. Pas encore. Elle continua à lancer des boules de neige à son compagnon. Il y avait longtemps qu'elle ne s'était pas amusée autant. De retour à la pension, il confia ses inquiétudes à son amie. Il allait bientôt se trouver à court d'argent. Il envoyait tous les mois une somme à sa mère malade, mais s'il ne trouvait pas de travail rapidement, il allait devoir rentrer à Des Moines ou chercher une chambre moins chère dans un quartier sordide de West Side. Gabriella l'écoutait, embarrassée. Un élan de compassion l'incitait à l'aider. Sans toutefois l'offenser. Le chèque du *New Yorker* ne tarderait pas à augmenter sensiblement ses économies. Elle pourrait facilement lui prêter un peu d'argent... Après de grandes tergiversations, elle proposa de lui avancer le loyer de janvier. Il la remercia, avec des larmes de gratitude. Sa chambre coûtait le même prix que celle de Gabriella. Il la rembourserait dès qu'il aurait un emploi.

Le lendemain, Gabriella régla les deux chambres à leur logeuse. Mme Boslicki fronça les sourcils.

— Vous payez pour lui maintenant ? La chance sourit enfin au pauvre garçon !

Le ton de sa voix en disait long sur ses sentiments... Sympathique ou pas, Steve Porter n'avait pas le droit de profiter de Gabriella. Peu après, la logeuse ne cacha pas le fond de sa pensée à Mme Rosenstein. Après tout, dit-elle, on ne savait rien de ce jeune homme. Il recevait peut-être des dizaines de coups de fil par jour, mais qu'est-ce que cela prouvait au juste ? Gabriella avait précisé qu'il s'agissait d'un prêt. Mme Boslicki ne demandait pas mieux que de la croire, mais savait-on jamais ?

— Espérons-le ! avait-elle soupiré en mettant l'argent dans son tiroir.

Elle aimait bien toucher ses loyers en temps et en heure, à condition qu'ils soient payés par les locataires eux-mêmes, pas par leurs voisines...

Le professeur Thomas, en revanche, approuva Gabriella. Il estimait que l'on pouvait faire confiance à Steve. D'autre part, il pensait que cette initiative cimenterait les liens entre les deux jeunes gens.

Le soir de la veille du nouvel an, Steve invita Gabriella au cinéma. C'était son premier réveillon loin du couvent et elle hésita avant d'accepter. Ils virent le dernier James Bond qu'ils trouvèrent fort divertissant. Après le film, ils dégustèrent des hot dogs dans un bistrot, puis rentrèrent juste à temps pour regarder à la télévision le bal de Time Square... Les minutes passaient et elle fut soulagée qu'il n'ait pas tenté de l'embrasser au douzième coup de minuit. Il se contenta d'évoquer sa fiancée, tandis que Gabriella pensait à Joe. Plus tard, il l'accompagna jusqu'à sa chambre, comme ils en avaient pris l'habitude. Mais alors qu'ils se souhaitaient une bonne année, il l'attira lentement dans ses bras. Son regard la subjuguait. Elle aurait pu l'arrêter, mais une partie obscure d'elle-même avait souhaité ce geste. Ce baiser, elle l'avait attendu, car elle le rendit avec une ardeur dont elle fut la première étonnée. Elle s'efforça de chasser Joe de son esprit, tandis que leurs lèvres se cherchaient de nouveau... Dépassée, elle le laissa entrer dans la chambre et refermer la porte derrière lui. Un frisson la parcourut lorsque la main de Steve se glissa sous son corsage.

— Non, murmura-t-elle d'une voix enrouée, il ne faut pas.

— Je sais, mais je ne peux plus m'arrêter.

La jeunesse, la séduction, la passion de Steve eurent

raison de ses bonnes résolutions. Il l'embrassa de nouveau, lui communiquant sa fièvre. Le désir flamba en elle lorsqu'il releva son corsage, défit son soutien-gorge, se pencha pour lui baiser le cou, la gorge, le bout des seins. « Arrête ! » cria-t-elle mentalement, mais ces mots ne purent jaillir de sa bouche. Elle réussit néanmoins à le repousser et tous deux se regardèrent, à moitié dévêtus et fous de désir.

— Steve, je ne veux pas faire quelque chose que nous regretterons par la suite, dit-elle quand elle recouvra la faculté de parler.

Elle se méfiait de ses émotions. De son besoin de tendresse. Tous deux avaient perdu les personnes qu'ils chérissaient, ils ne se pardonneraient pas d'avoir trahi leur souvenir.

— Je ne regretterai rien, répondit-il... Je t'aime, Gabriella.

Elle ne pouvait pas en dire autant. Parce qu'elle ne l'aimait pas. Elle aimait Joe. Les baisers, les caresses de Steve avaient éveillé son désir mais pas son amour. Elle avait hâte qu'il reparte. Et en même temps, elle souhaitait qu'il reste. La solitude l'effrayait plus encore en cette veille de nouvel an. Elle ne voulait plus penser qu'au présent.

— Gabbie, je t'en supplie. Laisse-moi rester. Je suis si seul, si désespéré... Je ne te forcerai pas à faire quoi que ce soit si tu n'es pas consentante. Je te le promets... Je voudrais juste rester avec toi.

Elle lui lança un regard hésitant. Au fond, elle éprouvait la même envie. Ne pas rester seule, en proie aux souvenirs... Après tout ils étaient adultes. Ils auraient sûrement la force de se contrôler.

Elle finit par incliner la tête. Elle avait son corsage, ses bas et sa petite culotte lorsqu'elle se glissa dans le lit. Il s'allongea près d'elle, vêtu de sa chemise et de ses sous-vêtements. Ils restèrent longtemps enlacés sous la couverture... Quelle sensation étrange que de se trouver dans les bras d'un homme qui n'était pas Joe... D'un homme qu'elle n'aimait pas... A moins qu'avec le temps leur amitié se transforme en un sentiment plus profond, se dit-elle, les paupières lourdes de sommeil. Il lui caressait doucement les cheveux, elle se sentait en sécurité, ce qui comptait énormément. Ils étaient si blessés par la vie, si solitaires...

Ils se parlèrent longtemps en chuchotant et elle se blottit plus étroitement contre lui, somnolente.

— Bonne année, Steve, murmura-t-elle.

Elle sombrait dans le sommeil quand elle le sentit bouger contre elle. Il n'avait plus ses sous-vêtements. Ceux de Gabriella s'étaient volatilisés... Elle voulut résister, mais en vain. Une voix sourde et fiévreuse lui conseillait au contraire de s'abandonner. Un gémissement lui échappa dans l'obscurité. Steve allumait en elle un brasier que Joe, dans son innocence, n'aurait même pas imaginé. Elle était unie à Joe par la passion pure de deux âmes, de deux cœurs qui se cherchent et se donnent l'un à l'autre sans réserve. Avec Steve, la passion était d'une tout autre nature. Plus brûlante, plus sensuelle... Sexuelle même. Elle aurait eu peur de ses propres sensations si elles ne l'avaient pas entraînée dans un gouffre délicieux. Il l'embrassait, la caressait, la poussant peu à peu vers une frénésie des sens qu'elle n'avait jamais connue. Elle renversa la tête d'un mouvement voluptueux pour s'offrir à sa bouche. Il jouait de son corps comme d'une harpe et, éperdue, elle l'attira à elle. Il lui accorda alors ce qu'elle quémandait, avec une lenteur torturante... puis il lui fit gravir les échelons du plaisir encore et encore, jusqu'à ce qu'elle le supplie d'arrêter. Plus tard, il la reprit sous la douche, puis par terre, dans la salle de bains, avec une fougue sans cesse renouvelée. Elle n'avait rien connu de tel avec Joe... Son instinct l'avertissait qu'elle ne ressentirait jamais une extase aussi puissante avec un autre que Steve... Ils revinrent dans sa chambre et s'allongèrent sur le lit. Leurs deux corps étaient enlacés, repus, épuisés... Cette nuit-là, Gabriella dormit dans les bras de Steve comme un bébé.

20

Gabriella et Steve refirent de nouveau l'amour plusieurs fois le lendemain. Les jours qui suivirent, ils ne songèrent plus qu'à assouvir leur désir. Distants, circonspects en compagnie des autres locataires de la pension, ils attendaient le moment où ils pourraient se retrouver. Ils montaient séparément l'escalier, se précipitaient dans la chambre de Gabriella et basculaient, enlacés, sur le lit. Ils s'aimèrent partout et dans toutes les positions. Steve initia sa maîtresse aux jeux amoureux avec un art consommé. Leurs ébats ne ressemblaient guère aux tendres étreintes de Joe. La passion que Gabriella avait éprouvée pour Joe était celle d'un cœur pur. Son attirance pour Steve, puissante comme une drogue, prenait son origine dans l'exigence des sens. Chaque matin elle avait du mal à s'arracher à ses bras pour aller travailler.

Elle avait pris ses nouvelles fonctions comme prévu, le lendemain du nouvel an. Son emploi à la librairie comblait tous ses vœux. Et elle passait ses nuits avec Steve, dans le sortilège sensuel qu'il avait tissé autour d'elle. Lorsqu'ils n'étaient pas au lit, ils discutaient, riaient et plaisantaient, mais la plupart du temps, ils ne se donnaient même pas la peine de manger... Ils se dévoraient l'un l'autre de baisers et vivaient d'amour et d'eau fraîche.

— De toute façon, je n'ai pas les moyens de te nourrir, la taquinait Steve.

Chaque fois qu'ils trouvaient le courage de sortir du lit, Gabriella l'invitait à dîner. Elle ne se faisait pas de souci : le vent tournerait et il lui rembourserait le loyer de janvier. Pour l'instant, il n'avait pas un sou en poche. Il envisagea de repartir chez lui mais elle s'opposa à ce projet. Et elle donna le loyer de février directement à Steve. Mme Boslicki n'y vit que du feu — en tout cas, elle fit semblant d'y croire ; quant au professeur Thomas, il tenait toujours le jeune homme en haute estime et ne manquait pas une occasion de faire l'éloge de son intelligence et de son éducation... Les autres montraient nettement moins d'enthousiasme. Cela faisait quatre mois que Steve cherchait un emploi sans le moindre résultat...

Il continuait à recevoir de nombreux appels téléphoniques. Mais aucune de ses démarches n'aboutissait, en dépit de son allure et de sa garde-robe qui avait dû coûter un prix fou. Selon lui, les patrons hésitaient à embaucher des gens qui possédaient ses qualifications... Il était « surdimensionné » pour les postes qu'il briguait et, souvent, ses diplômes suscitaient la jalousie de ses supérieurs. Gabriella le croyait sur parole. Il avait tant de qualités !

Elle avait cessé d'écrire, faute de temps. Le professeur s'en inquiétait. Quand le *New Yorker* publia sa nouvelle, en mars, il lui rappela qu'il était grand temps de poursuivre. « Pendant que le fer est chaud ! » avait-il dit. Or Gabriella tirait sa chaleur du corps de Steve. Grâce à lui, elle allait de découverte en découverte dans un univers sensuel et excitant. La mauvaise santé du professeur constituait le seul point noir dans ce tableau idyllique. Mme Rosenstein avait beau l'inciter à consulter, il s'y refusait. Il s'était toujours méfié des médecins, répliquait-il. Ils inventaient des problèmes quand il n'y en avait pas. Mais il avait mauvaise mine et toussait constamment. Une toux profonde, déchirante... Il n'invitait plus Gabriella à dîner et, bien sûr, elle ne lui en voulait pas. Elle avait Steve maintenant... Il la subjuguait, elle ne pensait plus qu'à lui.

Parfois, Steve lui rendait visite à son travail. Il avait d'intéressantes discussions avec Ian, le propriétaire de la librairie. Les deux hommes en étaient venus à s'estimer. A plusieurs reprises, Gabriella et Steve allèrent dîner avec Ian et sa petite amie. Gabriella payait l'addition... Ou plutôt, elle « avançait » le prix des repas à Steve. Celui-ci ne pouvait plus subvenir à ses besoins. Sa seule source de revenus venait des sommes que Gabriella lui versait sous forme de prêts. Elle se privait de tout mais, à ses yeux, Steve méritait ce sacrifice. Il était si gentil, si serviable. En retour il la payait à sa manière : en lavant et en repassant leur linge par exemple, pendant qu'elle était à la librairie. Et, bien sûr, en lui faisant l'amour pendant des heures, dès qu'elle franchissait le seuil de sa petite chambre... Parfois, il l'attendait au lit, nu sous les draps. Il s'appliquait à lui donner du plaisir. Son corps était le seul cadeau qu'il pouvait lui faire, et dans ce domaine il se montrait d'une grande générosité.

En mai, elle s'aperçut qu'il ne parlait plus de rendez-vous ni de recherche d'emploi. Apparemment, il avait cessé de chercher du travail. Et il ne se gênait plus pour demander de l'argent à Gabriella. Il n'était plus question de « prêts ». Un subtil changement s'était produit dans leurs rapports, un changement auquel Steve semblait s'attendre. A présent, il se servait directement dans le sac de sa maîtresse. Elle commença à cacher son portefeuille, à taire le jour de sa paie. Le 1er juin, elle réalisa que cela faisait six mois qu'elle payait le loyer de Steve à Mme Boslicki. Elle lui proposa de ne conserver qu'une seule chambre. Il aimait mieux celle de Gabriella, sous le toit. Mais cette suggestion ne parut pas l'enthousiasmer.

— Ce sera embarrassant, dit-il avec fierté. Tout le monde dira que tu m'entretiens... Songe à ta réputation, ma chérie.

Il n'avait peut-être pas tort, à ceci près que ce double loyer creusait un trou impossible à combler dans le budget de Gabriella. Son salaire suffisait pour elle seule, pas pour deux personnes. A présent elle payait tout : la chambre de Steve, sa nourriture, ses notes de restaurant, ses taxis lorsqu'il se rendait à ses fameux entretiens d'embauche qui ne se concrétisaient jamais. Il aurait pu, en attendant, chercher une place de livreur ou de chauffeur de taxi... Mais il n'y songeait même pas. Un jour, après qu'elle eut payé leurs loyers respectifs, elle se plaignit de ne plus pouvoir envoyer ses vêtements au nettoyage. Steve monta sur ses grands chevaux.

— Traite-moi de gigolo, pendant que tu y es ! l'accusa-t-il, furieux.

Ils étaient dans la chambre de Gabriella. Elle le regarda, mortifiée.

— Je n'ai pas dit ça. Je t'ai simplement fait remarquer que je n'ai pas les moyens de t'aider financièrement plus longtemps.

Elle s'était enlisée dans une situation inextricable. L'argent lui donnait un pouvoir dont elle n'avait pas envie d'abuser. De son côté, Steve, tout en profitant d'elle, lui en voulait, car il se sentait redevable.

— Dis tout de suite que tu m'entretiens ! hurla-t-il, ulcéré. Comment oses-tu !

Les mots importaient peu, mais Steve ne l'entendait pas de cette oreille.

— Tout ce que tu fais, Gabriella, c'est m'avancer un peu d'argent !

— Je sais, Steve... je suis désolée... Seulement je n'y arrive plus. Mon salaire n'est pas inépuisable... Je pense que tu devrais chercher un emploi, quel qu'il soit.

— Je n'ai pas fait des études à Yale et à Stanford pour finir garçon de café.

— Moi non plus je n'aurais pas choisi le métier de

serveuse, avec mon diplôme de Columbia, mais il fallait bien manger, quand j'ai quitté le couvent.

Il haussa les épaules. Grâce à elle, il mangeait à sa faim. Le reste lui paraissait superflu. Chaque fois qu'elle faisait allusion à un emploi, il se mettait dans un tel état de rage qu'elle finissait par se sentir coupable. Elle cessa de lui en parler, se remit à écrire. Hélas, tous ses textes furent refusés, aussi bien par le *New Yorker* que par les autres magazines à qui elle les envoya. Le jour où elle reçut la dernière lettre de refus, elle surprit Steve en train de fouiller dans son sac une fois de plus. Il avait presque tout son salaire entre les mains lorsqu'elle ressortit de la salle de bains.

— Mais qu'est-ce que tu fais ? s'écria-t-elle, en proie à la panique. Nous n'avons pas encore payé notre loyer.

— Boslicki peut attendre. Elle nous fait confiance. Je dois de l'argent...

— A qui ? Et pourquoi ? demanda-t-elle, au bord des larmes.

Leur idylle se muait lentement mais sûrement en cauchemar. Elle essaya de le raisonner mais il lui opposa un mutisme hostile, probablement parce qu'il avait honte, pensa-t-elle. Elle le pressa quand même de questions sur ses dettes. Il répondit par un vague :

— Je dois une certaine somme... à des gens...

— Quels gens ?

Il ne connaissait personne à New York... Encore que, pour un homme sans relations, il recevait toujours quantité d'appels téléphoniques, à tel point que Mme Boslicki avait l'impression de tenir le standard d'un grand hôtel, pas celui d'une modeste pension. Finalement, Gabriella ignorait presque tout de son amant.

— J'en ai assez de tes questions, hurla-t-il lorsqu'elle essaya de l'interroger encore. J'en suis malade !

Il se précipita hors de la pièce en claquant la porte. Ensuite, il disparut pendant plusieurs heures... Disparaître était sa nouvelle forme de chantage. Gabriella attendait son retour avec la sensation d'avoir commis une faute qu'elle allait devoir expier. Steve n'avait pas tardé à déceler chez elle ce complexe de culpabilité. Dès lors, il usa et abusa de la faiblesse de la jeune femme. Gabriella ne manquait jamais de se sentir coupable. D'une manière générale, elle était fautive et les autres présumés innocents. Elle cherchait toujours des excuses à Steve... Il avait des problèmes, se disait-elle... Depuis huit mois qu'il était à New York sans travail, il subissait une terrible pression.

Elle avait mis au courant le professeur Thomas, se sentant affreusement déloyale vis-à-vis de Steve. Le vieil homme l'avait exhortée à la patience. A son avis, ce n'était plus qu'une question de temps.

— Si j'étais employeur, je lui aurais immédiatement signé un contrat. Croyez-moi, Gabriella, il a de la valeur.

Elle ne demandait pas mieux que de lui donner raison. Elle détestait le déranger avec ses propres problèmes. Depuis l'hiver dernier, la santé du professeur n'avait pas cessé de se détériorer. Il faisait son âge maintenant : un vieillard chenu de plus en plus fragile. Au printemps, Mme Rosenstein avait appris qu'elle était atteinte d'un cancer. Chacun avait des soucis auprès desquels ceux de Gabriella n'étaient que broutilles. Ses problèmes avec Steve prendraient fin dès qu'il trouverait du travail, elle en était persuadée.

C'est en juillet qu'elle découvrit le pire : il lui avait volé plusieurs chèques et avait imité sa signature. Le banquier de Gabriella était furieux. Steve avait utilisé ses chèques un peu partout. Pendant un mois, Gabriella fut interdite de chéquier. Une semaine après l'incident, Mme Boslicki reçut trois appels du bureau de probation du Kentucky. Ne comprenant pas de quoi il retournait, elle s'en ouvrit au professeur Thomas.

— Pas de panique, dit-il. Il y a sûrement une explication.

Il eut le fin mot de l'histoire quelques jours plus tard. Par inadvertance, le courrier de Steve se trouva dans celui du professeur et ce dernier l'ouvrit sans y prêter attention. Il en resta sans voix. D'après les lettres qu'il lut, Steve utilisait des noms différents. Il avait émis des chèques sans provision dans plusieurs Etats et avait été libéré sur parole dans le Kentucky et en Californie, où il avait été incarcéré pour faux et usage de faux. Le professeur n'eut plus qu'à passer quelques coups de fil pour découvrir le pot aux roses. Une vilaine histoire ! Steve Porter était tout sauf ce qu'il prétendait être. Il n'avait jamais suivi d'études à Yale ou à la Business School de Stanford, ne possédait pas le moindre diplôme et son nom n'était même pas Steve Porter... Selon les cas, il s'appelait Steve Johnson... John Stevens... Michael Houston... Il s'était fabriqué de multiples identités et avait un casier judiciaire aussi épais que l'annuaire téléphonique. Il était arrivé à New York non pas de Des Moines, mais du Texas... Le professeur raccrocha, épuisé. Il s'en voulait de s'être trompé à ce point... et surtout d'avoir induit Gabriella en erreur. L'homme était un monstre, et il avait encouragé sa seule amie à le fréquenter.

Que dire maintenant ? Comment prévenir Gabriella ? Après réflexion, le vieil homme décida d'avoir une confrontation avec Steve. Ensuite, il lui suggérerait de quitter la ville sous peine de le dénoncer. Le plan avait le mérite d'être simple et clair. Si Steve acceptait de s'en aller, le professeur s'engagerait à ne pas dévoiler ses méfaits à Gabriella. Du reste ce serait aussi bien. Elle serait mortellement blessée si elle savait que l'homme qui soi-disant l'aimait l'avait utilisée sans scrupules. Qu'elle était tombée amoureuse d'un imposteur et d'un menteur. Après tous les malheurs qui l'avaient frappée, Steve lui devait au moins cela.

Il l'attendit dans le salon de la pension. En entendant son pas dans l'entrée, le professeur alla au-devant de lui. Steve affichait un air sombre et le vieil homme soupçonna à juste titre qu'il avait bu. En fait, il avait essayé de conclure un petit marché dans Lower East Side : se procurer de la marijuana afin de la revendre, mais il s'était fait rouler par le dealer et avait dépensé les derniers dollars de Gabriella.

— Steve, je voudrais vous parler, s'il vous plaît, dit poliment le professeur.

L'autre se retint pour ne pas le bousculer... Ses bonnes manières laissaient à désirer ces derniers temps.

— Pas maintenant, professeur. J'ai à faire.

Il comptait passer la chambre de Gabriella au peigne fin pendant son absence, en fouiller tous les recoins. Elle avait pris l'habitude de cacher son argent mais il arrivait toujours à découvrir ses cachettes.

— C'est important, dit le professeur d'une voix grave.

Ce ton avait autrefois le don de terroriser ses étudiants. Mais pas Steve Porter.

— Qu'est-ce que c'est ?

Il regarda le vieil homme, qui lui tendait une pile de lettres. Les documents compromettants qu'il avait utilisés pour mener son enquête... Le professeur n'avait rien laissé au hasard. Il avait appelé Stanford, Yale, le service de probation de quatre Etats. Il avait réuni tous les renseignements incriminant le dénommé Steve Porter, celui-ci le comprit du premier coup d'œil.

— Où avez-vous trouvé tout cela ?

Il esquissa un pas lent vers le professeur, qui ne parut pas intimidé.

— La providence. Votre courrier m'est parvenu par erreur. Je l'ai ouvert en toute innocence. Je pense qu'il vaut mieux que Gabriella ne voie pas ces lettres.

— Je ne suis pas sûr de vous suivre, professeur. Auriez-vous l'intention de faire du chantage ?

— Non. Je vous somme de partir, de manière que je n'aie pas à la mettre au courant.

Les autres locataires étaient sortis, y compris Mme Boslicki, qui était allée chez son médecin. Les deux hommes se trouvaient seuls dans la maison. Steve jaugea le professeur d'un air mauvais.

— Et si je ne pars pas ?

Le vieil homme ne broncha pas. Il savait qu'il avait gagné la partie.

— C'est très simple. Je vous dénoncerai.

— Ah oui ? fit l'autre en poussant son adversaire d'un léger coup de coude qui faillit pourtant le faire tomber, mais il retrouva aisément son équilibre. Vous me dénoncerez ? Ce n'est pas raisonnable. Je pense que vous n'avez aucun intérêt à dire quoi que ce soit à Gabriella, l'ami, ou la prochaine fois que vous traverserez la rue, vous risquez d'avoir un accident grave... Et cela ferait beaucoup de peine à Gabriella... Vous savez bien, un de ces vilains petits voyous qui bousculent les vieillards. Cela se termine toujours par une hanche ou un col du fémur cassé, et adieu ! J'ai des amis très efficaces pour ce genre de besogne.

— Vous n'êtes qu'un petit malfaiteur sans envergure ! lança le professeur, furieux.

Steve était pourri jusqu'à l'os. Il avait honteusement profité de la gentillesse et de la naïveté de Gabriella. Rien que d'y penser, le professeur en était malade.

— Elle ne mérite pas cela, reprit-il. Elle a été très bonne avec vous. Vous avez eu tout ce que vous avez voulu. Pourquoi ne la laissez-vous pas tranquille maintenant ?

— Pourquoi donc ? demanda Steve d'une voix malveillante. Elle m'aime.

— Elle ne vous connaît même pas, monsieur Johnson, Stevens ou Houston. Vous n'êtes qu'un sale type, un sale petit escroc qui profite des femmes !

— Ça marche pour moi, papy ! Tu ne m'as pas vu l'envoyer au septième ciel ! C'est du boulot à plein temps, si tu vois ce que je veux dire.

— Taisez-vous, espèce de saligaud !

Le professeur s'avança de quelques pas comme s'il défiait un cobra... Steve était beaucoup trop dangereux pour lui, mais il ne s'en était pas rendu compte. Il avait cru pouvoir l'intimider, ce qui était une erreur fatale. Sans un mot, Steve repoussa violemment le vieil homme, qui trébucha, tomba et se cogna la tête contre le coin d'une table. Du sang jaillit de sa tempe, tandis qu'il s'affalait par terre de tout son long. Steve se pencha, le saisit au collet, le releva.

— Ose me menacer encore une fois, vieil imbécile, et je te fais la peau, tu m'entends ?

Il le secouait comme un enragé. Le professeur se mit à tousser de façon alarmante. Il manquait d'air, alors que Steve le soulevait de terre par le col, l'étranglant presque. Le vieil homme luttait pour reprendre son souffle. En vain. Steve resserra son étreinte. Le professeur agita les jambes, comme un pendu. Son visage se convulsa. C'était exactement ce qu'il espérait. Une crise cardiaque serait la bienvenue... Le professeur suffoquait tout en agitant bras et jambes. Il perdit conscience entre les mains de son agresseur, qui le laissa retomber sur le sol. Il resta par terre, inanimé. Steve redressa la table, jeta un coup d'œil circulaire afin de s'assurer que tout était en ordre dans la pièce. Ensuite, il composa le plus lentement possible le numéro de Police Secours. A l'opératrice, il expliqua d'une voix bouleversée qu'il venait de trouver un de ses vieux voisins inconscient. Elle répondit qu'elle envoyait tout de suite une ambulance.

Il ramassa les lettres compromettantes et les enfouit dans sa poche. L'ambulance arriva peu après. Il expliqua aux infirmiers que le vieil homme s'était sans doute cogné la tête en tombant. Ils firent un autre diagnostic : il était tombé à la suite d'un malaise. Ils l'examinèrent pour voir s'il vivait encore, puis l'allongèrent sur une civière et sortirent au pas de course sans plus s'occuper de Steve.

— Hé ! Est-ce qu'il va s'en sortir ? cria-t-il en leur emboîtant le pas. Qu'est-ce qu'il a eu ?

— Probablement une apoplexie, répondit quelqu'un.

Une minute plus tard, ils l'avaient installé dans l'ambulance, qui démarra sur les chapeaux de roues, sirène hurlante.

Steve revint vers l'immeuble avec un sourire mauvais. Il entra et referma la porte derrière lui.

21

Gabriella rangeait une pile de nouveaux livres dans les rayonnages quand la sonnerie du téléphone retentit. C'était l'heure du déjeuner et Ian était sorti. Elle descendit de l'escabeau, décrocha. La voix de Steve dans l'écouteur la fit sursauter. Il paraissait affolé, presque en larmes.

— Que s'est-il passé ?

Elle ne l'avait jamais entendu ainsi. La situation était tendue entre eux, depuis quelque temps. Ils étaient sous pression. Steve n'avait toujours pas de travail, et Gabriella comptait et recomptait son argent, qui était devenu pour elle une source constante d'inquiétude.

— Steve, réponds-moi !

— Oh... mon Dieu... Gabbie... je ne sais pas comment te le dire...

Il savait combien elle était attachée au professeur. Elle sentit, comme une lame de couteau, la peur la transpercer.

— C'est le professeur... acheva-t-il.

— Oh, Seigneur, Steve, dis-moi ! Dis-moi vite !

— Quand je suis rentré à la maison, je l'ai trouvé par terre dans le salon. Il s'est cogné... il avait du sang sur la tête... Il était allongé près de la table... Je ne sais pas s'il a eu un étourdissement ou s'il a glissé. En tout cas, il est tombé.

— Etait-il conscient ? s'enquit-elle, le cœur serré.

Ou pire encore, mort ? Mais cela, elle ne voulait même pas l'envisager.

— Pas vraiment. Il divaguait, puis il s'est évanoui. J'ai appelé Police Secours. Ils ont tout de suite envoyé une ambulance. D'après les infirmiers, il a eu une crise cardiaque ou une hémorragie cérébrale. Ils ne savent pas encore... Ils viennent de l'emmener et je t'ai appelée tout de suite. Ils le transportent à l'hôpital municipal.

Il s'agissait d'un immense hôpital où il serait parfaitement soigné, songea Gabriella pour se rassurer. Il y avait des mois qu'elle le suppliait de passer des examens médicaux, tout comme Mme Boslicki et Mme Rosenstein. Il n'avait rien voulu entendre. Pourtant, sa santé avait sérieusement décliné depuis l'hiver précédent. Il ne quittait plus la pension, pas même pour une promenade. Sa toux persistante ne manquait pas d'inquiéter Gabriella.

— Ils m'ont promis de m'appeler dès que possible. Je reste près du téléphone, acheva Steve.

Elle eut un soupir de reconnaissance.

— Dieu merci, tu l'as trouvé. J'irai le voir dès que Ian sera revenu. Il est parti déjeuner, il ne devrait pas tarder.

Elle avait hâte d'aller à l'hôpital. Si elle s'était écoutée, elle aurait fermé la librairie et se serait précipitée dans un taxi.

— Attends au moins qu'ils nous aient rappelés, suggéra Steve.

Peine perdue. Elle considérait le professeur comme sa seule famille. Il était hors de question qu'elle attende.

— Excuse-moi, mais je ne pourrai pas attendre que le téléphone sonne, répondit-elle anxieusement. J'irai dès que Ian rentrera. (Elle aperçut son patron à la porte et lui fit signe.) Le voilà. Je t'appellerai de l'hôpital, ajouta-t-elle à la hâte.

L'inquiétude rongeait sûrement Steve et elle ne le

laisserait pas sans nouvelles. Elle exposa brièvement la situation à Ian, s'excusa de devoir partir si tôt. Il répondit qu'il comprenait parfaitement, lui souhaita bonne chance et, une seconde après, elle sortait en courant du magasin, son sac serré contre sa poitrine. Elle héla un taxi, lui indiqua le nom de l'hôpital. Arrivée à destination, lorsqu'elle ouvrit son portefeuille pour régler la course, elle s'étonna de n'y trouver qu'un malheureux billet... Presque rien... Steve s'était probablement resservi, se dit-elle, agacée et perplexe. Aussitôt, elle lui chercha une excuse. Le pauvre garçon était si embarrassé de lui demander de l'argent qu'il empruntait les sommes dont il avait besoin sans rien dire. Mais elle avait tout juste de quoi payer le taxi.

Elle fonça aux urgences, questionna plusieurs aides-soignants. Elle donna le nom du professeur, dont personne ne semblait avoir entendu parler. Près d'une heure s'écoula avant qu'elle obtienne une information... Il n'était pas mort pendant le trajet. Lorsqu'elle le vit enfin, elle manqua défaillir. Le visage gris, les yeux fermés, des moniteurs partout, auxquels il était relié par des fils, des écrans aux graphismes mystérieux... Toute une équipe de médecins et d'infirmières s'agitait autour de lui. Quelqu'un approcha, lui enjoignant de sortir. Elle répondit qu'elle était sa fille, alors on la laissa rester. Elle avait perdu la notion du temps, tandis que son vieil ami se battait contre la mort. Elle le regardait, les joues ruisselantes de larmes, priant pour qu'il revienne à lui. Une infirmière s'avança vers elle.

— Comment va-t-il ? s'enquit Gabriella.

— C'est votre grand-père ? voulut savoir l'autre femme.

Elle était un peu brusque mais sympathique.

— Mon père, répondit-elle, s'accrochant à sa première version.

Le professeur serait flatté... Lui et Charlotte avaient

désespérément voulu un enfant... Une fille comme elle peut-être...

— Il a eu une hémorragie cérébrale. Il est paralysé du côté droit. Il ne peut pas parler et souffre de troubles moteurs, mais quand il est conscient, je crois qu'il nous entend.

Gabriella ne put que hocher la tête. Comment une chose aussi terrible avait-elle pu lui arriver ? Et si vite ?

— Est-ce qu'il se remettra ? osa-t-elle murmurer, en quête d'un mot de réconfort.

— C'est trop tôt pour le dire. Son encéphalogramme n'est pas formidable, je ne vous le cache pas. De plus, en tombant, il a reçu un coup sur la tête, ce qui n'arrange pas les choses.

— Puis-je lui parler ?

— Dans quelques minutes, répondit l'infirmière avant de rejoindre l'équipe.

Les minutes devinrent des heures, alors qu'ils lui faisaient subir d'autres tests avant de l'emmener dans une salle de réanimation. Gabriella était folle d'inquiétude. En plus du reste, le patient présentait des troubles respiratoires. Ils l'autorisèrent enfin à le voir dans l'unité de soins intensifs.

— Ne lui parlez pas trop longtemps. De toute façon, il est incapable de vous répondre... Soyez brève, l'avertit l'infirmière de garde.

Gabriella s'avança vers le chevet du malade. Ses cheveux étaient plus hirsutes que jamais, mais il ouvrit les yeux dès qu'il entendit sa voix.

— Bonjour. C'est moi. Gabriella.

Il eut l'air de vouloir sourire, d'être sur le point de dire quelque chose, sans y parvenir. Il l'avait instantanément reconnue, cela se voyait dans son regard. Elle prit doucement sa main gauche sur le drap et la porta à ses lèvres. Une larme coula sur la joue ridée du vieil homme.

— Tout va bien se passer, l'encouragea-t-elle. Les médecins sont optimistes.

Elle mentait. Il ne parut pas la croire. Il fronça les sourcils avec une grimace comme s'il avait mal, émit un son inintelligible. Elle eut le sentiment qu'il s'efforçait de parler. Mais c'était impossible. Il était emmuré dans le silence. Il ne pouvait que lui serrer faiblement les doigts. Peu après, cela recommença... Des sons étranglés, des borborygmes. Il s'agita ensuite tellement que l'infirmière pria Gabriella de sortir.

— Je ne peux pas rester ? dit-elle, les yeux implorants, tandis que le malade accentuait sa faible pression sur ses doigts.

— Revenez plus tard. Il a besoin de dormir.

L'infirmière lui indiqua la sortie avec un soupir. S'il n'avait tenu qu'à elle, elle aurait supprimé les visites en salle de réanimation... Les gens ne se rendaient pas compte qu'ils étaient de trop ici. Elle regarda d'un œil sévère Gabriella, qui se penchait sur le vieil homme.

— Je reviendrai, murmura-t-elle en lui caressant la joue.

Il émit un son guttural. A l'évidence, il essayait de parler.

— Ne dites rien. Reposez-vous... Je vous aime, dit-elle en l'embrassant sur la joue.

Oui, elle l'aimait de tout son cœur, elle priait de toutes ses forces pour qu'il aille mieux.

Elle pleura sur le chemin du retour, dans le métro. Elle n'avait plus un dollar pour prendre un taxi et se promit de questionner Steve. Elle n'en eut pas le temps car les locataires, bouleversés, rassemblés au salon, la bombardèrent de mille questions. Mme Boslicki et Mme Rosenstein se levèrent dès qu'elles la virent entrer. Elles avaient attendu des nouvelles du professeur pendant des heures. Steve leur avait expliqué à maintes reprises comment il l'avait trouvé, où il était tombé, dans quelle position, et les deux femmes voulaient sans cesse plus de détails.

— Comment va-t-il ? demandèrent-elles à l'unisson.

— Je ne sais pas, répondit Gabriella avec franchise. Il a eu une attaque cérébrale et il s'est cogné la tête en tombant. Il est hémiplégique du côté droit, mais il m'a reconnue... Il essaie de parler mais n'y arrive pas... Il a l'air agité...

Elle leur épargna la mine épouvantable du malade, ses yeux fiévreux, son visage à moitié figé mais où on pouvait lire le désarroi. Mme Rosenstein fondit de nouveau en larmes. Gabriella la serra dans ses bras et s'efforça de la consoler sans toutefois y parvenir.

— Bon sang, comment une chose pareille a-t-elle pu se produire ? intervint Steve, qui s'en prit au mauvais sort.

Tous pensaient que s'il n'était pas arrivé à temps, le professeur serait déjà mort. S'il vivait encore, c'était grâce à Steve.

— Eh bien, dit celui-ci, un rien cynique, c'est finalement pratique d'avoir un chômeur sous la main.

Gabriella lui lança un regard en biais. Elle savait combien ce sujet le mettait dans l'embarras. Il n'avait pas eu de chance, elle comprenait très bien cela. Soudain, elle regretta de l'avoir accablé de plaintes et de reproches. Elle l'avait soumis à une pression insoutenable. Et maintenant, la pointe de la culpabilité lui égratignait le cœur car, sans Steve, le professeur serait mort tout seul par terre. La vie pouvait basculer en un instant dans le néant. On pouvait perdre en une minute ceux que l'on aimait. Elle était bien placée pour le savoir. Et au regard de ce nouveau malheur, ses disputes avec Steve n'avaient pas d'importance.

Il l'attira dans ses bras en murmurant :

— Je suis navré, Gabbie...

Il connaissait son affection pour le vieil homme. Du moins, il le croyait. En fait, il n'en savait rien. Le professeur représentait pour Gabriella la famille qu'elle n'avait jamais eue. C'était la seule personne, à part

Steve, sur qui elle pouvait compter. Il incarnait le père, le confident, l'ami et le mentor. Il lui avait accordé la confiance et l'affection sans condition qu'elle avait toujours cherchées. Elle l'aimait profondément, comme elle avait chéri mère Gregoria... Les deuils successifs qu'elle avait subis lui revinrent en mémoire. Si elle perdait le professeur aussi, elle ne survivrait pas. Mais il n'allait pas mourir, non ! Elle ne le laisserait pas mourir.

Gabriella appela plusieurs fois l'hôpital tandis que Mme Boslicki et Mme Rosenstein la suppliaient de manger quelque chose. Elle n'avait pas faim. Steve était monté en prétextant qu'il avait du courrier à finir. Elle s'efforça d'avaler un peu de bœuf bouilli, repoussa son assiette après deux ou trois bouchées, se leva l'air fébrile.

— Je retourne à l'hôpital, déclara-t-elle en cherchant son sac.

Elle se souvint qu'elle n'avait pas d'argent et monta en courant dans sa chambre. Elle avait caché une enveloppe contenant deux cents dollars au fond d'un tiroir, sous ses bas... L'enveloppe se trouvait toujours là... vide ! Nul besoin d'être détective pour deviner où étaient passés les billets. Ce n'était pas le moment de demander des comptes à Steve mais elle n'avait guère envie de se retrouver dans le métro, de nuit. Elle se rua dans la chambre de son ami, située à l'étage au-dessous, le trouva tranquillement assis, en train de relire des lettres qu'il avait écrites.

— Donne-moi de l'argent, dit-elle sans préambule. Je veux prendre un taxi.

— Désolé, trésor, je suis à sec. J'ai dû acheter du papier à lettres et des enveloppes. Les photocopies de mes diplômes m'ont coûté une fortune, dit-il sur un ton d'excuse.

Elle lui lança un regard furibond.

— Attends, Steve, tu as pris deux cents dollars dans mon tiroir et tu as vidé mon portefeuille.

On ne pouvait mettre personne d'autre en cause, tous dcux le savaient pertinemment.

— Mais non, ma chérie, je n'ai rien pris... A part quarante malheureux dollars hier soir, qui m'ont servi à payer les photocopies. Je t'en aurais parlé mais, avec tout ce qui s'est passé ce soir, cela m'est sorti de la tête... Tiens, regarde, il me reste deux dollars...

Gabriella haussa les épaules. Il mentait, bien sûr... parce qu'il se sentait gêné... Mais ses dénégations ne paieraient pas le taxi.

— Steve, je t'en prie, j'en ai besoin. Je n'ai pas un sou pour aller à l'hôpital et je ne serai pas payée avant vendredi prochain... Il faut que tu arrêtes de te servir dans mon sac.

Chaque fois qu'elle ouvrait son portefeuille, il était vide. Dernièrement, Steve avait augmenté ses emprunts. Cela devenait exaspérant à la fin.

— Je n'ai rien fait ! s'écria-t-il, à la fois mortifié et furieux. Tu m'accuses toujours de te prendre ton argent. Tu ne vois pas combien je souffre ? Tu crois que cette situation me plaît ?

— Je n'ai pas le temps de parler de ça maintenant, dit-elle, paniquée, pressée de retourner auprès du professeur.

— Alors, arrête de me critiquer pour tout. Ce n'est pas juste.

— Je suis navrée...

Son sens inné de la justice lui interdisait de porter systématiquement des accusations contre Steve mais, d'un autre côté, il la poussait à bout.

— En tout cas, ce n'est pas Mme Rosenstein qui me vole mon argent, reprit-elle d'une voix âpre... Oh Steve, excuse-moi ! Je ne voulais pas t'offenser...

Il alla vers elle, l'embrassa gentiment.

— Tu es tout excusée. Veux-tu que je t'accompagne ?

Il s'était radouci mais affichait encore une expression froissée. Son visage exprimait une telle innocence qu'elle douta de ses propres certitudes. Après tout, il n'y était peut-être pour rien. Elle ne fermait pas sa porte à clé, n'importe qui avait pu entrer dans sa chambre...

— Non, ça va aller. Je t'appellerai s'il y a un changement.

Elle posa un baiser sur ses lèvres puis descendit les marches. D'un air gêné, elle demanda à Mme Boslicki de lui prêter de quoi payer un taxi. Sans hésiter, la logeuse lui tendit dix dollars. C'était la première fois que Gabriella lui demandait de l'argent. Rien d'étonnant avec ce fainéant qu'elle entretenait ! La cote de Steve Porter avait sensiblement baissé auprès des autres locataires. Ils en avaient assez de ses airs supérieurs, de ses histoires grandiloquentes sur Stanford et sur Yale, de ses sempiternels prétextes pour ne pas trouver du travail. Selon Mme Rosenstein, il devait se juger nettement au-dessus des postes qu'on lui proposait et Mme Boslicki commençait à se ranger à cette opinion. Les appels qu'il recevait étaient toujours aussi nombreux, mais cela ne signifiait rien. Et dire que Mme Boslicki avait souhaité secrètement que ses deux plus jeunes pensionnaires se mettent ensemble... Et voilà, c'était fait. Pour le plus grand malheur de Gabriella ! Celle-ci aurait pu trouver un homme mille fois mieux que cet éternel chercheur d'emploi.

— Appelez-nous ! cria-t-elle à Gabriella, qui se précipitait dehors pour héler un taxi.

L'état du professeur avait empiré. Il semblait de plus en plus oppressé. Il la regardait avec une telle intensité qu'elle eut peur. Bientôt une agitation singulière s'empara de lui. Les infirmières prièrent Gabriella de partir. Elle s'assit dans une salle d'attente au cas où quelque chose se produirait.

Elle retourna dans l'unité de soins intensifs un peu avant l'aube. Le professeur était réveillé. Il paraissait apaisé.

— Bonsoir, murmura-t-elle en s'asseyant près du

lit. Tous vos amis vous envoient leur bonjour. Mme Rosenstein vous fait dire de prendre vos médicaments sans trop d'histoires... (La vieille amie du professeur avait fait cette recommandation en se tapotant les yeux avec son mouchoir.) Nous vous aimons tous.

Les mots ne suffisaient pas à décrire ce qu'elle éprouvait.

Pendant qu'elle attendait dans la salle attenante, elle avait mis au point son programme des jours à venir. Elle allait demander à son patron un congé, afin de mieux soigner le professeur. Ian accepterait, naturellement. Il était si compréhensif... De toute façon, bientôt, elle aurait droit à des vacances. Elle n'aurait qu'à les prendre en avance. Elle commença à raconter au malade qu'elle s'était remise à écrire depuis une semaine et ajouta que Steve avait beaucoup apprécié son nouveau texte. A ce moment-là, l'expression du professeur changea. Il fronça les sourcils et agita faiblement l'index de sa bonne main, celui que Mme Rosenstein avait surnommé « le doigt blême du destin ». Gabriella esquissa un sourire. C'était vrai qu'il pointait l'index ou le levait, pour souligner une phrase ou donner de l'importance à une déclaration... Lorsqu'il lui reprochait de ne pas écrire plus souvent, par exemple.

— Oui, j'écrirai tous les jours, je vous le promets, dit-elle, croyant avoir compris et se trompant lourdement. J'ai été si occupée ces derniers temps... Entre la librairie et Steve, je n'ai pas eu une minute à moi. Il n'a toujours pas de travail, le pauvre...

De nouveau, il pointa l'index. On aurait dit qu'il allait fondre en larmes.

— N'essayez pas de parler, je vous en prie. Si vous vous agitez, les infirmières me feront sortir. Quand vous reviendrez à la maison, je vous lirai ce que j'aurai écrit...

Elle n'avait plus rien publié depuis le texte paru dans le *New Yorker*. Elle ne se mettait plus à sa table de travail régulièrement comme avant. Ses priorités avaient changé. Comme sa vie. Et maintenant, la maladie de son vieil ami accaparait toute son attention. Elle ne s'imaginait pas traçant un seul mot sur une feuille blanche alors qu'elle se faisait tant de souci pour lui. Elle ne souhaitait plus qu'une chose. Lui insuffler des forces. L'aider à vivre. Le reste importait peu.

Le malade avait refermé les yeux. Il s'assoupit pendant un moment, puis remua la tête sur l'oreiller. Ses paupières frémirent. Chaque fois qu'il ouvrait les yeux et voyait Gabriella à son chevet, il la fixait intensément, comme pour lui communiquer sa pensée. L'infirmière de garde avait permis à la jeune femme de rester. Les autres lui imposaient les règles des soins intensifs, selon lesquels elle devait sortir régulièrement... Mais celle-ci avait été assez gentille pour passer outre au règlement. Gabriella demeura tranquillement assise près du lit. Elle tenait la main du malade, le regardait dormir en priant. Elle n'avait pas prié avec une telle ferveur depuis son départ du couvent. Les souvenirs affluèrent ; elle crut revoir les religieuses en prière dans la chapelle, mère Gregoria, leur force tranquille, leur foi inébranlable en Dieu, leur certitude qu'il les aimait et les protégeait. Et tout en priant, elle s'efforçait de retrouver son ancienne foi.

Il dormait lorsqu'elle quitta l'hôpital... Elle reviendrait lorsqu'elle aurait pris une douche, se serait reposée et aurait fait un long compte-rendu aux autres. L'état du patient s'était stabilisé. Elle effleura la joue pâle et ridée d'un tendre baiser. Il ne bougea pas. Il était plongé dans un sommeil profond et réparateur. Sur le seuil de la porte, elle se retourna avec un sourire. Un regain d'optimisme la stimulait. Il allait s'en sortir, pensa-t-elle. Il était fort, il luttait pour rester en vie... Elle fit part de ses impressions à ses amis, qui l'attendaient chez Mme Boslicki. Mme Rosenstein irait à l'hôpital l'après-midi et leur logeuse avait déjà fait la liste des petits plats qu'elle préparerait au professeur quand il rentrerait à la maison. Steve était sorti. Il avait laissé un mot à Gabriella. Il allait au parc s'entraîner au base-ball avec un ami... quelqu'un qui lui avait promis un emploi dans une grande compagnie.

Elle resta très longtemps sous la douche, laissant l'eau chaude ruisseler sur son corps fatigué. Ses pensées étaient tournées vers le vieil homme qui livrait bataille contre la mort. L'homme qu'elle considérait comme son père. Elle aurait tout fait pour le garder. Elle aurait donné sa propre vie en échange, s'il le fallait. Dieu le lui avait envoyé à l'époque la plus sombre de son existence. Il n'allait pas le lui reprendre. Elle ne le permettrait pas... Dieu lui avait déjà pris trop de personnes aimées... Son sens de la justice nourrissait son espoir. Elle ne perdrait pas le professeur aussi...

Elle arriva à l'hôpital dans l'après-midi, au moment où Mme Boslicki et Mme Rosenstein s'apprêtaient à repartir. Les deux femmes avaient les yeux pleins de larmes... Le malade avait fait une rechute. La paralysie du côté droit avait empiré. Il avait eu des difficultés respiratoires. Les médecins avaient pratiqué une trachéotomie et l'avaient branché à un respirateur. Il semblait épuisé lorsque Gabriella entra dans la pièce fortement éclairée.

— On me dit que vous avez été vilain aujourd'hui, dit-elle en s'installant sur l'unique chaise. Il paraît que vous avez pincé les infirmières.

Il lui sourit des yeux, la fixant avec insistance. Mais son index ne remua pas. Aucun son ne franchit ses lèvres. C'était impossible à cause du respirateur. Il était considérablement affaibli, mais avait repris quelques couleurs. Il était conscient et entendait ce qu'elle disait. Gabriella continua son bavardage. Elle fit semblant de se plaindre de ce qu'il ne l'invitait plus jamais à dîner.

— Ce n'est pas parce qu'il y a Steve dans ma vie que je n'ai plus le droit de sortir. Il n'est pas jaloux de vous... Encore qu'il le devrait...

Elle l'embrassa une nouvelle fois sur la joue. Les

yeux qui la regardaient se refermèrent. Il semblait engagé dans quelque terrible combat. Elle lui dit alors que Steve jouait au base-ball avec une de ses relations censées lui trouver du travail. A cet instant, ses yeux se rouvrirent en grand et il la regarda longuement. Mais la pièce n'était remplie que de silence, brisé seulement par le souffle régulier du respirateur.

Elle resta à son côté tout l'après-midi. Le soir tombait lorsqu'elle envisagea de repartir. Aussitôt après, elle se ravisa. Elle appela la pension de Mme Boslicki et demanda à parler à Steve. Elle allait passer la nuit à l'hôpital, l'avertit-elle. Il ne parut pas s'en inquiéter. Il allait dîner avec les amis avec lesquels il avait joué au base-ball, l'après-midi. Des gars formidables ! Ils s'amusaient bien ensemble et l'équipe de Steve avait gagné. Ils occupaient tous des postes importants dans des sociétés de Wall Street... Des relations extraordinaires, ajouta-t-il. Gabriella raccrocha, soulagée. Du moins, il ne lui en voulait pas de l'avoir momentanément abandonné... Elle se demanda vaguement comment il allait payer son dîner, alors qu'elle retournait vers l'unité de soins intensifs où elle reprit sa place au chevet du malade.

Il fut paisible une grande partie de la nuit. Le respirateur lui procurait l'oxygène nécessaire, il n'avait plus à lutter pour absorber l'air. Vers minuit, sa main chercha celle de Gabriella sur le drap blanc. Il la serra doucement.

— Je vous aime, murmura-t-elle.

Il eut un vague sourire. Peut-être la prenait-il pour Charlotte... Son regard se faisait plus tendre chaque fois qu'il se posait sur elle. Ensuite ses yeux se refermaient. Puis, de nouveau, il la regardait. Bizarrement, il arborait une expression heureuse. Il savait sans doute qu'il allait guérir, pensa-t-elle. Elle avait réussi à lui communiquer sa force, c'était pourquoi elle avait tenu à rester avec lui.

La tête de Gabriella roula sur sa poitrine. Ils dormirent tous les deux, elle sur sa chaise, lui sur le lit, main dans la main... Des rêves étranges vinrent la hanter : Joe, son père, Steve, le professeur. Lorsqu'elle se réveilla, la nuit pâlissait. Le ciel virait au gris, une ou deux touches de rose coloraient l'horizon. Un nouveau jour commençait à poindre et le combat n'était pas terminé. Le malade gisait sur sa couche, immobile. Sa mâchoire tombait, il semblait complètement détendu. Le respirateur inspirait et expirait rythmiquement à sa place. Mais soudain, l'un des moniteurs lança une sorte de plainte aiguë, suivie aussitôt par le signal d'alarme haché d'un autre appareil. Avant que Gabriella puisse comprendre, deux aides-soignantes firent irruption dans la pièce. Une lumière bleue se mit à clignoter, puis deux infirmiers arrivèrent en courant. Ils poussèrent Gabriella et commencèrent à administrer au professeur des chocs électriques en appliquant un objet sur sa poitrine et en comptant les compressions. Tout à coup, la pièce fut pleine de monde, tandis que Gabriella, effarée, assistait aux opérations. Le respirateur fonctionnait toujours, mais son cœur avait lâché. Ils s'activèrent frénétiquement pendant un long moment, après quoi l'un des hommes en blanc secoua la tête. Une infirmière prit Gabriella à part. Elle lui parla doucement.

— Nous l'avons perdu, mademoiselle... je suis désolée...

Gabriella jeta autour d'elle un regard incrédule. Ils mentaient ! Ils plaisantaient ! Ce n'était pas possible ! Une minute plus tôt, il l'avait encore regardée. Une minute plus tôt, elle lui tenait la main en priant de toutes ses forces pour qu'il vive... Il ne pouvait pas mourir. Pourtant, il s'était éteint pour retrouver sa chère Charlotte.

Ils débranchèrent le respirateur et quittèrent la pièce. Gabriella demeura au pied du lit, les yeux fixés sur la figure blême. Elle se rassit à son côté, lui reprit la main en lui parlant comme s'il pouvait encore l'entendre.

— Ne faites pas ça, murmura-t-elle, les joues inondées de larmes. J'ai trop besoin de vous... ne me laissez pas toute seule... ne partez pas, s'il vous plaît... revenez...

Le silence retomba dans la chambre. Un silence absolu. Il reposait en paix à présent. Il était arrivé au terme de son existence terrestre. Il avait vécu sa vie. Quatre-vingt-un ans... Il ne lui appartenait pas, se dit-elle. Il avait veillé sur elle comme un guide, un ange gardien, pendant un temps, hélas, trop bref. Il appartenait à Dieu. Et à Charlotte. Et comme tous les autres, il l'avait abandonnée. Sans malice, sans colère, sans accusations ou récriminations... Elle ne l'avait pas blessé, ne l'avait pas forcé à partir. Il ne lui en avait jamais voulu. Leur brève rencontre ne leur avait apporté que du réconfort. Du bien-être aussi. Il était parti de son propre gré, vers un lieu où elle ne pouvait pas le rejoindre.

L'infirmière revint. Elle lui demanda si elle avait besoin de quelque chose. Gabriella secoua la tête. Non. Juste rester encore un peu avec lui... L'infirmière voulut savoir quelle sorte d'obsèques il aurait souhaitée.

— Je ne sais pas... Je vais me renseigner... Je vous le dirai plus tard.

Peut-être Mme Rosenstein savait-elle quelque chose. Il n'avait aucune famille, pas d'enfants, pas de parents même éloignés. Il n'avait que ses amis de la pension où il avait passé les vingt dernières années de sa vie. Et il avait Gabriella. Gabriella à qui il vouait une profonde affection et dont il admirait le talent. Mais à quoi bon ? Elle n'écrirait plus un mot... Elle n'était rien sans lui...

Elle se redressa enfin, l'embrassa une dernière fois. Il n'était plus là maintenant. Son esprit s'était envolé, il ne restait plus qu'une dépouille, une enveloppe charnelle usée, sans importance. La meilleure part de lui-même s'en était allée. Elle reposa doucement sa main sur le drap.

— Dites bonjour à Joe de ma part...

Elle était certaine que les deux hommes se rencontreraient au ciel.

Elle quitta l'unité de soins intensifs à pas lents. L'ascenseur la déposa au rez-de-chaussée. Elle sortit dans la lumière éclatante de juillet. Il faisait beau. Une journée splendide. Un ciel sans nuages. Et des gens partout, entrant et sortant de l'hôpital. Et discutant. Et riant... Elle trouva bizarre que « la vie continue » comme on dit, que la terre continue de tourner, qu'elle ne se soit pas arrêtée même une seconde, en guise d'au revoir. L'étau qui enserrait son cœur lui rappela le jour où elle avait quitté le couvent. Elle crut presque entendre une porte se refermer derrière elle, tandis qu'elle partait, à pied, vers la pension.

Elle n'avait pas les moyens de prendre un taxi ni même le métro, mais cela lui était égal. Elle n'avait plus la moindre pièce de monnaie dans son sac, mais le fait de devoir marcher ne la dérangeait pas. Elle avait besoin d'air. De solitude. De réflexion... Et alors qu'elle avançait dans les rues, dans l'éblouissante lumière de l'été, elle sentit près d'elle comme une présence. Il ne l'avait pas abandonnée, après tout. Il lui avait laissé tant de choses, tant de mots, tant d'anecdotes et de sentiments... Et bien qu'il soit parti, comme les autres, elle sut que, cette fois-ci, c'était différent.

22

A la surprise générale, le professeur Thomas avait laissé ses affaires en ordre... Son allure de vieux savant distrait avait trompé son monde. Gabriella, qui s'était attendue à un affreux désordre, découvrit des dossiers soigneusement classés, un testament cacheté, des instructions précises concernant ses obsèques. Pas de messe mais un simple service religieux, de préférence en plein air, avait-il écrit, ainsi qu'un court extrait de Tennyson et un poème de Robert Browning, le préféré de Charlotte. Il possédait un coffre dans une banque, et un secrétaire où il rangeait sa correspondance.

Mme Rosenstein, littéralement effondrée, avait endossé avec une aisance extraordinaire le rôle de la veuve inconsolable. Mme Boslicki, aidée de Steve, s'occupa de l'organisation des funérailles. Ensemble, ils se rendirent aux pompes funèbres du quartier où ils choisirent un cercueil des plus sobres. Le professeur souhaitait être enterré à Long Island, auprès de Charlotte. Ils firent tout selon ses dernières volontés.

Quelques-uns de ses voisins l'accompagnèrent jusqu'au cimetière de Long Island dans une limousine louée. Gabriella resta un long moment seule devant le tombeau. Elle déposa une rose rouge sur le cercueil. Ils avaient ajouté aux deux textes qu'il avait choisis un troisième poème, écrit et lu par Gabriella d'une voix tremblante. Steve lui tenait la main mais, bizarrement, c'était le visage de Joe qui jaillissait dans sa mémoire.

Heureusement que Steve était là, bien sûr. Elle lui vouait unc immense gratitude. Il s'était comporté d'une manière exemplaire et avait regagné l'estime de Mme Boslicki.

Le professeur Thomas fut conduit à sa dernière demeure dans son habit du soir. Le reste de sa garde-robe fut offerte à des institutions caritatives. Le *New York Times* publia une notice nécrologique relatant sa brillante carrière professorale. Il avait reçu, en effet, plusieurs prix et autres récompenses dont il n'avait jamais fait mention.

L'un des locataires de Mme Boslicki, ancien juriste à la retraite, leur expliqua la marche à suivre concernant le testament. Ils firent venir un avocat qui décacheta l'enveloppe en présence de tous dans le salon. Il en sortit un testament rédigé de l'écriture nette du professeur... Il s'agissait d'une simple formalité puisque ses amis savaient qu'il n'avait pas de fortune.

Or ce que l'avocat lut ne correspondait guère à leur attente. Et à mesure que les paragraphes se succédaient, les yeux des personnes présentes, y compris ceux de l'avocat, s'écarquillaient. Le professeur Thomas avait fait de très bons placements et était riche. S'il avait élu domicile à la pension de Mme Boslicki, ce n'était absolument pas par nécessité, mais parce qu'il s'y sentait entouré.

Il laissait à chacune de ses excellentes amies, Martha Rosenstein et Emma Boslicki, cinquante mille dollars, avec son affection et sa reconnaissance pour la gentillesse qu'elles lui avaient témoignée pendant leurs si longues années d'amitié. Mme Rosenstein héritait également de sa montre en or, son seul bijou... Elle fondit en larmes tandis que l'avocat lisait cette clause. Il léguait à sa jeune amie et protégée Gabriella Harrison le restant de ses biens : sa bibliothèque et ses autres possessions : comptes courants et investissements qui, au moment de sa mort, s'élevaient à un peu plus de six cent mille dollars ! Il y eut un remous dans la pièce et l'avocat déglutit en fixant Gabriella. Les valeurs boursières se trouvaient en sûreté, dans son coffre à la banque, tout était parfaitement en ordre. Gabriella n'en crut pas ses oreilles. L'avocat s'était trompé. Il avait mal lu. C'était une blague ! Pourquoi le professeur aurait-il fait d'elle sa légataire universelle ? Il en expliquait les raisons dans son testament. Il savait qu'elle utiliserait cet argent à bon escient, avec sagesse et modération, et que cela l'aiderait à entamer une carrière littéraire sans les problèmes financiers qui, jusqu'alors, avaient entravé son œuvre. Cette somme lui assurerait la sécurité financière qui lui avait fait défaut pendant toutes ces années. Il ajoutait qu'il la considérait comme la fille bien-aimée qu'il n'avait jamais eue et lui exprimait toute sa tendresse. Il l'admirait en tant qu'écrivain, poursuivait-il, et en tant qu'être humain. Il terminait par des remerciements. Il avait signé professeur Theodore Rawson Thomas. Au dire de l'avocat, la lettre, dûment datée et signée, ne présentait aucune faille au regard de la loi.

Un silence stupéfait suivit, après quoi un brouhaha de voix remplit la pièce. Tous se pressaient autour de Gabriella pour la féliciter. Ils étaient ravis et personne ne songea à la jalouser. Ils pensaient au contraire qu'elle avait amplement mérité cette fortune qui lui tombait du ciel. Elle eut l'impression d'être une grande héritière. Elle jeta un regard en direction de Steve, qui lui souriait. Il n'était pas fâché. Ni jaloux, se dit-elle, soulagée.

— Je suppose que vous allez nous quitter maintenant, remarqua tristement Mme Boslicki... Vous pourrez acheter votre propre immeuble.

Elle sourit à Gabriella à travers ses larmes, et la jeune femme, touchée, l'entoura de ses bras.

— Pas question. Je n'irai nulle part.

La logeuse renifla. Ils étaient tous abasourdis. Qui eût cru que le gentil professeur Thomas avait amassé tranquillement une telle fortune ? Ses colocataires pensaient que sa seule source de revenus se résumait aux chèques de sa pension. Il avait déjà fait preuve d'une générosité qui aurait dû leur mettre la puce à l'oreille en invitant Gabriella tous les lundis au restaurant. Ils n'y avaient vu que du feu. Et à présent, il avait fait d'elle une femme riche... Il ne voulait ni gratitude, ni remerciements, seulement qu'elle continue à écrire. Elle le lui promit mentalement, le cœur serré par l'émotion.

— Eh bien, princesse, qu'est-ce que tu vas faire ? Aller à Honolulu ? T'acheter une limousine ? la taquina Steve en l'enlaçant par les épaules.

C'était la fin de leurs problèmes. De leurs disputes. Elle regretta seulement de ne pouvoir partager cette merveilleuse nouvelle avec les religieuses de Saint-Matthew et mère Gregoria... Mais n'était-ce pas là un cadeau de la providence ? Si elles ne l'avaient pas renvoyée, rien de tout cela ne serait arrivé... En une année, elle avait vécu plus d'aventures que pendant toute une vie. Elle avait peine à croire qu'elle avait quitté le couvent depuis dix mois seulement... Le professeur avait fait son testament en juin. Comme sous le coup d'une prémonition. La maladie de Mme Rosenstein révélée au printemps, sa propre santé qui déclinait l'avaient incité à rédiger ses dernières volontés.

Gabriella invita tous ses amis dans un bon restaurant, ce soir-là. (Mme Boslicki lui avança l'argent sans une ombre d'hésitation.) De retour à la pension, elle monta dans la chambre du professeur. Elle commença par regarder la bibliothèque dont elle avait hérité. Des livres précieux, rares, y compris les trois volumes qu'elle lui avait offerts à Noël. Elle s'assit au bureau, se mit à jeter un coup d'œil aux dossiers. Dans l'un des tiroirs, elle aperçut une chemise cartonnée. Elle portait la mention « Steve Porter ». Stupéfaite, elle l'ouvrit, mettant au jour les photocopies de la correspondance que le professeur avait montrée à Steve une semaine plus tôt. Gabriella tournait les feuillets, sidérée. Les lettres à Stanford et à Yale y étaient, ainsi que les réponses. Une autre série de lettres de différents départements de la police. Elle les parcourut, les yeux agrandis, horrifiée. Ces papiers brossaient le portrait d'un homme qu'elle ne connaissait pas, d'un étranger, d'un monstre. Elle parcourut une interminable liste de forfaits, délits, sentences qui l'avaient envoyé en prison pendant des mois, sous des accusations diverses : faux, usages de faux, escroquerie... Il avait extorqué de l'argent à des femmes dans différents Etats. Il séduisait ses victimes puis les dépouillait peu à peu de toutes leurs économies. Occasionnellement, il jouait et trichait au poker, revendait de petites quantités de drogue. Il parvenait toujours à ses fins avec les femmes sur lesquelles il jetait son dévolu... Dans une lettre, une assistante sociale qui lui avait rendu visite en prison précisait qu'il n'avait jamais terminé le lycée. Stanford, Yale faisaient partie de ses inventions. Mais le pire n'était pas l'absence de diplômes... Gabriella eut soudain conscience que, depuis sept mois, il n'avait fait que se servir d'elle. Il l'avait utilisée tout comme ses autres victimes, l'avait pressée comme un citron, l'avait amenée peu à peu à l'entretenir. Il se fichait éperdument d'elle, de ses sentiments. Il lui avait raconté les mêmes histoires qu'aux autres femmes. Car il n'y avait pas eu d'accident, pas de fiancée. Ses parents étaient morts quand il était enfant, il avait grandi dans des foyers d'accueil et autres institutions d'Etat. Il n'avait pas de mère malade à Des Moines, son père n'était pas décédé l'an passé... Chaque mot qu'il avait prononcé et qui avait renforcé leurs liens avait été un odieux mensonge. Même son nom n'était pas vrai. Le Steve Porter qu'elle avait connu et aimé était un être faux, entièrement fabriqué.

Elle continua à feuilleter les papiers, mais son opinion était faite. Le sort lui avait joué un mauvais coup. Pire que la mort de Joe. Joe l'avait aimée au moins. Alors que cet homme, ce Steve Porter comme il se faisait appeler, était un gigolo doublé d'un criminel. Il lui avait menti, l'avait volée, dupée du début à la fin. Il avait abusé de sa confiance. De sa faiblesse. Elle se sentit sale tout à coup. Malade et sale. Surtout quand elle pensait à leur intimité, leurs caresses... Elle avait l'impression de s'être prostituée, à ceci près que le prostitué, c'était lui.

Lentement, elle remit les papiers dans le tiroir, qu'elle ferma à clé. Elle ignorait encore ce qu'elle lui dirait, comment elle lui échapperait. Mais alors, le professeur savait, se dit-elle, et un frisson de terreur la secoua. Est-ce qu'il n'avait pas voulu confronter Steve à son passé trouble ? En ce cas, Steve n'aurait jamais permis que la vérité soit divulguée. Son instinct lui soufflait que son amant n'était pas étranger à la mort subite du professeur. A cette pensée, elle tressaillit... Quelque chose d'affreux s'était produit entre les deux hommes, elle en eut soudain la certitude.

Elle monta dans sa chambre. Elle était assise sur le lit, s'efforçant de calmer la tempête de son esprit, quand Steve entra.

— Ça n'a pas l'air d'aller, remarqua-t-il.

Il lui trouva une expression bizarre. Rien de plus normal après une journée aussi riche en émotions. Le tout couronné d'un bonus qu'il n'avait jamais osé espérer, même dans ses rêves les plus fous. Quand le vieil imbécile avait rendu l'âme, Steve s'était dit qu'il continuerait à mener cette existence sordide, avec le ridicule salaire de Gabriella. Jusqu'au jour où une meilleure occasion se présenterait... Et puis... il avait touché le jackpot. Le pactole. Il ne doutait pas un instant qu'il avait gagné la confiance de la poule aux œufs d'or.

— J'ai la migraine, dit-elle d'une voix pâteuse.

Encore interdite, elle le dévisageait comme si elle avait affaire à un inconnu... De toute façon, elle ne le reconnaissait plus... L'homme qu'elle avait cru aimer n'existait pas.

— Allons, ma chérie, dit-il, plein d'allant. Tu as les

moyens d'acheter une tonne d'aspirine avec ton héritage. Six cent mille dollars, cela s'arrose ! Allons dîner en amoureux dans un grand restaurant demain... Tu n'as pas envie d'un beau voyage ? Paris... Rome... Vienne...

Les possibilités ne se comptaient plus. Il avait l'intention de profiter pleinement de la fortune de Gabriella, et l'Europe lui paraissait l'endroit idéal pour mettre son projet à exécution.

— Je ne peux pas y penser maintenant, Steve. Tout cela est exaltant, je sais, mais je ne voudrais pas faire faux bond à Ian. D'ailleurs, le professeur m'a laissé cet argent afin que je puisse écrire, pas pour le jeter par les fenêtres... Cela ne serait pas juste...

Elle usait sa salive pour rien, elle en avait conscience mais il fallait bien répondre quelque chose... Gagner du temps, jusqu'à ce qu'une solution se présente. Rien que le regarder lui était pénible à présent... Une fois de plus, la question fatale vint la hanter : avait-il une responsabilité quelconque dans l'accident du professeur ? Un accident qui avait entraîné sa mort... Les doutes n'avaient cessé de l'assaillir depuis qu'elle avait parcouru les dossiers que le défunt gardait dans son bureau.

— Rassure-toi, trésor, dit-il, amusé par les scrupules de son amie, le professeur n'en saura jamais rien. L'argent est à toi maintenant et tu peux l'utiliser comme bon te semble.

Elle hocha la tête... Sans même s'en rendre compte, il dévoilait sa véritable nature.

Cette nuit-là, ils dormirent ensemble comme d'habitude. La chambre de Steve leur tenait lieu de bureau ou de débarras. Elle lui répéta qu'elle se sentait mal. Que sa migraine s'était accentuée. S'il la touchait, elle serait capable de le frapper. Il l'avait trompée, il avait abusé de sa naïveté. Il n'était pas meilleur que sa mère. Il lui avait fait du mal sciemment, délibérément... pas physiquement, peut-être. Moralement. Et d'une certaine manière, c'était pire.

Elle se leva tôt, prétextant qu'elle allait travailler. En fait, elle était pressée de s'éloigner de lui, le plus vite possible. Elle appela la librairie d'une cabine téléphonique, disant à Ian qu'elle ne se sentait pas bien et qu'elle resterait au lit. Lorsqu'elle eut raccroché, elle prit la direction de Central Park. Elle s'assit sur un banc, l'esprit en ébullition. Elle fit ensuite le point de la situation.

Elle savait que Steve allait déjeuner avec des amis, du moins l'avait-il prétendu. Ce matin, avant qu'elle ne parte en trombe, il avait reparlé de leur voyage en Europe, mais elle n'avait pas répondu. Elle avait fait semblant de fouiller dans sa penderie... Steve n'avait aucune raison d'avoir des soupçons.

Mme Boslicki allait s'absenter également. Elle voulait acheter un nouveau lit. Un de ses derniers locataires avait brûlé le matelas avec sa cigarette. Mme Rosenstein avait rendez-vous chez le médecin. Les autres travaillaient. Si elle attendait l'heure du déjeuner, elle serait seule à la maison et donc libre de poursuivre ses recherches dans la chambre du professeur... Peut-être y avait-il caché d'autres documents compromettants. Peu à peu, un plan prenait forme... Rassembler le plus de preuves accablantes et consulter un avocat. Elle avait hâte que Steve sorte de sa vie. S'il n'avait tenu qu'à elle, elle l'aurait fait tout de suite. Passer une nuit de plus avec cet homme lui était insupportable. L'idée de subir ses caresses lui donnait la nausée. Elle pourrait prier Mme Boslicki de le mettre dehors. Il dépensait l'argent du loyer que Gabriella lui avançait. Il devait donc plusieurs mois de loyer à la propriétaire de la pension... Mais chasser un locataire était une démarche laborieuse qui risquait de s'éterniser. Et entre-temps ? Comment faire ? Elle n'avait plus personne à qui demander conseil.

Elle retourna à la pension vers midi. Un silence

absolu régnait dans la maison. Elle gravit rapidement les marches de l'escalier, ouvrit la chambre du professeur sans se donner la peine de refermer la porte. Ayant déverrouillé le tiroir du bureau, elle ressortit la pile des papiers. Tout était là. Les lettres de différentes institutions, plus horribles encore à la deuxième lecture. La liste des délits, interminable. Les noms des femmes escroquées dans différents Etats... Un nombre impressionnant, compte tenu de l'âge de Steve. Gabriella était absorbée dans sa lecture lorsqu'un bruit de pas se fit entendre dans son dos. En se retournant, elle aperçut Steve dans le chambranle, qui lui souriait.

— Tu comptes tes sous, Gabbie ? Dans l'espoir de trouver un petit magot supplémentaire ? Attention, bébé, la cupidité est un vilain défaut.

Son sourire s'élargit bizarrement. Elle avait sursauté, son visage avait pâli, et elle ne lui avait pas rendu son sourire. C'était au-dessus de ses forces.

— Je mets de l'ordre dans les papiers du professeur. Ian m'a accordé une heure de plus pour midi.

Sans un mot, Steve avança d'un pas traînant dans la pièce. Elle se demanda s'il avait annulé son déjeuner, si déjeuner il y avait. Peut-être était-ce un mensonge de plus... Peut-être lui avait-il tendu un piège parce qu'il connaissait par cœur le contenu de ce dossier.

— Passionnant, n'est-ce pas ? dit-il, le doigt pointé vers la pile des lettres.

Ses yeux la fixaient. Ces lettres, il les avait déjà vues, cela se lisait dans son regard. Mais il se fichait éperdument qu'elle sache ou pas. Seul l'argent l'intéressait.

— Je... je ne vois pas de quoi tu parles, balbutia-t-elle.

Elle avait retourné la feuille du dessus afin de dissimuler les autres.

— Oh que si ! Est-ce qu'il a réussi à t'en parler avant de passer l'arme à gauche ? Ou est-ce que tu les as découvertes en fouillant ?

Il était revenu dans l'intention de passer la maison au crible à la rccherche de photocopies. Le vieux chenapan était du genre à se protéger.

— Qu'est-ce que j'ai découvert à ton avis ? dit-elle.

Ils jouaient au chat et à la souris.

— Ma biographie... Le professeur a procédé à des recherches minutieuses. Il manque encore quelques preuves, mais je crois qu'il a réussi à mettre la main sur les plus importantes.

Il haussait le menton avec fierté, sous le regard interloqué de Gabriella. Une violente nausée l'envahit. Mais qui était cet homme ? Il ne représentait plus rien pour elle. En l'espace d'un jour, il était devenu un parfait étranger.

— Nous avons eu une conversation le jour où... euh... il est tombé, reprit Steve avec une sorte de théâtralité effrayante.

Les yeux de Gabriella lancèrent des éclairs. Elle s'était redressée et lui faisait face.

— Tu as levé la main sur lui, salaud !

Elle n'avait jamais traité personne ainsi, mais Steve méritait pleinement cet adjectif.

— Tu l'as frappé ? poursuivit-elle, hors d'elle. Poussé ? Qu'est-ce que tu lui as fait, Steve ?

Elle voulait tout savoir à présent.

— Je n'ai absolument rien fait. Il m'a facilité la tâche. Le vieux clown s'est mis dans un tel état qu'il a attrapé un coup de sang tout seul... Disons que je l'ai juste un peu aidé. Il se faisait beaucoup de souci pour toi. Je comprends pourquoi maintenant. J'ignorais que tu étais son héritière... Quelle chance, hein, pour nous deux... Ou alors tu le savais déjà... Si ta surprise devant l'avocat était feinte, chapeau !

— Je n'en savais rien. Comment l'aurais-je pu ?

— Il te l'avait peut-être dit.

— J'ai l'intention de mettre les autres au courant, dit-elle avec audace.

Elle était convaincue que la justice remportait toujours la victoire contre le mal. On n'avait qu'à dire la vérité pour écraser le démon... Mais pas celui-ci. Ni sa mère, avant lui.

— Et ensuite, nous appellerons la police. Tu as intérêt à quitter la ville ou tu vas le regretter amèrement, Steve.

Elle le regardait droit dans les yeux, tremblante de rage. D'une façon ou d'une autre, il avait tué le professeur, elle le savait maintenant.

— Je ne crois pas, ma chère, répondit-il calmement. Je crois même que tu ne diras rien à personne... J'ai quelques arguments, moi aussi. Je pourrais raconter ma version des faits à la police. Par exemple que tu savais parfaitement qu'il te laissait une fortune, que tu m'en as parlé plusieurs fois en me demandant de t'en débarrasser... Tu m'as même promis une coquette somme. Moitié moitié. Trois cent mille dollars... Pas mal, hein ? Mais moi, je n'ai pas fait plus que lui parler. Le pauvre vieux a eu une attaque. On ne va pas en prison pour cela... En revanche, on est passible de lourdes peines pour conspiration et incitation au meurtre. Après tout, à qui profite le crime ? Réfléchis... Si je suis témoin à charge, les flics me protégeront. Et toi, tu iras pourrir en prison. Ça va chercher dans les dix, quinze ans... Qu'est-ce que tu en dis ?

Elle se contenta de le dévisager, muette de stupeur.

— Parlons peu et parlons bien, continua-t-il. Je te promets que je ne te dénoncerai pas si tu me donnes cinq cent mille dollars tout de suite. C'est maintenant ou jamais, ma belle ! Une somme correcte pour acheter ta liberté. Penses-y. Dix à quinze ans. La prison, c'est trop moche pour une fille comme toi. Je le sais. J'y suis allé.

— Comment peux-tu me faire ça ? explosa-t-elle, les yeux étincelants de larmes. Comment ?

Il lui avait dit qu'il l'aimait. Il avait prétendu qu'elle était la femme de sa vie et maintenant il la soumettait au plus ignoble des chantages... Sa liberté contre un demi-million de dollars !

— C'est facile à comprendre, mon amour. Ce monde est ainsi fait. L'argent est roi. On est quelqu'un quand on en a plein les poches. On n'est rien sans argent. Je te laisse cent mille dollars, ne te plains pas... Tu n'as pas besoin de plus... Seulement il faut vite te décider. Sinon, je prends tout. Le moment est venu d'appeler ton banquier et l'avocat.

— Comment expliqueras-tu que je te fasse don d'une somme aussi énorme ? Tu n'as pas peur d'être démasqué ?

— Pas du tout... Les femmes font des folies pour leurs amants, Gabbie. Tu es bien placée pour le savoir.

Elle s'était bien entichée de ce prêtre qui l'avait mise enceinte, alors !...

— Je n'arrive pas à y croire.

— C'est pourtant vrai, chérie. Cinq cent mille, six cent mille si tu ne te dépêches pas, et je sors de ta vie pour toujours. Le grand méchant loup quitte la bergerie. Après, tu pourras te rouler en boule au pied du lit et gémir sur ton Joe et ta méchante maman.

Il se servait de ses confidences.

— Salaud ! cria-t-elle pour la seconde fois, en esquissant un pas en avant, la main levée, prête à le gifler.

Il avait tué le professeur et maintenant il voulait la détruire elle aussi. C'était un être dépourvu de cœur et de conscience. Il avait assassiné un homme, l'homme que Gabriella respectait plus que tout au monde, celui qui l'avait sauvée, recueillie, aidée à recoller les morceaux de sa vie, et voilà qu'il menaçait de l'envoyer en prison en l'accusant d'avoir été l'instigatrice du meurtre. L'horreur se transformait peu à peu en colère.

— Dis ce que tu veux à la police. Je ne te donnerai pas un dollar, Steve Porter ou qui que tu sois... Tu as bien profité de moi ces sept derniers mois. Tu m'as fait croire que tu m'aimais, tu m'as utilisée, tu m'as menti... Eh bien, tu n'auras plus rien de moi. *Jamais* !

Il fit un pas en avant. S'il en jugeait par son regard, elle était sincère. Mais il savait également qu'il était plus fort qu'elle. Physiquement en tout cas. Sans un mot, il l'empoigna par les cheveux et lui tira brutalement la tête en arrière.

— Ne t'avise pas de me parler sur ce ton ! gronda-t-il. Ni de me provoquer. Tu feras exactement ce que je te dis, sinon je te tuerai.

Elle le fixa, les yeux écarquillés, comme si un écho lointain lui revenait.

— Je veux l'argent. Tout de suite. As-tu compris ? Ou es-tu encore plus bête que tu n'en as l'air ? Ne traîne pas, Gabriella. Appelle l'avocat.

Il lui montra le téléphone comme s'il attendait qu'elle recouvre ses esprits.

— Je n'appellerai personne, dit-elle avec un calme qu'elle n'éprouvait pas, car elle sentait ses jambes flageoler. Le jeu est terminé.

Il eut un sourire malveillant. En même temps, il se demanda jusqu'à quel point il fallait la malmener pour lui faire entendre raison. Pas beaucoup, très certainement. La petite oie blanche avait peur de son ombre.

— Le jeu ne fait que commencer, répondit-il. C'est l'idylle qui est terminée. La comédie. La farce. Je n'aurai même plus à faire semblant de t'aimer pour obtenir ce que je veux... Mais tu m'obéiras, j'en suis sûr, quand je t'expliquerai ce que je te ferai subir si tu continues à me tenir tête. Est-ce bien clair maintenant ?

Elle ne répondit rien. Elle se tenait face à lui, droite, combattant ses propres démons en silence.

— Appelle la banque, Gabbie. Sinon je passe un coup de fil à la police. Le vieux est mort. Tu as son argent. Tu avais tout à gagner. Ils ne demanderont pas mieux que de me croire.

Elle l'aurait étranglé de ses propres mains si elle l'avait pu. Elle fut prise, soudain, d'une fureur noire.

Elle attrapa le combiné et composa le numéro du central téléphonique.

— Qu'est-ce que tu fais ? s'alarma-t-il.

— C'est moi qui appelle la police. Finissons-en, veux-tu ?

Il saisit l'écouteur, le reposa brutalement puis arracha le fil du mur d'un geste rageur.

— Ça suffit maintenant. On ne va pas y passer la nuit. Allons plutôt à la banque chercher l'argent. Ce sera plus simple. Ensuite, je monterai dans le premier avion à destination de l'Europe et ce sera fini. Pour toi. Pour moi, ce ne sera qu'un début.

— Qu'est-ce qui me prouve que tu n'iras pas raconter à la police que tout cet argent est ta récompense pour l'avoir tué ?

Rien ne pouvait arrêter un monstre comme Steve.

— Bonne idée, approuva-t-il. Hélas, il va bien falloir que tu te contentes de ma parole. Tu n'as pas le choix. Si tu ne me donnes pas le magot, je te tue. Ce ne sera que justice après le crime que tu m'as poussé à commettre.

Cela recommençait. Il dirait que c'était sa faute à elle... Qu'elle n'avait eu que ce qu'elle avait mérité... qu'il l'avait corrigée parce qu'elle était une « méchante fille »... qu'il n'avait pas voulu aller aussi loin... mais qu'elle l'avait tellement exaspéré...

— Tue-moi, dit-elle froidement.

Cela n'avait plus d'importance. C'était toujours elle que l'on accusait. Elle, la coupable. Les gens finissaient toujours par la punir... Et tous ceux qu'elle avait aimés la quittaient, lui mentaient, menaçaient de détruire son corps ou son esprit... D'une certaine manière, elle était déjà morte depuis longtemps.

— Tu n'es qu'une idiote !

Il s'approcha d'elle d'un air menaçant. Il n'allait pas se laisser désarçonner par cette petite sotte, cette bécasse dont il avait partagé le lit et la vie misérable en lui dérobant de temps à autre un malheureux billet de cinq dollars caché sous son matelas ! Il en avait assez des miettes ! Il voulait sa part du gâteau... le gâteau tout entier même.

— Ne fais pas l'imbécile, Gabriella !

Il vit ses yeux. Son regard têtu, vide. Il n'avait pas de temps à perdre. Les autres ne tarderaient pas à rentrer et il voulait son argent. *Son argent* ! Il l'avait gagné à la sueur de son front.

Il mit ses doigts autour de son cou et commença à la secouer. Elle resta immobile. Ne se débattit pas. Elle avait toujours laissé faire ses tortionnaires, comme la bonne petite fille qu'elle était...

— Je vais te tuer, espèce de garce ! hurla-t-il. Est-ce que tu me comprends ?

Pas de réponse. Elle opposait à la violence une inertie totale que rien ne pouvait briser. Une passivité insondable où personne ne pouvait l'atteindre. Il allait vraiment devoir la tuer pour obtenir ce qu'il voulait. Or cet argent, il le lui fallait. De sa vie, il n'avait rien désiré aussi fort.

— Je te déteste, dit-elle d'une voix tranquille, comme si elle s'adressait à une foule de gens. Je te déteste, Steve Porter.

Le premier coup partit alors. Il la frappa durement en pleine figure et elle eut l'impression de revivre une scène terriblement familière. Elle connaissait déjà ce son déchirant, la douleur, la force qui envoya sa tête cogner contre le coin du bureau, avec un bruit bizarre. Gabriella commença à s'effondrer mais il la remit debout de la main gauche avant de lui écraser le poing droit sur le visage. Le deuxième coup l'atteignit sur le côté de la tête, elle entendit le bruit sourd d'un sac de sable qui heurte le sol, bien que son tympan soit déjà éclaté. Elle avait déjà vécu ce cauchemar durant les dix premières années de sa vie... Il lui décocha plusieurs coups de poing. Cassée en deux, elle s'affala par terre, mais il continua à s'acharner. Il martelait son visage et son corps en hurlant quelque chose à propos de l'argent, quelque chose qu'elle ne pouvait plus distinguer. Il avait complètement perdu le contrôle de lui-même. Il frappait et frappait encore. A ses yeux, elle n'était plus qu'un animal nuisible qu'il fallait tuer, une bête qu'il fallait écraser avant qu'elle ne se dresse de nouveau entre lui et ses rêves...

Il la releva pour la projeter contre le mur. Un craquement sinistre se fit entendre, elle sut qu'elle avait le bras cassé, mais plus rien ne lui importait. Sa propre vie n'avait plus aucune valeur. Il y avait eu trop de mensonges, trop de peines, trop de souffrances et de deuils. Une lumière blanche l'éblouit, tandis qu'elle gisait sur le plancher sous une avalanche de coups de pied. Steve s'était mis à hurler comme un dément. Il lui ordonnait d'appeler la banque. Il l'insultait. Il ne l'avait jamais aimée, il la détestait, criait-il. Elle leva les yeux vers lui et crut voir Joe, puis le professeur et finalement sa mère. Tous parlaient en même temps. Joe disait qu'il l'aimait, le professeur la suppliait de réagir, sa mère décrétait que tout était la faute de la « vilaine petite fille » qui « n'avait que ce qu'elle méritait ».

Et tandis qu'elle les écoutait, la vérité éclata soudain à travers les brumes de son cerveau. Ce n'était pas elle la fautive, mais eux. Ce n'était pas elle la coupable, mais Steve. C'était lui « le vilain », pas elle. C'était Steve qui avait tué le professeur et qui était en train de l'assassiner, elle aussi... Mue par une force dont elle ne se serait jamais crue capable, elle se releva face à lui. Le sang ruisselait sur son visage. Elle était méconnaissable. Pourtant, elle avait presque gagné la bataille. Il n'y avait plus moyen de la traîner à la banque, ni même d'appeler la police pour la dénoncer. Il n'avait plus d'autre choix que de prendre ses jambes à son cou et de fuir... sans l'argent.

Elle le regarda fixement. Comme s'il avait deviné ses pensées, il lui décocha un formidable coup de poing, après quoi il lui serra le cou comme pour arracher la dernière étincelle de vie à ce corps brisé. La pièce se mit à tournoyer, mais Gabriella tint bon. Elle s'accrochait à la vie maintenant, elle se battait pour survivre. Ses ongles labourèrent le visage de son agresseur. Steve la relâcha tout à coup. Elle s'affala par terre. Après un dernier coup de pied, il la laissa.

Elle resta immobile, ne sachant si elle avait gagné ou perdu. Cela ne lui importait plus. Ils avaient tous essayé de la tuer, chacun à sa manière. Joe... sa mère... Steve... son père... Et ils avaient tous échoué. Ils s'étaient efforcés de détruire son esprit, de l'éteindre comme une flamme qui toujours se rallume, pourtant, et continue de brûler dans les ténèbres.

Gabriella roula sur le dos. Ses yeux pleins de sang et de douleur fixaient le plafond... Elle crut apercevoir Joe se pencher sur elle, disant qu'il était désolé. Mais cette fois-ci, quand il lui tendit la main, elle se détourna et se mit à marcher, seule, dans le noir.

23

En passant devant la chambre ouverte du professeur, tard dans l'après-midi, Mme Rosenstein aperçut Gabriella étendue par terre... Au début, ce fut le désordre qui attira son attention. Du sang partout, des meubles retournés. Enfin, au milieu du capharnaüm, elle aperçut Gabriella, telle une poupée de chiffon. Un visage défiguré, des cheveux poissés de sang coagulé. Elle portait de vilaines marques violacées sur le cou. Son corps formait un angle si bizarre que Mme Rosenstein pensa qu'elle était morte. D'ailleurs, aucun souffle ne soulevait sa poitrine. La vieille dame ouvrit la bouche. Ses cris stridents ameutèrent la maisonnée. Les autres locataires arrivèrent aussitôt en courant.

L'un d'eux essaya d'appeler la police ; il découvrit que le fil du téléphone était arraché... Le professeur comptait parmi les rares pensionnaires en possession d'une ligne privée. Mme Boslicki descendit vite appeler de son propre téléphone.

Ils attendirent l'ambulance, effarés. Les femmes pleuraient. Un locataire tâta le poignet de la blessée... Son pouls battait, dit-il, mais très faiblement. Irrégulièrement. Comme prêt à s'éteindre. Il était impossible de mesurer l'ampleur des dégâts compte tenu de l'importance des coups qu'elle semblait avoir reçus sur la tête... Quelqu'un murmura qu'il se pourrait qu'elle ait subi des dommages irréversibles... C'était d'autant plus affreux qu'elle était si jeune... et si belle...

Mme Boslicki éclata en sanglots tandis que les autres se posaient des questions sur l'identité de son agresseur. La logeuse se demanda si ce n'était pas Steve, mais lorsqu'ils inspectèrent sa chambre, toutes ses affaires étaient dans sa penderie. Ils redoutaient de lui apprendre la nouvelle lorsqu'il rentrerait.

Ils étaient tous autour de Mme Boslicki comme endeuillés, quand les lueurs d'un gyrophare dansèrent sur les murs. Un instant après, les infirmiers firent irruption dans la pièce. Ils n'eurent pas besoin de plus d'un regard pour comprendre que la blessée était dans un état critique. Ils la transportèrent sur une civière et l'ambulance redémarra en trombe, sirène hurlante.

Cette fois-ci, Gabriella n'entendit rien. N'eut aucune vision. Aucune voix ne rompit son sommeil. Elle avait sombré dans le coma peu après le départ de Steve. Elle se trouvait loin, très loin, dans un endroit où l'on n'éprouve plus aucune douleur.

L'équipe des urgences s'activa autour d'elle. Ils s'occupèrent de son bras cassé, de ses plaies, des lésions. Elle avait presque toutes les côtes cassées, mais c'étaient les blessures à la tête qui leur inspiraient les plus vives inquiétudes. Les électro-encéphalogrammes montraient un œdème important. Il était encore trop tôt pour dire s'il se résorberait. Un spécialiste de chirurgie réparatrice s'occupa de son visage. Elle avait la mâchoire brisée, une blessure au menton, une arcade sourcilière ouverte... Le plasticien s'estima satisfait lorsqu'il eut fini d'opérer. Il avait remarqué les marques violettes sur le cou... Il les signala au chef de service, Peter Mason, un jeune médecin avec lequel il avait déjà travaillé.

— On l'a bien amochée, remarqua le chirurgien plastique.

Ils l'avaient emmenée deux fois au bloc opératoire. Une fois pour son visage, l'autre pour son bras.

— Elle a dû vraiment embêter quelqu'un, poursuivit-il. Qui cela peut-il bien être ?

Elle avait frôlé la mort.

— Je ne sais pas... son cuisinier ? suggéra Peter Mason, pince-sans-rire.

C'était cette forme d'humour très particulière qui l'empêchait de craquer. Aux urgences, on voyait trop d'horreurs : des accidents de voitures, des gens qui avaient sauté par la fenêtre, des victimes de sévices presque mortels... Des enfants surtout, un spectacle que Peter détestait. Les urgences étaient un endroit qui vous laissait sans illusions.

— Est-ce que les flics l'ont vue ? demanda le chirurgien.

— Oui. Ils ont pris un tas de photos, quand nous lui avons plâtré le bras. Ce n'était pas beau à voir.

Cela ne l'était toujours pas. Aucun d'eux n'avait la moindre idée de l'apparence que pouvait avoir la patiente avant l'agression.

— Tu crois qu'elle va s'en sortir ?

Peter Mason haussa les épaules. Sa blouse blanche était encore tachée de son sang, la liste des blessures était impressionnante, et les rayons X avaient détecté plusieurs lésions antérieures, dues peut-être à un accident de voiture. C'était difficile à dire. Quoi qu'il en fût, cette fois-ci, le traitement qu'elle avait subi avait bien failli la tuer. Elle avait reçu de terribles coups de pied qui lui avaient abîmé le foie et les reins, sans parler des hématomes et autres blessures dont elle était couverte.

— J'espère, dit-il finalement, sans grande conviction.

Les lésions à la tête ne constituaient qu'une complication supplémentaire. Le reste aurait suffi à causer la mort. Même l'œil gauche avait été atteint.

— Et moi, j'espère que la police découvrira l'ordure qui lui a fait ça, dit le chirurgien en prenant congé.

— Probablement son mari, murmura Peter.

Il en avait vu d'autres. Des maris, des amants, jaloux ou ivres, furieux pour une raison mineure mais qui était cependant à leurs yeux une raison suffisante pour tabasser à mort leur femme. Oh oui, il en avait vu des cas similaires. Il avait trente-cinq ans, il était divorcé et... aigri par dix ans d'expérience aux urgences. Sa femme l'avait quitté parce qu'elle ne supportait plus de vivre avec lui. Il n'était jamais à la maison, il recevait des appels de l'hôpital à toute heure et les rares fois où il était là, il semblait ailleurs. Il pensait constamment à ses patients, quand il ne se précipitait pas sur les autoroutes pour sauver les victimes d'un accident. Au bout de cinq ans, elle n'en pouvait plus. Elle avait demandé le divorce et épousé un chirurgien esthétique, spécialisé uniquement dans le lifting. Peter n'était pas sûr qu'elle avait eu tort.

Cette nuit-là, il vérifia à plusieurs reprises l'état de Gabriella. Celui-ci s'était stabilisé. Elle partageait la salle de réanimation avec deux autres personnes ; une femme qui s'était défenestrée du troisième étage, et qui était tombée sur deux enfants, morts sur le coup... Et un cas typique d'overdose qui était tombé sur les rails du métro. Il ne survivrait pas. Le sort de Gabriella était encore incertain. Elle vivrait si elle se battait, si elle sortait du coma.

Au dire des infirmières, plusieurs personnes avaient appelé, demandant de ses nouvelles. Toutes habitaient la même pension que la jeune femme. Apparemment, elle n'avait pas de parents proches et pas de mari. Sauf un petit ami qui n'avait pas encore donné signe de vie. Etait-ce lui, le coupable ? se demanda Peter. Probablement. Il était rare qu'un intrus tape avec une telle énergie. En revanche, le type qui l'avait agressée avait dépassé toutes les limites... La seule chose qu'il n'avait pas faite, c'était la brûler vive.

— Aucun changement ? demanda-t-il à l'infirmière de garde, qui secoua la tête.

— Non. Elle est toujours entre la vie et la mort.

— Espérons au moins qu'elle en restera là.

Vers minuit, il décida de dormir un peu pendant que tout était calme. Aux urgences, on ne savait jamais ce qui allait se passer. Il y avait plusieurs équipes qui se relayaient vingt-quatre heures sur vingt-quatre et la sienne venait seulement de commencer.

— Appelez-moi s'il y a un changement quelconque.

Ils échangèrent un sourire. L'infirmière le suivit d'un regard amical, tandis qu'il s'éloignait. Elle aimait bien travailler avec lui. C'était un homme gentil et beaucoup plus séduisant qu'elle ne l'aurait avoué à son mari. Grand et mince, beau, des cheveux bruns bouclés, des yeux couleur chocolat. Infatigable... Et excellent médecin.

Il disparut dans la chambre attenante, en fait une petite pièce où ils conservaient des médicaments, garnie d'un lit de camp.

Les infirmières passèrent la nuit à surveiller Gabriella. Elle ne remuait pas, ne bougeait pas, respirait à peine. Les moniteurs indiquaient un état stationnaire. Le matin, ils lui firent un nouvel électroencéphalogramme. Il était normal cette fois-ci, mais elle n'était pas sortie du coma.

A la pension régnait une atmosphère lugubre. Mme Boslicki ne cessait de donner les derniers bulletins de santé à ses locataires, promettant de les prévenir au moindre changement, amélioration ou aggravation. C'était la pire chose qui s'était produite dans le petit immeuble depuis la mort du professeur. Tous avaient remarqué que Steve n'était pas rentré de la nuit et qu'il n'avait pas téléphoné. Mme Boslicki signala sa disparition à la police dès le lendemain matin... Déjà, la veille au soir, les policiers avaient posé beaucoup de questions sur le dénommé Steve Porter. Il était intéressant de noter le peu de renseignements qu'ils avaient récolté. Personne ne semblait bien le connaître. Il avait fait ses études à Yale et à Stanford, il vivait à la pension depuis huit mois, n'avait pas d'emploi et était le petit ami de Gabriella Harrison. On n'en savait pas plus. Les policiers avaient pris les messages téléphoniques que Mme Boslicki conservait pour lui dans sa cuisine. Le matin où elle signala sa disparition, ils n'avaient rien découvert de plus.

Dans l'après-midi, les rapports de l'hôpital devinrent franchement déprimants. L'état de la patiente restait inchangé. Mme Rosenstein réussit à avoir le Dr Mason au téléphone. Le praticien ne fit pas montre d'optimisme. Il parla de « pronostic réservé ». D'état critique. Elle était toujours dans le coma. Il n'y avait plus qu'à attendre. Le Dr Peter Mason promit d'appeler si quelque chose de nouveau se produisait.

Peter était supposé être de repos l'après-midi. Le médecin qui devait le remplacer avait appelé en fin de matinée. Sa femme allait mettre au monde leur premier bébé. Peter avait accepté de rester, ce qui signifiait encore vingt-quatre heures d'hôpital. Il en avait l'habitude. C'était ce genre d'incident, du reste, qui lui avait coûté son mariage.

— Quoi de neuf ? s'enquit-il à la réception, de retour de la cafétéria.

On lui répondit que deux nouveaux patients avaient été admis. Un garçon de dix ans, victime d'un incendie à Harlem, qui avait été emmené dans le pavillon des grands brûlés, et une vieille femme de quatre-vingt-six ans, qui avait glissé sur une marche en marbre et était tombée dans l'escalier. En d'autres termes, la routine !

Il remonta à la salle de réanimation. Il vérifia les moniteurs et examina Gabriella avec douceur. A peine l'avait-il touchée qu'une expression de douleur crispa son visage. Peter suspendit son geste. Il recommença et obtint la même réaction. Ou elle commençait à revenir à elle, ou il s'agissait d'un simple réflexe. Il prit la fiche de soins pour y lire son nom, puis s'approcha du lit.

— Gabriella... Gabriella... ouvrez les yeux, si vous m'entendez.

Rien. Il posa un doigt dans sa paume.

— Serrez mon doigt si vous m'entendez.

Rien encore. Il allait s'éloigner quand il sentit une très légère pression... presque imperceptible. Elle l'avait entendu du fond de son sommeil... Il ne put s'empêcher de sourire. Il ne vivait plus que pour ces petites victoires, ces petits triomphes auxquels il avait sacrifié son couple et toute son existence. Il essaya de nouveau. Cette fois, la pression fut plus forte.

— Pouvez-vous ouvrir les yeux pour me faire plaisir ? demanda-t-il doucement... Ou battre des cils... Allez, ouvrez les yeux, j'aimerais vous voir.

Rien ne se passa pendant un long moment. Puis, très lentement, ses paupières frémirent sans qu'elle parvienne toutefois à ouvrir les yeux. Mais cela voulait dire qu'elle l'avait entendu. Que son cerveau n'avait pas été endommagé par l'œdème et que celui-ci commençait à diminuer. Cela voulait dire aussi que le combat commençait.

Il fit signe à l'infirmière de garde.

— On a passé la première étape. Continuez à lui parler pendant un certain temps et voyez comment elle réagit. Je repasserai un peu plus tard.

Il rendit visite à la vieille dame qui était tombée dans l'escalier. Elle se portait comme un charme. Malgré une hanche et un os pelvien cassés, elle exigeait à cor et à cri de rentrer chez elle. Et tout de suite. Elle avait rendez-vous chez son coiffeur le lendemain matin, expliqua-t-elle. Peter la quitta en souriant sous cape. Elle l'aurait assommé avec sa canne, si elle l'avait eue à portée de la main. C'était une sorte de vieille aristocrate habituée à être obéie au doigt et à l'œil. Peter s'en était sorti en lui promettant de la renvoyer à la maison dès que possible... Elle ne se rendrait pas, cependant, à son rendez-vous chez le coiffeur car le lendemain matin, elle allait être opérée de la hanche.

Le reste de la soirée se passa en paperasseries. Il

était presque minuit lorsqu'il remonta dans la salle de réanimation.

— Comment se porte la Belle au bois dormant ?

L'infirmière haussa les épaules. La patiente n'avait pas ébauché d'autres signes... Ou il s'agissait d'un réflexe, ou elle n'avait plus envie de vivre. De nouveau, elle s'était réfugiée quelque part où personne ne pouvait l'atteindre. Cela arrivait quelquefois.

Il s'assit près du lit, tandis que l'infirmière sortait. Il remit son doigt dans la paume de la patiente sans obtenir de résultat. Plus que jamais, elle paraissait dans un coma profond. Il était sur le point d'abandonner quand elle bougea le bras en pointant deux doigts sur lui. Ses yeux restaient fermés, mais il sut qu'elle l'avait entendu.

— C'est à moi que vous parlez ? demanda-t-il gentiment. Et si vous me disiez quelque chose ?

Il avait besoin de savoir si elle pouvait parler et surtout, raisonner. Pour le moment, il se contenterait d'un regard, d'un mot, d'un son.

— Et si nous chantions ensemble une petite chanson ?

Il s'adressait à ses patients d'une manière personnelle et amusante qui, dans les circonstances les plus horribles, avait le don de dédramatiser la situation et faisait rire malades et infirmières. Sa capacité remarquable à arracher les patients des griffes de la mort lui avait valu l'estime de ses collègues.

— Allez, Gabriella, qu'est-ce qu'on chante ? Le *Star-Spangled Banner* ? Non, pas l'hymne national ? *Twinkle-Twinkle*, alors ?

Il se mit à fredonner ce refrain — il chantait complètement faux — et l'aide-soignante de service haussa les épaules en souriant...

— Et *ABC* ? C'est exactement la même tonalité. Je dis *ABC*, vous répondez *Twinkle-Twinkle*, d'accord ?

Alors qu'il bavardait, elle émit un faible gémissement d'animal blessé.

— Comment ? s'enquit-il, sentant la victoire proche. Qu'avez-vous dit ? *ABC* ou *Twinkle-Twinkle* ? J'ai reconnu la musique, mais je n'ai pas saisi les paroles.

Nouveau gémissement, plus fort. Lentement, elle revenait à elle. Et elle revenait de loin. Ce n'était pas un réflexe. Ses cils frémirent. Elle essayait d'ouvrir les yeux, remarqua-t-il, mais n'arrivait pas à soulever ses paupières gonflées. Il se pencha sur elle. A peine lui eut-il touché la joue que ses yeux s'ouvrirent avec lenteur. Elle ne vit qu'un halo lumineux sur lequel se découpait une silhouette. Quelqu'un était debout près d'elle. Elle ne pouvait pas apercevoir les larmes dans ses yeux, mais elle sentait sa présence chaleureuse.

Il aurait voulu crier « hourra ! », mais il se retint. Par un formidable effort de volonté, il l'avait tirée des ténèbres de l'inexistence... Peut-être... oui, peut-être s'en sortirait-elle maintenant.

— Bonjour, Gabriella. Bienvenue parmi nous. Vous nous avez manqué.

Une fois de plus, elle gémit. Ses lèvres enflées ne parvenaient pas à articuler de mots. Pourtant, elle essayait et c'était l'essentiel. Il aurait voulu lui poser mille questions : comment cela lui était-il arrivé, qui l'avait attaquée, mais c'était trop tôt.

— Comment vous sentez-vous ? Mais c'est peut-être une question idiote ?

Cette fois-ci, elle hocha la tête et referma les paupières. Bouger, esquisser le moindre geste provoquait une douleur intolérable. Avec un soupir, elle rouvrit les yeux.

— Bravo !

Plus tard, il soulagerait la douleur par des antalgiques. Pas tout de suite, de crainte de la voir repartir dans un sommeil comateux.

— Dites-moi quelque chose... En dehors de chanter *Twinkle-Twinkle*, j'entends.

Elle ébaucha une grimace douloureuse en guise de sourire.

— Mal... parvint-elle enfin à prononcer, un drôle de son entre le grognement et le murmure.

— Je sais. Votre tête ?

— Oui... chuchota-t-elle, d'une voix un peu moins rauque. Bras... visage...

Elle devait avoir mal partout, pensa-t-il. Tout son corps portait les marques de l'agression. Mais elle était sortie du coma et de la confusion. Il en profita pour poser d'autres questions. Les policiers ne tarderaient pas à revenir. Il les attendait dans la matinée. Ils surveillaient l'affaire de près. Il s'agissait de la pire agression qu'ils avaient vue cette année et ils avaient hâte d'attraper le criminel.

— Est-ce que vous savez qui vous a frappée ? demanda-t-il prudemment.

Elle ne répondit rien, referma les yeux, mais il insista.

— Si vous le connaissez, il faut me le dire. Vous ne voudriez pas qu'il fasse la même chose à quelqu'un d'autre, n'est-ce pas ? Réfléchissez.

Il se rassit. Elle rouvrit les yeux, le regarda d'un air songeur. Elle avait toujours protégé ses tortionnaires. Elle ne les avait jamais dénoncés, mais aujourd'hui, même au fond du puits obscur où elle s'était trouvée, elle savait que c'était différent.

— Eh bien ? Qui est-ce ?

Si c'était un rôdeur, elle ne le connaissait certainement pas. Peter subodorait qu'il s'agissait d'un proche. Et comme elle ne disait rien :

— Nous en reparlerons, d'accord ?

Elle acquiesça d'un battement de cils, puis s'efforça de parler.

— Nom...

— Le nom de celui qui vous a agressée ?

Elle fronça les sourcils, ennuyée, après quoi elle pointa le doigt vers lui. Il comprit enfin. Elle demandait son nom à lui.

— Peter... Peter Mason. Je suis médecin. Vous êtes

à l'hôpital. Nous allons tout faire pour vous remettre sur pied et vous renvoyer chez vous. Mais nous préférons que vous soyez en sécurité, une fois à la maison. C'est pourquoi je vous demande qui vous a frappée.

Un petit gémissement lui échappa. Ses paupières se refermèrent, elle s'endormit d'un seul coup, épuisée. Le médecin la regarda avant de la laisser. Elle avait répondu à ses questions, avait voulu savoir qui il était. Donc, elle avait les idées claires. C'était un début prometteur.

Il dormit peu cette nuit-là. Le matin le retrouva au chevet de Gabriella. Elle semblait un peu mieux. Elle arrivait à parler plus clairement et se rappelait son nom. L'électro-encéphalogramme était satisfaisant, les moniteurs indiquaient une nette amélioration. Elle était sauvée et se portait bien par rapport à l'état lamentable dans lequel elle se trouvait encore la veille. Il était auprès d'elle quand les policiers arrivèrent pour la questionner.

Peter leur recommanda d'y aller doucement. Elle était sortie du coma depuis peu, expliqua-t-il. Ils lui posèrent les mêmes questions, moins gentiment que le jeune médecin. Ils ne pourraient pas la protéger, dirent-ils, s'ils ignoraient le nom de l'agresseur. Elle semblait écouter attentivement leurs arguments, peser le pour et le contre, mais ses lèvres restaient scellées.

— Il faut l'empêcher de recommencer, intervint tranquillement Peter en la regardant avec compassion. La prochaine fois, vous aurez peut-être moins de chance. Il a voulu délibérément vous faire du mal, Gabriella... Il a tout fait pour vous tuer...

Il l'avait martelée de coups de poing, de coups de pied. Il lui avait brisé les os. Il avait failli l'étrangler. Ce n'était pas un accident. Ni un crime passionnel. C'était une tentative de meurtre pure et simple, conçue par un esprit vicieux et exécutée avec une rare perversité.

— Il l'a fait exprès, répéta-t-il. Vous devez nous

aider à l'arrêter, afin qu'il ne puisse plus vous nuire. Vous ne serez pas en sécurité tant qu'il ne sera pas en prison. Pensez-y.

Le regard de Gabriella allait du médecin aux policiers. Elle avait passé toute sa vie à protéger les autres, à cacher leurs méfaits, à leur chercher des excuses, à se dire qu'elle avait mérité les punitions. Et soudain, elle ne croyait plus à cette façon de voir. Elle n'avait pas mérité cela. Steve, en revanche, méritait un juste châtiment. Elle ouvrit la bouche, puis la referma, encore hésitante. Elle s'apprêtait à franchir un cap difficile, Peter l'avait compris. Ses paroles avaient ouvert une porte à Gabriella, il en avait conscience.

— Allez, Gabriella, parlez. Il le faut. Vous n'avez pas mérité d'être maltraitée ainsi.

Non, non, elle le savait. Steve n'avait pas plus le droit de la maltraiter que sa propre mère... Elle l'avait pensé très fort. C'était fini. Elle ne permettrait plus à personne de lever la main sur elle.

— Steve, fit-elle dans un murmure à peine audible. Steve Porter.

Malgré sa fatigue, elle leur raconta l'histoire. L'un des inspecteurs avait sorti un calepin de sa poche et prenait des notes. Ils savaient déjà, par les locataires de Mme Boslicki, que Steve Porter était son petit ami.

— ... des noms d'autres femmes... des lettres dans le bureau du professeur... beaucoup de noms... il a déjà fait de la prison...

Les deux inspecteurs levèrent simultanément le regard. Bingo ! L'enquête s'annonçait plutôt facile.

— Vous rappelez-vous quels autres noms il utilisait, mademoiselle Harrison ?

— Steve Johnson... John Stevens... Michael Houston...

Elle se souvenait de tout, sans aucun effort. Maintenant, elle avait hâte d'en finir. Après tant d'années de soumission, c'était normal. Elle avait enfin retrouvé le respect de soi. Plus personne ne lui ferait de mal. Plus personne ne réussirait à la briser. Steve avait amplement mérité ce qui allait lui arriver.

— Il a fait de la prison dans le Kentucky... au Texas... en Californie...

— Savez-vous où il peut être maintenant ?

Elle répondit que non.

— Il n'est pas venu ici, n'est-ce pas ?

Cette fois, ce fut le médecin qui secoua la tête. Criminel, mais pas fou ! De nouveau, les policiers se tournèrent vers Gabriella.

— Pourquoi vous a-t-il frappée ? Etait-il fâché ? Jaloux ? Vous vouliez rompre ? Vous avez un autre homme dans votre vie ?

Ils avaient énuméré les raisons habituelles.

— Il voulait de l'argent... Je l'ai entretenu pendant des mois, murmura-t-elle avec un cuisant sentiment de honte... Un ami m'a légué une grosse somme. Steve la voulait. Il disait qu'il irait en Europe et qu'il me tuerait si je ne la lui donnais pas.

Il avait presque tenu parole. Enfin, elle confia l'ultime vérité.

— Je crois qu'il a tué le professeur... Du moins il a essayé, mais officiellement, le professeur Thomas est mort des suites d'une apoplexie... Il m'a légué toute sa fortune...

C'était encore un peu confus, mais les policiers avaient saisi l'essentiel. Ils compléteraient l'histoire grâce aux témoignages des autres locataires de la pension. Et ils reviendraient interroger Gabriella lorsqu'elle irait mieux.

— A-t-il utilisé une arme ? Un instrument ?

Elle les regarda, étonnée.

— Non. Juste ses mains. Il m'a frappée.

— Charmant garçon !

L'inspecteur remit le carnet dans sa poche. Son collègue et lui remercièrent Gabriella. Ils espéraient avoir bientôt de bonnes nouvelles à lui annoncer... Elle posa sa tête sur les oreillers, éreintée. Elle ne regrettait rien.

Elle s'était défendue. Il était grand temps d'empêcher les gens de lui faire du mal. Certains ne l'avaient pas fait exprès, comme Joe ou mère Gregoria... mais sa mère... son père même... ils l'avaient fait sciemment... Quant à Steve... il fallait l'empêcher de nuire. Pour les autres, c'était trop tard.

En rouvrant les yeux, elle fut étonnée de découvrir Peter au pied du lit. Il la regardait toujours, essayant de deviner ses pensées. Avait-elle aimé cet homme violent ? Avait-elle le cœur brisé ? Elle n'en avait pas l'air. Elle paraissait apaisée, soulagée. Derrière les hématomes, les points de suture et les bandages, elle devait avoir un beau visage, se dit-il distraitement. De toute façon, elle lui plaisait. Une force incroyable émanait d'elle. Elle avait traversé l'enfer et maintenant elle lui souriait.

— Vous avez bien fait, la félicita-t-il.

— Il est méchant... ignoble... Il a tué mon ami.

— Il vous a presque tuée aussi, dit Peter, qui s'inquiétait davantage pour sa patiente que pour cet ami qu'il ne connaissait pas. J'espère qu'ils vont l'attraper rapidement.

— Moi aussi.

Leur vœu fut exaucé. Les inspecteurs revinrent à dix-huit heures, juste avant que Peter ait terminé sa garde.

Steve avait été arrêté à seize heures dans un tripot d'Atlantic City. Le FBI possédait un dossier sur lui, et la police judiciaire du Texas et de Californie avait coopéré. Bien sûr, il avait tout nié en bloc, leur avait dit qu'ils étaient fous, que Gabriella était psychotique et qu'elle l'avait menacé. Evidemment, personne n'avait cru à ses allégations. Son lourd passé, son manquement aux conditions de la liberté sur parole et l'agression contre Gabriella ne plaidaient pas en sa faveur. Depuis le temps que la police le recherchait, son cas s'était aggravé. S'ils l'avaient arrêté à temps, il n'aurait pas pu commettre ses derniers crimes. Et maintenant qu'ils lui avaient passé les menottes, ils comptaient le mettre hors d'état de nuire pour longtemps. Son chef d'accusation s'était alourdi d'une tentative de meurtre. L'enquête déterminerait s'il avait ou non été mêlé à la mort du professeur Thomas... Steve Porter était derrière les barreaux. Il avait tenté le grand jeu, comme il disait. Et il avait perdu.

— Il ira en prison ? demanda Gabriella aux inspecteurs.

Elle s'exprimait toujours à voix basse. Ses côtes cassées la faisaient souffrir atrocement chaque fois qu'elle essayait de parler.

— Plutôt deux fois qu'une ! répondit l'un des inspecteurs.

Elle hocha la tête. Elle regrettait ce qui s'était passé. C'était si laid et si terrible. Le professeur lui manquait cruellement. Elle aurait mille fois préféré l'avoir auprès d'elle plutôt que d'hériter de son argent. Les policiers en profitèrent pour lui transmettre les salutations de ses amis de la pension. Les visites étaient encore interdites. Mais ils viendraient la voir dès que les médecins le permettraient.

— C'est moi le méchant docteur ! plaisanta Peter quand les inspecteurs furent partis. Vous avez besoin de vous reposer. Comment vous sentez-vous ?

Les émotions de la journée l'avaient très certainement épuisée, pensa-t-il en même temps. Elle avait pris la courageuse décision de dénoncer son petit ami et maintenant elle allait en subir les conséquences psychologiques... Ce n'est pas facile d'envoyer quelqu'un en prison, même s'il le mérite... Quelqu'un que l'on a aimé, car Peter se doutait qu'elle l'avait aimé. Il ne se trompait pas d'ailleurs. Il y avait eu d'abord cette passion physique, puis elle s'était sincèrement attachée à lui. Elle l'avait aidé financièrement jusqu'à ce que ses propres économies aient disparu. Le plus dur était venu après. Il avait exercé une énorme pression sur elle. Il l'avait dupée, manipulée. Mais elle l'avait aimé sincèrement.

— Ça va mieux ? demanda Peter.

Elle acquiesça.

— Je crois.

Elle n'en était pas sûre. Par moments, elle nageait en pleine confusion.

— Je comprends. C'est d'autant plus dur qu'il était votre ami.

Elle devait penser qu'elle l'avait trahi.

— Je me demande si je l'ai jamais vraiment connu. Je ne sais pas qui il était, répondit-elle tranquillement, et l'expression de ses yeux toucha Peter. Dites, combien de temps resterai-je ici ?

Il sourit en pensant à la vieille dame qui était tombée dans l'escalier et qui avait rendez-vous chez son coiffeur.

— Pourquoi ? Vous voulez vous faire faire une mise en plis ?

— Pas exactement. (Ses cheveux disparaissaient sous le bandage.) Simplement, je me posais la question.

— Dans quelques semaines. Vous serez alors en mesure de faire des claquettes. A propos, que faites-vous dans la vie ?

D'après la fiche de l'hôpital, elle avait vingt-trois ans, était célibataire, n'avait aucune famille, vivait dans une pension et travaillait dans une librairie. Il n'en savait pas plus.

— Pas grand-chose. J'essaie d'écrire, répondit-elle timidement.

— Vous avez déjà publié quelque chose ? s'enquit-il, intéressé.

— Un texte, une fois. Dans le *New Yorker* du mois de mars.

Un magazine prestigieux. Il la regarda, impressionné.

— Un écrivain de talent, alors.

— Oh, non, dit-elle avec modestie. Il faut beaucoup travailler.

— Eh bien, vous avez là un sujet en or. Mais ne vous y mettez pas avant d'avoir recouvré la santé... Où avez-vous rencontré ce garçon ? Au bal des anciens détenus ?

Elle lui sourit. Il avait été très gentil avec elle et semblait lui témoigner de l'affection. Ici, tout le monde la traitait avec douceur. Les médecins comme les infirmières.

— Il vivait dans la même pension que moi.

— Peut-être devriez-vous chercher un appartement, dit-il en consultant sa montre. Je rentre maintenant, sinon je vais me transformer en citrouille ! Tâchez de bien vous porter. Je suis en congé pendant deux jours.

Il lui tapota le genou par-dessus la couverture.

— Prenez soin de vous, Gabriella.

— Vous pouvez aussi m'appeler Gabbie, dit-elle en pensant aux religieuses.

Elle le suivit du regard tandis qu'il s'éloignait, et lui fit de la main un signe d'au revoir. Elle était triste de le voir partir. Il était son seul ami ici.

Lorsqu'il revint, deux jours plus tard, il monta directement dans la chambre de Gabriella. Elle avait accompli d'énormes progrès. Elle parlait presque normalement mais elle avait encore mal quand elle riait, alors elle se retenait de rire. Deux fois par jour les infirmières l'aidaient à s'asseoir dans son lit et elle y arrivait maintenant sans s'évanouir. La semaine suivante, elle était censée faire quelques pas, ce qui lui paraissait impossible. Mme Rosenstein et Mme Boslicki lui avaient rendu visite. Elles lui avaient apporté un magnifique bouquet de roses, des cadeaux et des cartes de vœux de la part des autres pensionnaires... Ils étaient tous horrifiés à cause de Steve. Les journaux avaient publié des articles sur les délits et les crimes dont il était accusé.

— Quand je pense qu'il vivait avec nous ! s'était exclamée Mme Rosenstein. Seigneur, à qui se fier !

Les soupçons qui pesaient sur lui dans l'accident du professeur avaient achevé de bouleverser les deux visiteuses.

Gabriella n'avait eu aucune nouvelle de Steve et espérait du fond du cœur ne plus entendre parler de lui. L'idée d'avoir vécu avec lui lui soulevait le cœur. Elle devrait l'affronter une dernière fois devant un tribunal, puis ce serait fini. Naturellement, il raconterait un tas de mensonges sur elle mais d'ici là, elle aurait la force de le confondre.

Ian Jones l'avait appelée de la librairie. Il lui avait souhaité un prompt rétablissement et avait ajouté qu'elle pouvait prolonger son congé maladie aussi longtemps que nécessaire. Elle avait décidé de garder son travail, malgré l'héritage. Elle aimait les livres et, par ailleurs, cet emploi lui laissait largement le temps d'écrire. Elle n'avait aucun projet de déménagement. Maintenant que Steve n'était plus chez Mme Boslicki, elle se sentirait en sécurité.

— Qu'avez-vous fait pendant mon absence ? demanda Peter après l'avoir examinée. Dîners, sorties, boîtes de nuit ? La routine habituelle ?

— Absolument. On m'a lavé les cheveux, mais les infirmières ne me laissent toujours pas utiliser la salle de bains.

En disant cela, elle rit, se moquant d'elle-même, de ses petites victoires... et aussi parce qu'elle était contente de revoir Peter.

— Mais on va y remédier, dit-il en griffonnant une note sur la fiche de soins.

Il regarda son bras, puis les résultats de la chirurgie réparatrice. Tout était pour le mieux. Enfin, il lui posa la question qui lui brûlait les lèvres depuis qu'il avait vu ses radios.

— Gabbie... avez-vous jamais eu un accident de voiture ? Les rayons X ont relevé des fractures antérieures... Vos côtes ont l'air d'avoir survécu à une guerre mondiale.

Et il avait remarqué des cicatrices anciennes sur son cuir chevelu, lorsqu'il l'avait examinée la première fois.

— Oui, on peut dire cela, répondit-elle vaguement, une curieuse expression dans les yeux.

Elle s'était immédiatement rétractée dans sa coquille, nota-t-il. Elle était pleine de secrets.

— Réponse intéressante ! déclara-t-il. Nous en reparlerons une autre fois.

Il avait d'autres patients à voir.

Il revint dans la soirée, avec une bière pour elle et une tasse de café pour lui.

— Comment ça va ? Je viens de dîner à la cafétéria... Nous y avons installé un appareil de lavage d'estomac au cas où quelqu'un serait empoisonné. On l'utilise au moins six fois par jour.

Son humour la fit rire. Il semblait fatigué. Il travaillait beaucoup. Il s'assit près du lit et ils se mirent à bavarder. Il l'interrogea sur ses écrits, lui demanda dans quelle école elle était allée. Il était né dans le Sud-Ouest et elle lui trouva une allure de cow-boy... Il avait une démarche élastique et portait, en effet, des bottes de cow-boy avec sa blouse blanche. De son côté, il avait remarqué le bleu azur de ses yeux. A mesure que son visage dégonflait, on s'apercevait qu'elle était vraiment très jolie. Très jeune... Et très âgée en même temps. Que de contrastes ! songea-t-il... Il y avait dans ses yeux une expression de sagesse et de tristesse qui le fascinait. Bien sûr, se faire sauvagement tabasser par l'homme avec lequel elle vivait avait dû être une expérience traumatisante. Pourtant, il y avait autre chose, il le sentait. Il mentionna le nom de Steve mais elle resta discrète sur leur vie commune. Il avait lu l'article dans le journal — une des infirmières le lui avait montré — mais il préféra ne pas en parler à Gabriella.

— Où avez-vous grandi ? demanda-t-il avec sa curiosité bon enfant, tout en buvant une gorgée de café.

— Ici. A New York.

Elle se garda de parler du couvent. Ils découvrirent qu'ils étaient tous deux enfants uniques. Il avait fait ses études à la faculté de médecine de Columbia, ce qui l'avait amené à New York où il était finalement resté. Ils avaient un tas de points communs et en même temps beaucoup de différences. Il était ouvert, sans méfiance. Le contraire de Gabriella. Il avait eu l'occasion d'assister à des scènes d'une rare cruauté mais il ne les avait jamais vécues... Et quelque chose en elle laissait entendre qu'elle avait subi une souffrance que les personnes de son âge, et même plus âgées, ne connaissaient pas. Il crut déceler de très nombreuses portes cadenassées, mais il n'avait pas la clé pour les ouvrir... Elle lui faisait l'effet de quelqu'un de réfléchi, de méditatif...

Ensuite, et ce fut une pure coïncidence, il dit qu'un de ses camarades d'université était devenu prêtre mais qu'ils étaient restés amis. Il semblait lui vouer, en effet, une profonde amitié. Un sourire brilla sur les lèvres de Gabriella. Il crut d'abord qu'elle se moquait de lui et il essaya de la convaincre que les prêtres étaient des hommes comme les autres. Alors, sa réserve tomba d'un seul coup et elle répondit qu'elle avait été postulante et qu'elle avait grandi dans un couvent... Sans parler de Joe ni du reste.

Il l'écoutait, subjugué. A la fin, il voulut savoir ce qui l'avait incitée à changer d'avis.

— C'est une longue histoire, soupira-t-elle.

Elle n'en dit pas plus. Il se leva pour continuer ses visites aux malades, lui promit de repasser le lendemain. Il revint plus tard, après minuit. A sa surprise, Gabriella ne dormait pas. Elle était tranquillement allongée, les yeux ouverts.

— Puis-je entrer ?

Il n'avait pas cessé de penser à elle durant toute la

soirée. Lorsqu'il avait eu fini ses autres visites, il s'était senti irrésistiblement attiré vers sa chambre.

— Oui, bien sûr.

En souriant, elle se hissa sur son bon coude. Une faible lumière éclairait le coin de la pièce. Le reste disparaissait dans la pénombre. Immobile dans son lit, Gabriella avait longuement réfléchi... à ses parents. A son père, plus précisément. Cela lui arrivait fréquemment ces derniers temps.

— Hé, vous êtes drôlement sérieuse... Ça va ?

Elle inclina la tête. En fait, elle faisait le bilan de sa vie. Steve avait disparu de son existence comme un mauvais rêve. Comme s'il n'avait jamais existé. D'une façon ou d'une autre, il en avait été de même avec toutes les personnes qui avaient compté pour elle... Elles s'évanouissaient dans les airs... Dernièrement, elle considérait cela d'une façon plus paisible.

— Je pensais à mes parents, admit-elle.

Il éprouva un élan de sympathie pour elle. D'après sa fiche, elle n'avait aucun parent proche. Il en avait conclu qu'ils étaient décédés. Le moment était venu de lui demander quand et comment. Mais elle répondit, après une hésitation :

— Ils ne sont pas morts. Mon père est à Boston, ma mère en Californie. Lui, je ne l'ai pas vu depuis quatorze ans, elle depuis treize.

Peter la regarda, interloqué.

— Pourquoi ? Vous avez fait une fugue ? Vous vouliez devenir une artiste de cirque et ils s'y opposaient ?

Elle secoua la tête en riant puis, redevenant sérieuse :

— Non... Le couvent m'attirait davantage que le cirque. (Mais cela, il le savait déjà.) C'est une longue histoire, Peter, répéta-t-elle. Mon père nous a quittées quand j'étais petite. Ma mère m'a laissée au couvent et n'est jamais revenue me chercher.

Ainsi exposée, l'histoire semblait simple. Il soupçonna qu'elle devait être autrement plus compliquée.

— Voilà qui est inhabituel... Pourquoi vos parents n'ont-ils pas voulu vous garder ? Qu'est-ce que vous leur avez fait ?

— J'étais de trop... Ils n'étaient pas emballés par l'idée d'avoir des enfants...

— Ils n'étaient pas gentils ? dit-il en la regardant avec attention.

Il n'osait l'approcher plus. Il était médecin et elle était sa patiente. Il passait déjà trop de temps à son chevet, ce qui allait susciter des commentaires.

— Non, ils n'étaient pas gentils, dit-elle doucement.

Brusquement, la décision de se livrer s'imposa. Une sensation de sécurité l'enveloppait, la réchauffait quand elle lui parlait. Il savait écouter. Il saurait partager et garder le sombre secret qu'elle allait lui confier. Le secret qui lui avait toujours fait honte. Mais plus maintenant...

— L'accident de voiture dont vous m'avez parlé, c'était eux. Elle, plutôt. Il se contentait de regarder.

— Je ne suis pas sûr de vous suivre, dit-il, troublé.

Il n'arrivait pas à y croire.

— Les côtes cassées furent le cadeau de Noël de ma mère pendant plusieurs années de suite. Son cadeau favori en vérité. Elle m'offrait souvent de tels présents.

Il la dévisagea, abasourdi.

— Elle vous battait ? C'est cela que j'ai vu sur les radios ?

— Oui. Elle m'a maltraitée sans relâche pendant dix ans avant de me laisser tomber.

Elle soutint son regard de ses grands yeux tristes. Sans réfléchir, il lui prit la main et la pressa doucement entre les siennes.

— Mon Dieu... Gabriella... mais c'est affreux... Personne ne vous a aidée ? Personne ne l'a arrêtée ?

C'était pour lui une chose inconcevable. Ainsi elle avait été une enfant malheureuse, et sans le moindre allié.

— Non. Personne. Mon père assistait aux sévices

sans rien dire. Elle lui faisait peur à lui aussi, je crois. Finalement, n'en pouvant plus, il l'a quittée.

— Pourquoi ne vous a-t-il pas emmenée avec lui ?

— Je n'en sais rien. Je n'ai pas les réponses... Ce qui s'est passé avec Steve a réveillé le passé... Je sais pourquoi il m'a battue. Je l'ai rendu furieux. Il voulait de l'argent et je ne lui en donnais pas... Au moins, il a été direct. Mais eux ? J'ignore pourquoi ils me détestaient... pourquoi ils m'ont poussée à les détester autant... Ma mère disait toujours que j'étais mauvaise... odieuse... et que si je n'étais pas si vilaine, ils n'auraient pas à me punir. Mais est-ce qu'un enfant peut être aussi méchant ?

— Pas suffisamment pour lui briser les os. Je ne les comprends pas... Pourquoi ne leur avez-vous pas demandé ?

— Je ne les ai plus jamais revus. J'ai essayé d'appeler mon père, il y a un an. Il ne figurait pas dans l'annuaire de Boston.

— Et votre mère ? Elle m'a l'air d'une personne qu'il vaut mieux éviter.

— C'est exact... Elle a été très dure, dit-elle d'une voix tremblante.

Les sévices que Steve lui avait fait subir avaient libéré un torrent de souvenirs, de sentiments singuliers, de terreurs inavouables.

— Je me demande si elle a changé, reprit-elle. Ou si elle pourrait m'expliquer pourquoi elle éprouvait le besoin de me faire souffrir. Ou encore si elle a des regrets maintenant que les années ont passé. Cela a failli détruire ma vie à l'époque. Ce fut peut-être pareil pour elle.

Elle le regarda avec une sincérité, une franchise, une honnêteté qui lui coupèrent le souffle.

— Et je voudrais savoir pourquoi elle m'a détestée autant. Ce qui, en moi, nourrissait sa haine.

Elle désirait connaître la vérité. Il le fallait.

— Une sorte de maladie de l'âme et de l'esprit, répondit-il, pensif. Vous n'y étiez pour rien, Gabriella.

Aux urgences, il avait déjà vu des enfants maltraités. De petits corps brisés, d'immenses yeux remplis de terreur, et ce besoin de toujours protéger leurs tortionnaires. Encore deux mois plus tôt, un enfant souffrant de graves lésions cérébrales avait été transporté aux urgences. Sa mère l'avait « corrigé »... Et lorsque la nuit même, le petit était mort, il s'était retenu pour ne pas se précipiter hors du bloc opératoire et tuer la mère. Actuellement, elle était en prison dans l'attente de son jugement.

— Je ne sais pas comment vous avez survécu, murmura-t-il. Et personne ne vous est venu en aide ?

— Jamais. Jusqu'à ce que je sois au couvent.

— Les religieuses étaient gentilles avec vous ?

Il l'espérait de tout cœur. Il la connaissait à peine et déjà il avait envie de la protéger.

— Oh, oui. J'étais très heureuse avec elles.

— Alors pourquoi êtes-vous partie ?

Soudain, il voulait tout savoir.

— Il a bien fallu. Je... J'ai commis une terrible faute. Elles ne pouvaient plus me garder.

Elle en était venue à l'accepter mais pas à se pardonner.

— Pas si terrible que cela, tout de même, essaya-t-il de plaisanter. Qu'est-ce que vous avez fait ? Voler les habits d'une autre sœur ?

— Un homme est mort à cause de moi. Je dois vivre avec sa disparition sur la conscience. Pour toujours.

Pendant un instant, il ne sut quoi dire.

— C'était un accident ?

Oui, sûrement. Il avait peine à l'imaginer assassinant quelqu'un.

Elle le regarda un long moment avant de se lancer. Bizarrement, il avait gagné sa confiance. Il avait des yeux honnêtes. Les yeux de quelqu'un à qui on peut se fier.

— Il s'est suicidé à cause de moi. Il était prêtre... Nous étions amoureux l'un de l'autre. J'attendais un bébé de lui.

Peter la regarda avec stupéfaction. Elle était bel et bien une rescapée de l'enfer.

— Il y a longtemps ? demanda-t-il.

— Un an. Exactement onze mois. J'ignore comment c'est arrivé. Avant, je n'avais jamais regardé un homme. Nous ne savions pas ce que nous faisions, je crois, jusqu'à ce qu'il soit trop tard. Notre liaison a duré trois mois... Nous souhaitions vivre ensemble. Mais il avait ses propres démons à combattre... Il n'arrivait ni à renoncer à l'Eglise ni à me quitter. Il s'est pendu. Il m'a laissé une lettre d'explication.

— Et le bébé ? fit-il, serrant la main de Gabriella et se retenant désespérément de la prendre dans ses bras.

— Je l'ai perdu.

Elle s'interrompit avec cette même sensation tragique qui lui broyait le cœur chaque fois qu'elle pensait à son bébé.

— En septembre dernier.

— Et maintenant cette histoire ! Quelle année épouvantable tu as dû passer, Gabriella.

Il l'avait tutoyée mais ni l'un ni l'autre ne s'en étaient rendu compte. Il n'avait jamais entendu une histoire plus triste. Des parents bourreaux, qui l'avaient abandonnée dans un couvent, un homme qui avait préféré se tuer au lieu de rester auprès d'elle et de leur enfant... Il s'étonnait qu'elle soit encore en vie.

— Steve, c'était différent, reprit-elle. D'une certaine manière, c'était une relation plus directe. Je me suis sentie utilisée, trahie, dupée, j'ai eu mal quand je l'ai découvert, mais je me demande si je l'ai vraiment aimé... En tout cas, il s'est servi de moi depuis le début.

— Tu étais une proie facile pour un professionnel comme lui. J'espère qu'il restera en prison... (D'après les policiers, c'était plus que probable.) Qu'est-ce que tu vas faire maintenant ?

— Je ne sais pas... Ecrire... travailler... repartir à zéro... devenir plus intelligente... J'ai eu beaucoup à apprendre en sortant du couvent. Je n'avais jamais vécu dans le monde... Le couvent est un univers irréel, un bouclier protecteur. Joe avait peur de quitter l'Eglise, parce qu'il s'y sentait à l'abri.

Mais le suicide n'était pas une solution, pensait Peter. La vérité sautait aux yeux. Joe l'avait laissée seule pour subir les conséquences de leurs actes. Et, de surcroît, pour endosser la responsabilité de sa mort. Il avait choisi la solution des faibles, conclut-il, en se gardant bien de dévoiler le fond de sa pensée à Gabriella.

— Tu as besoin de temps pour guérir, dit-il avec calme. Pour cicatriser. Et pas seulement de l'agression. De tout. Tu as déjà vécu dix vies et aucune n'a été particulièrement facile.

— L'écriture est une thérapie. Elle guérit des peurs, des angoisses. Les portes de l'écriture se sont ouvertes dans mon esprit grâce au professeur. Des portes dont j'ignorais l'existence jusqu'à ce qu'il les ouvre pour moi.

— Je suis sûr que tu n'as plus besoin de personne... C'est en toi, Gabriella. Cela le sera toujours. Ton vieil ami t'a juste donné la clé.

— Oui, peut-être.

Les infirmières interrompirent cette longue confession. Il y avait eu un accident de la route. Un enfant de quatre ans, sans ceinture de sécurité, avait été gravement blessé.

— Oh, Seigneur, je déteste ce genre d'accidents, soupira-t-il en couvant Gabriella des yeux.

Il aurait voulu lui parler jusqu'à la fin des temps. Il sortit en hâte de la chambre, non sans promettre de repasser le lendemain.

Elle resta seule, se remémorant toutes ses confidences. Il savait tout maintenant. Elle s'étonnait encore d'avoir parlé aussi facilement à cet homme.

Il revint tard dans la nuit, jeta un coup d'œil à l'intérieur de la petite chambre blanche. Gabriella dormait. Il la contempla un long moment avant de se retirer dans la pièce où ils rangeaient les fournitures et de s'allonger sur le lit de camp. Il était épuisé, mais le sommeil le fuyait. Les paroles de la jeune femme résonnaient à ses oreilles. Comment une seule et même personne pouvait-elle subir tant de chagrins, tant de peines et de déceptions ? Et pourquoi étaient-ce toujours les mêmes qui devaient souffrir ? Cette question, Gabriella se l'était aussi souvent posée. Mais ni l'un ni l'autre n'avaient la réponse.

24

De longues semaines de convalescence suivirent, que Gabriella et Peter mirent à profit pour mieux se connaître. Elle suivait des séances de rééducation pour son bras. Ses côtes cassées se ressoudaient lentement, ses blessures à la tête se refermaient. Au bout de quatre semaines, le Dr Peter Mason n'avait plus aucune excuse pour la garder plus longtemps. Elle avait recouvré la santé. Le dernier matin à l'hôpital, il lui rendit son habituelle visite. Il lui offrit un bouquet de fleurs, disant qu'elle allait lui manquer. Au fond, il brûlait de lui poser une question, mais n'osait franchir le pas. Le cas ne s'était jamais présenté auparavant. Tant qu'elle était là, il la considérait comme une amie bien sûr, mais surtout comme une patiente. Or une fois qu'elle serait partie, les règles du milieu hospitalier ne seraient plus en vigueur.

— Je me demandais... commença-t-il, se sentant affreusement gauche, stupide même, si tu voudrais... si tu accepterais de dîner un soir avec moi... ou déjeuner un jour... ou boire un café...

Il habitait dans East Eighties, pas très loin de la pension Boslicki.

— Oui, volontiers, répondit-elle d'une voix prudente.

De son côté elle y avait songé. Mais auparavant elle avait besoin de s'assurer de quelque chose. Pour son propre bien... Elle le vit qui la regardait, confus, prenant sa réticence pour de l'hésitation.

— Peter, dit-elle alors, j'ai décidé de retrouver mes parents.

— Pourquoi ?

Pourquoi chercher à revoir ces monstres ? Il se sentit pris d'une impétueuse envie de la protéger d'eux. Gabriella était beaucoup plus jolie qu'il ne l'avait imaginé de prime abord. Mais elle était aussi délicate. Très vulnérable. Elle paraissait forte mais en l'observant, on se rendait facilement compte de sa fragilité.

— Es-tu sûre que c'est une bonne idée ? s'inquiéta-t-il.

— Je n'en sais rien.

Elle lui sourit vaillamment. Oui, elle avait une force incroyable en elle, ne put-il s'empêcher de penser. Elle faisait face au danger. Cela avait failli lui coûter la vie, mais la peur semblait l'avoir définitivement quittée. Peter savait mieux que personne, peut-être même mieux qu'elle, qu'elle avait besoin de protection... Il était son aîné de douze ans, il avait plus d'expérience. Il aurait voulu l'aider à améliorer sa vie. Il avait commis des erreurs, bien sûr, il avait raté son mariage, mais il en avait tiré les leçons qui s'imposaient.

— Tout ce que je sais, c'est qu'il le faut, reprit-elle. Si je n'obtiens pas les réponses qu'ils me doivent, il me manquera toujours une partie de moi-même.

— Peut-être est-elle déjà là, Gabbie. Peut-être cette partie se trouve-t-elle déjà en toi. Les réponses, tu les connais, sans doute mieux que tes parents.

Il s'interrompit, soucieux de ne pas la brusquer. Au fond de son cœur il souhaitait qu'elle redevienne une personne entière... pour lui. Pas une moitié de personne vivant toujours dans le passé et se posant et se reposant la même question, qui était de savoir pourquoi ses parents ne l'avaient pas aimée.

— Il le faut, répéta-t-elle, déterminée.

Elle allait appeler mère Gregoria. La religieuse

aurait sans doute des informations à lui communiquer. Ce serait pénible, elle le savait. Si la supérieure refusait de lui parler, elle se retrouverait de nouveau confrontée aux douloureux événements qui avaient précipité son départ. Elles ne s'étaient plus parlé depuis que la lourde porte du couvent s'était refermée derrière elle. Gabriella n'était pas censée la contacter, mais elle espérait que mère Gregoria comprendrait le sens de son appel.

Peter, qui allait être de garde pendant les deux jours suivants, se faisait du souci pour elle. Il lui dit qu'il l'appellerait dans la soirée. Lorsqu'il le fit, elle parut heureuse. Elle était fatiguée, admit-elle. Monter les marches jusqu'à sa chambre l'avait épuisée... Sa chambre, qui regorgeait d'images, de souvenirs de Steve. La chambre de ce dernier avait été louée. La chambre du professeur aussi. Mme Boslicki avait rangé les livres qui appartenaient maintenant à Gabriella dans des boîtes en carton qu'elle avait fait descendre à la cave.

— Madame Boslicki est un amour. Elle m'a apporté à dîner.

A vrai dire, il détestait l'idée de la savoir sur les lieux du drame. Il découvrit soudain qu'il désirait être avec elle. Il l'avait vue tous les jours à l'hôpital, ce lit vide dans la petite chambre blanche semblait le narguer. Pourtant, elle gardait toujours ses distances... Elle était partie à la recherche du passé et n'était pas prête à envisager l'avenir.

Elle dormit à poings fermés cette nuit-là, et rêva aux coups de téléphone qu'elle donnerait le lendemain. Dès son réveil, elle appela le couvent. Les sonneries se succédèrent. Une voix répondit, une religieuse que Gabriella ne connaissait pas... ou ne reconnut pas. Elle donna son nom, redoutant le pire. Une longue attente suivit. La voix l'avertit qu'elle allait lui passer le bureau de la supérieure. Une brève sonnerie. Et soudain, Gabriella entendit la voix qu'elle avait tant aimée, qui lui avait tant manqué. Elle en eut les larmes aux yeux.

— Tu vas bien, mon enfant ?

Mère Gregoria avait lu l'article du journal relatant l'agression. Elle avait longuement hésité entre son inquiétude et ses vœux d'obéissance... L'inquiétude l'avait emporté. Elle avait appelé l'hôpital jusqu'à ce qu'elle apprenne que Gabriella était sortie du coma.

— Oui, ma mère... Un peu cassée, mais pas plus que d'habitude, répondit-elle doucement.

Toutes deux savaient qu'il y avait eu pire.

Elle lui exposa ensuite les raisons de son appel. Elle voulait avoir les dernières adresses de ses parents que la Mère supérieure possédait. Celle-ci hésita un moment. Elle ne devait pas les communiquer à Gabriella, tel avait été le souhait de sa mère. Mais elle n'avait plus eu de nouvelles d'Eloïse Harrison Waterford depuis cinq ans maintenant. Et elle pensait que revoir ses parents pourrait aider Gabriella. Elle lui donna donc l'adresse de sa mère à San Francisco, et celle de son père dans East Seventies.

— A New York ? s'exclama Gabriella, interloquée. Il est ici ? Et je ne le savais pas.

— Il n'est pas resté à Boston plus de quelques mois, Gabbie. Il a toujours été ici.

— Pourquoi n'est-il pas venu me voir ?

— Je ne connais pas la réponse, mon enfant, dit la vieille religieuse, bien qu'elle eût sa petite idée là-dessus.

— Est-ce qu'il vous a appelée ?

— Non, jamais. Ta mère m'avait donné son adresse au cas où quelque chose lui arriverait à elle. Nous n'avons jamais eu besoin de l'appeler.

— Alors il ne savait pas où j'étais.

C'était affreux ! Il vivait dans un quartier voisin et elle avait toujours cru qu'il était à Boston.

— Tu peux lui poser toi-même la question.

Mère Gregoria lui donna les adresses du domicile et

du bureau de John Harrison, ainsi que les numéros de téléphone correspondants, vieux de plus de douze ans. Mais c'était un début. S'il n'était plus là, quelqu'un saurait peut-être où il était allé.

— Merci, ma mère, murmura Gabriella... Vous m'avez beaucoup manqué, ajouta-t-elle prudemment.

Tant de choses s'étaient passées depuis.

— Nous avons beaucoup prié pour toi, dit la supérieure. (Puis, avec un sourire de fierté :) J'ai lu ta nouvelle dans le *New Yorker*. Un texte merveilleux.

Gabriella lui parla alors du professeur et de la petite fortune qu'il lui avait léguée. La vieille religieuse écoutait, les yeux clos, la voix de l'enfant qu'elle avait chérie tendrement, débordant de gratitude que la providence ait mis un ange gardien sur son chemin... Il était encore interdit de prononcer son nom au couvent.

— Pourrai-je vous écrire pour vous tenir au courant de mes recherches sur mes parents ?

Il y eut une pause sur la ligne.

— Non, mon enfant. Nous ne pouvons plus nous parler ni nous voir... Que Dieu te bénisse, Gabriella.

— Je vous aime, ma mère. Je vous aimerai toujours, dit-elle en étouffant un sanglot.

— Prends soin de toi, murmura mère Gregoria, les joues ruisselantes de larmes.

Elle avait beaucoup vieilli en un an. Perdre Gabriella lui avait énormément coûté.

Gabriella faillit parler de Peter, puis se ravisa. Elle ne le connaissait pas, après tout. Il allait peut-être l'oublier maintenant qu'elle avait quitté l'hôpital. Il lui parlait parce qu'il n'avait sûrement rien de mieux à faire. Elle avait appris que faire confiance à un homme, c'était aller au-devant de catastrophes.

— Que Dieu te bénisse, mon enfant, répéta mère Gregoria.

Elles pleuraient toutes les deux en raccrochant. C'était fini. Le rideau était retombé. Ne plus revoir la

Mère supérieure jusqu'à la fin de sa vie était un chagrin de plus pour Gabriella... Peut-être le plus insoutenable.

Après avoir retrouvé son calme, elle composa le numéro du bureau qu'elle avait eu par la supérieure. Elle ne voulait pas s'imposer une nouvelle attente... Il datait de près de treize ans, se dit-elle alors que les sonneries s'égrenaient, son père n'était certainement plus là. Mais lorsqu'elle donna son nom et demanda à parler à John Harrison, la standardiste répondit « ne quittez pas » et la mit en attente. Il répondit très vite.

— Gabriella ? dit-il dans un souffle, profondément surpris.

C'était bien sa voix. La voix dont elle se souvenait parfaitement. Elle eut de lui la vision de son enfance, lorsqu'il ressemblait au Prince charmant.

— Papa ?

De nouveau, elle avait neuf ans. Cinq ans. Moins encore.

— Où es-tu ? dit-il, inquiet.

— Ici. A New York. Je viens d'avoir ton numéro de téléphone pour la première fois depuis tant d'années. Je te croyais à Boston.

— Je suis rentré il y a treize ans, répondit-il tout à fait naturellement.

Elle ne put deviner ses sentiments. Il devait être ému. C'était impossible qu'il ne le soit pas.

— Maman m'a laissée dans un couvent, fit-elle à brûle-pourpoint comme une petite fille qui cherche à se faire plaindre par son papa.

— Je sais, dit-il très calmement. Elle me l'a dit. Elle m'a écrit une lettre de San Francisco.

— Mais... quand ? demanda-t-elle, effarée.

Il le savait ? Mais pourquoi alors n'était-il pas venu la voir ? Qu'est-ce qui l'avait empêché de lui passer un simple coup de fil ?

— Juste après qu'elle s'est installée dans cette ville. Je n'ai plus jamais eu de ses nouvelles... Elle voulait que je sache où tu étais. Je crois qu'elle s'est remariée.

Toujours cette voix calme !

— Tu savais depuis treize ans ? s'écria Gabriella, sidérée.

Il ne répondit pas directement à sa question.

— La vie continue, Gabriella. Les choses évoluent. Les gens changent. C'était une période extrêmement difficile pour moi.

Il s'attendait à ce qu'elle compatisse, peut-être. Mais pour sa fille, cette période avait été cent, mille fois plus difficile. A ceci près qu'il ne voulait pas le savoir.

— Quand puis-je te voir ? demanda-t-elle platement.

— Je...

La question l'avait pris de court. Il se demanda si elle allait lui demander de l'argent. Sa carrière de courtier en Bourse avait été brillante, certes, mais moyennement fructueuse.

— Es-tu sûre que ce soit une bonne idée ? s'enquit-il d'une voix hésitante.

— J'aimerais beaucoup te revoir, déclara-t-elle au comble de l'excitation.

Il avait accueilli la nouvelle avec un calme qui frisait la froideur. Evidemment, quatorze ans s'étaient écoulés, et elle l'avait appelé sans crier gare. Elle aurait aussi bien pu entrer dans son bureau sans frapper...

— Est-ce que je peux venir aujourd'hui ?

Elle s'exprimait avec l'exubérance de l'enfance comme si elle avait encore le même âge que lorsqu'ils s'étaient quittés. Elle oubliait qu'elle était devenue adulte.

De nouveau il hésita. Il semblait franchement peiné... ne sachant quoi dire. Finalement, il parut se décider.

— Viens cet après-midi à mon bureau. A trois heures.

Il avait hâte d'en finir. Ce serait pénible pour tous les deux, mais tant pis ! C'était toujours mieux que de remettre à plus tard une rencontre que, visiblement, il ne pouvait éviter.

— J'y serai !

Elle exultait en raccrochant... Ses nerfs lâchèrent ensuite, et elle se mit à faire les cent pas. Elle essayait de deviner comment il était après tant d'années, ce qu'il lui dirait, comment il expliquerait son silence... Elle avait besoin de le lui demander. Elle savait que c'était la faute de sa mère, mais elle éprouvait la nécessité d'entendre sa version à lui. Pourquoi il l'avait abandonnée... Et pourquoi il n'avait plus donné signe de vie.

Elle se vêtit avec soin, mit son plus beau tailleur en lin bleu marine. Elle prit un taxi qui la déposa au coin de Park Avenue et de la 53e Rue, devant un élégant immeuble de bureaux. Elle monta dans l'ascenseur et s'arrêta à l'étage qu'il lui avait indiqué. Le luxe ambiant était impressionnant. Il travaillait pour une petite société à l'excellente réputation.

Sa secrétaire dit que « monsieur Harrison » l'attendait. A trois heures et une minute, elle conduisit l'arrivante à travers un long couloir moquetté vers un bureau d'angle. Gabriella souriait... Le bonheur de le revoir était si puissant qu'elle avait l'impression que son cœur allait éclater. A chaque pas, sa nervosité augmentait mais elle savait que toutes ses craintes se dissiperaient dès l'instant où elle le verrait.

La secrétaire ouvrit la porte posément, s'effaça pour la laisser passer. Gabriella entra dans une vaste pièce, et là, derrière le bureau, elle le vit se redresser. Il avait à peine changé, il était plus beau que jamais... Mais lorsqu'elle le regarda plus attentivement, elle remarqua quelques rides sur son visage, un peu de gris dans le blond de ses cheveux... Il venait d'avoir cinquante ans, calcula-t-elle.

— Bonjour, Gabriella, dit-il.

Lui aussi la regardait attentivement, surpris par sa beauté et par sa grâce. Elle lui ressemblait beaucoup plus qu'à sa mère. Elle avait sa blondeur, leurs yeux étaient du même bleu. Il n'esquissa pourtant aucun mouvement vers elle.

— Assieds-toi, dit-il, mal à l'aise, indiquant un fauteuil.

Elle mourait d'envie de contourner le bureau massif, de se pendre à son cou et de le couvrir de baisers. Cependant, son air distant l'intimida. Elle s'assit en pensant que les baisers viendraient plus tard, quand ils se seraient vraiment retrouvés.

Des photos d'enfants dans des cadres d'argent ornaient la surface polie du bureau. Quatre en tout. Deux filles qui devaient avoir l'âge de Gabriella ou un peu plus, et deux garçons beaucoup plus jeunes, des enfants encore... Des photos récentes apparemment. Au milieu trônait le portrait d'une femme en robe rouge au visage plutôt sévère, qui ne semblait pas franchement heureuse. Elle ne vit aucune photo d'elle, enfant, nulle part. Chose compréhensible, car elle croyait se souvenir qu'il n'y en avait pas.

— Comment vas-tu ? demanda-t-il d'un ton un peu rigide.

Elle se dit qu'il devait se sentir coupable. Il les avait quittées après tout...

— Ils sont à toi, tous ces enfants, papa ?

Il acquiesça.

— Les deux filles sont de Barbara, les petits garçons sont nos fils. Jeffrey et Winston. Ils ont neuf et douze ans maintenant.

Il la regarda, l'air anxieux, impatient de connaître le but de sa visite.

— Pourquoi voulais-tu me voir ?

— Je voulais te retrouver. Je n'ai jamais su que tu habitais à New York.

Ils étaient presque voisins. Il avait mené sa vie, avec sa nouvelle famille, sans elle... Mais il avait dû souffrir... Elle attendit l'explication.

— Barbara n'a pas aimé Boston.

Ce n'était pas vraiment l'explication qu'elle voulait entendre.

— Puisque tu savais où j'étais, pourquoi n'es-tu jamais venu me voir au couvent ?

Elle vit dans ses yeux l'expression d'impuissance dont elle se souvenait si bien... Une sorte de regard en coin, qui semblait crier « je ne suis pas à la hauteur ». Le même regard que lorsqu'il se tenait à la porte et la regardait se faire maltraiter.

— Pour quoi faire ? articula-t-il laborieusement. Mon mariage avec ta mère ne m'a laissé que de mauvais souvenirs. Cela a dû être pareil pour toi. J'ai pensé qu'il valait mieux tourner la page, essayer d'oublier.

Mais comment avait-il pu oublier sa fille ?

— Ta mère était folle ! J'ai toujours eu peur qu'elle te tue, ajouta-t-il d'une voix étranglée.

Elle lui posa alors la question qu'elle s'était posée toute sa vie.

— Pourquoi ne l'as-tu pas empêchée de me faire du mal ?

Elle retint son souffle.

— Comment l'aurais-je pu ?

Par la force, les menaces, la dénonciation, la police. En demandant le divorce et la garde de son enfant. Les solutions étaient innombrables.

— Oui, comment ? reprit-il. Si je me permettais la moindre critique, elle se transformait en furie. Et sa colère se retournait contre moi... et plus encore contre toi. Tout ce que je pouvais faire, c'était partir, recommencer une nouvelle vie ailleurs. C'était pour moi la seule réponse.

Et moi ? aurait-elle voulu hurler. Quelle nouvelle vie m'as-tu donnée ?

— Je me suis dit que tu serais mieux chez les religieuses. D'ailleurs, ta mère ne m'aurait jamais permis de te prendre avec moi.

— Le lui as-tu demandé ?

A présent, elle voulait tout savoir. Toutes les réponses. Toutes les clés de sa vie.

— Non, répondit-il honnêtement. Barbara s'y serait opposée. Tu faisais partie d'une autre existence, Gabriella... Tu n'étais pas de notre monde.

Il lui décocha le coup final.

— Et tu ne l'es toujours pas. Nos chemins se sont séparés depuis des années. Il est trop tard maintenant. Rattraper le temps perdu serait une erreur et une utopie. Barbara serait furieuse si elle savait que je t'ai vue. Elle vivrait cela comme une trahison vis-à-vis de nos enfants.

Elle le regarda, interdite. Ainsi il ne voulait pas d'elle. Il n'avait jamais voulu d'elle. Il lui avait tourné le dos. Il l'avait abandonnée purement et simplement.

— Mais ses filles ? Elles vivent bien avec vous ?

— Bien sûr. Mais ce n'est pas la même chose.

— Non ? Qu'est-ce qui est différent ?

— Elles sont ses enfants. Pour moi, tu incarnais tous ces affreux souvenirs, le cauchemar que j'ai fui. Je ne pouvais pas t'emmener avec moi. Maintenant non plus, d'ailleurs. Gabriella, nous ne nous sommes pas revus depuis des siècles... Nous n'avons plus rien à voir ensemble.

Mais il avait deux fils, deux belles-filles, une femme. Et elle, elle n'avait personne.

— Comment peux-tu dire une chose pareille ? lança-t-elle, les yeux noyés de larmes

Il refusa de se laisser émouvoir.

— Parce que c'est la vérité. Pour moi, comme pour toi. Chaque fois que tu me verras, tu te souviendras de la peine que nous t'avons faite, de toutes les fois où j'ai été incapable de t'aider. Tu me détesteras à la longue.

C'était déjà fait... Ses dernières illusions s'envolaient. Il était toujours incapable de l'aider. Il n'avait même pas le courage d'être son père.

— Pourquoi ne m'as-tu pas appelée durant toutes ces années ?

Les larmes lui brûlaient les yeux, mais elle se moquait éperdument de l'image qu'elle lui renvoyait. C'était un homme indifférent, cruel, et il l'avait trahie. Il ne l'avait jamais aimée et n'avait plus rien à lui donner. Il était égoïste, faible, et, comme il s'était laissé diriger par la mère de Gabriella naguère, c'était à présent celle qui s'appelait Barbara qui faisait la loi.

— Je n'avais rien à te dire, Gabriella... (Il la dévisagea, exaspéré. Il était clair qu'il avait hâte de se débarrasser d'elle.) Je ne voulais pas te voir.

Et voilà ! C'était aussi simple que cela. Il n'y avait aucune place pour elle dans son cœur. Il ne l'aimait pas. Il n'aimait probablement personne, pas même les beaux enfants qui figuraient sur les photos. Elle eut pitié d'eux, et plus encore de lui, pour tout ce qu'il n'était pas... Même pas un être humain. C'était un pantin.

— Est-ce que vous m'avez jamais aimée ? Toi et elle ?

Elle étouffa un sanglot et il trouva ces manifestations sentimentales franchement déplaisantes. Il avait pris un air désespéré. Gabriella comprit qu'il aurait voulu la voir disparaître. Mais elle n'avait que faire des désirs de John Harrison. Elle était ici pour elle, pas pour lui. Elle était venue lui arracher les réponses qui lui permettraient d'assumer son avenir. Elle ne comptait pas le laisser en paix si facilement.

— Je t'ai posé une question, dit-elle.

— Je ne sais plus ce que je ressentais à l'époque. Tu n'étais qu'une enfant. Oui, bien sûr, j'ai dû t'aimer.

— Mais pas assez pour me mêler à ta nouvelle vie. Je n'avais que neuf ans. Pourquoi ?

— Parce que mon premier mariage était un échec. Pire que cela, un désastre. Et tu étais le symbole de ce désastre.

— Je n'étais que la victime.

— C'est malheureux, répondit-il avec tristesse. Nous étions tous des victimes.

— A ceci près que tu n'as jamais fini à l'hôpital comme moi.

Elle ne lui laisserait pas de répit. Elle le poursuivrait jusqu'à ce qu'il avoue. Elle était contente, maintenant, d'être venue.

— Je sais que tu nous as détestés pour ça. Je le lui ai dit. Elle ne se contrôlait plus quand elle s'y mettait.

— Pourquoi me détestait-elle tant ?

« Et pourquoi m'aimais-tu si peu ? » pensa-t-elle, mais elle ne demanda rien, sachant qu'il était incapable d'éprouver quoi que ce soit qui ressemble de près ou de loin à de l'amour.

Avec un soupir, il se tassa dans son fauteuil en cuir, épuisé.

— Elle était jalouse de toi. Elle l'a toujours été. Dès l'instant où tu es née. Elle n'avait pas la fibre maternelle. Je ne m'en étais pas aperçu quand je l'ai épousée... J'aurais dû, je suppose.

Et il n'avait pas la fibre paternelle, malgré les photos de ses enfants qui ornaient son bureau aujourd'hui.

Il la dévisagea, de nouveau pressé de mettre fin à l'entretien.

— C'est tout, Gabriella ? Ai-je répondu à tes questions ?

— Presque à toutes, répondit-elle tristement.

Encore que certaines resteraient à jamais sans réponse.

John Harrison n'était pas un père. Il n'était même pas un homme. Peut-être l'avait-elle toujours su inconsciemment, seulement elle n'avait pas voulu l'admettre... Peter avait sans doute raison quand il avait dit qu'elle connaissait, au fond, les réponses.

Son père se leva. Il la regarda. Il ne s'approcha pas d'elle, ne la prit pas dans ses bras pour l'embrasser. Il se garda bien de contourner le bureau massif... Il resta aussi loin d'elle que possible et, le voyant si distant, elle éprouva une peine immense.

— Merci de ta visite, dit-il, indiquant clairement que la conversation était terminée.

Il pressa un bouton sur le bureau. La secrétaire réapparut et ouvrit la porte à Gabriella.

— Merci, dit celle-ci.

Elle n'ajouta pas « papa ». Ne fit aucun geste non plus, ne l'embrassa pas. C'était inutile. L'homme dont elle se souvenait était déjà un faible. Celui qu'elle venait de rencontrer était bien pire. Elle ne le considérait plus comme son père. Il avait démissionné quatorze ans plus tôt... Le père qu'elle avait connu, qu'elle avait aimé, était mort le jour où il l'avait quittée.

Sur le seuil, elle se retourna une dernière fois comme pour mémoriser ses traits. Cela ne dura pas plus d'une seconde. Elle sortit sans un mot de plus. Elle n'avait plus rien à lui dire. C'était vraiment fini à présent.

La secrétaire referma la porte.

Une fois seul, John Harrison jeta un regard morose sur la pièce. Cette rencontre avait rouvert la fenêtre de sa mémoire sur un passé sombre, plein de regrets.

Gabriella avait grandi. C'était une très belle jeune femme, mais il n'éprouvait rien pour elle. Rien du tout... Il avait fermé la porte de cette partie de son existence longtemps auparavant, une fois pour toutes.

En s'efforçant de ne plus penser à elle, à ses yeux qui l'avaient brûlé comme des charbons ardents, il ouvrit un petit meuble, versa du martini extra-dry sur des glaçons dans un verre et le but pensivement, en regardant par la fenêtre.

25

Après la visite à son père, Gabriella se rendit directement sur la Cinquième Avenue où elle acheta un billet d'avion pour San Francisco. Rien de ce qu'elle avait attendu ne s'était produit lors de sa rencontre avec John Harrison... Mais elle avait compris l'essentiel : elle n'était pour rien dans leur drame familial. Ses parents en portaient l'entière responsabilité... Elle commençait enfin à avoir un début de réponse.

Elle repensa à son père. Un être vide, froid, qui avait peur de son ombre, incapable de faire face à la réalité, d'éprouver des sentiments. Elle s'étonnait encore que, pendant leur entretien, il ne l'ait pas touchée, n'ait pas essayé de l'embrasser. Si elle lui avait mis les bras autour du cou, il aurait probablement sauté par la fenêtre. Il ne voulait pas de sa fille dans sa vie. Il l'en avait exclue depuis longtemps. Son cerveau d'homme faible associait Gabriella à sa mère... Mais au moins, elle était repartie en ayant plus ou moins fait le tour de la question qui l'avait tourmentée durant des années. Son père ne lui avait rien donné parce qu'il n'avait jamais rien eu à offrir. Et il avait raison sur un seul point. C'était trop tard maintenant... Pendant toutes ces années où il lui avait tant manqué, où elle avait tant rêvé de le revoir, en se disant que s'il savait où elle se trouvait il aurait accouru, il était là, dans son luxueux bureau de Park Avenue, sans même songer à lui rendre visite... Pourquoi se cacher plus longtemps la vérité ? Il ne l'aimait pas. Elle ne l'intéressait pas... Cette certitude la faisait souffrir et, pourtant, elle comportait quelque chose de libérateur... C'était comme si John Harrison était mort quatorze ans plus tôt et qu'elle pouvait enfin le laisser reposer en paix. Sa longue attente avait été vaine. Il ne lui restait plus qu'à enterrer ses souvenirs.

Elle retourna à la pension où Mme Boslicki lui apprit que Peter Mason l'avait appelée de l'hôpital. Elle le rappela et lui raconta ses retrouvailles avec son père.

— Te sens-tu mieux maintenant ?

— Oui, en quelque sorte, répondit-elle honnêtement.

Son père avait posé sur elle un regard dépourvu d'émotion. Il ne l'avait pas serrée sur son cœur, n'avait posé aucun baiser sur son front... Et en y repensant, elle se rappela qu'il était exactement pareil lorsqu'elle était petite. Distant. Indifférent. Les souvenirs affluaient. Aucun n'était vraiment agréable. La seule fois où il lui avait témoigné de la tendresse, c'était la nuit où il était parti. La culpabilité l'avait momentanément adouci.

— Tu avais raison, Peter, reprit-elle. J'avais déjà certaines réponses. Mais je ne le savais pas.

Il se sentit soulagé. L'odyssée qu'elle avait entreprise vers le passé l'inquiétait. Il avait peur que ce périlleux voyage ne lui apporte que de nouvelles déceptions.

— Et maintenant ? Que vas-tu faire ?

Son bipeur sonnait. Il ne pourrait pas lui parler longtemps.

— Je pars demain pour San Francisco.

Il l'aurait accompagnée, si elle l'avait voulu. Mais elle ne le voulait pas. Elle souhaitait affronter seule les démons de son enfance... Les combattre seule, quitte à en sortir vaincue.

— Crois-tu que c'est la bonne décision ?

— Oui, je le pense.

Elle était taraudée par l'ancienne peur qu'Eloïse lui inspirait. Mais il fallait qu'elle y aille. Là-bas, elle trouverait la vraie réponse à la seule question qu'elle se posait sans relâche depuis toujours : « Pourquoi ne m'as-tu jamais aimée ? »

Elle ressemblait à une de ces héroïnes de conte qui cherchent des trésors sous des champignons... *Alice au pays des merveilles* ou Dorothée dans *Le Magicien d'Oz*.

— Si tu attends un peu, je pourrai t'accompagner. J'ai quelques jours de congé dans une semaine, si cela peut te faciliter la tâche...

— J'ai besoin d'affronter ma mère seule, expliqua-t-elle.

Elle lui promit de l'appeler de la côte Ouest.

— Sois prudente, Gabbie. Tu vas me manquer.

— Toi aussi, dit-elle d'une voix douce.

Elle raccrocha sur ce prélude à un nouveau départ, sur cette tendre promesse. Elle savait à présent qu'elle ne pourrait jamais mener une vie normale si elle ne résolvait pas les énigmes du passé... Qu'elle n'arriverait pas à nouer une véritable relation avec Peter. Les fantômes de son enfance se dresseraient toujours entre eux. Le chagrin, la peur, l'abandon, la crainte d'être rejetée... Et la terreur que, fatalement, il la quitte un jour.

— Je t'en prie, appelle-moi, avait-il dit avant de raccrocher.

Gabriella gravit l'escalier, songeuse. La petite chambre lui parut encore plus déprimante. Tout ici lui rappelait Steve, ses rêves brisés et ses cauchemars. Elle ne ferma pas l'œil de la nuit, pensant au voyage du lendemain.

La maison était encore endormie lorsqu'elle partit. Elle laissa un mot à Mme Boslicki : « Je vais à San Francisco chez ma mère. » En d'autres circonstances, s'il s'était agi d'une mère différente, elle y serait allée le cœur léger. Tandis que maintenant une sombre appréhension l'étreignait.

Le vol se passa sans incident. Arrivée à destination, elle prit la navette entre l'aéroport et la ville. On était en août mais un vent froid, vif, soufflait dans les rues embrumées... Un temps d'été typique de San Francisco, disaient les gens.

Elle s'arrêta dans un bistrot, mangea sur le pouce, puis composa le numéro de téléphone que la supérieure lui avait donné. Elle aurait dû appeler avant de venir, pensa-t-elle, soudain anxieuse. Ils étaient peut-être absents. Ou en vacances. Elle tomba sur un disque. Le numéro en question n'était plus attribué... Elle héla un taxi, donna l'adresse au chauffeur. La main tremblante, elle appuya sur le bouton de la sonnerie. On lui répondit que le couple qu'elle cherchait n'habitait plus là. Elle revint vers la voiture, désemparée. Le chauffeur lui suggéra d'appeler les renseignements. Elle le fit d'une cabine publique. Elle n'avait que le nom du deuxième mari de sa mère : Frank Waterford... Et le vague souvenir d'un homme séduisant qui ne lui adressait pas la parole... Enfin, l'opératrice répondit. Il y avait bien un Frank Waterford dans la 28e Avenue, dans un quartier que le chauffeur de taxi appela Seacliff.

Elle composa le numéro qu'elle avait obtenu par les renseignements. Une femme répondit, qui n'avait pas la voix de sa mère. Elle demanda à parler à Mme Waterford. Ils étaient sortis, dit sa correspondante. Ils rentreraient à quatre heures et demie. Elle n'avait plus qu'une heure devant elle. Gabriella hésita : rappeler ou se montrer. Elle opta pour la seconde solution... A quatre heures et demie le taxi s'arrêta devant une maison imposante. Une Bentley argentée était garée dans l'allée.

Gabriella monta la volée de marches, son unique bagage à la main, la valise en carton qu'on lui avait donnée au couvent. Si sa garde-robe s'était nettement

améliorée, elle n'avait pas eu le temps de s'acheter d[illegible]
bagages. C'était d'ailleurs son premier voyage. El[illegible]
sonna et attendit, le souffle court.

— Oui ?

Une femme ouvrit la porte. Un rang de perles ornait son sweater en cachemire jaune. Elle avait des cheveux blonds dont un grand coiffeur avait savamment maintenu la nuance initiale... Elle devait avoir entre cinquante et cinquante-cinq ans. Elle porta sur l'arrivante un regard accueillant.

— Puis-je vous aider ?

Avec ses longs cheveux dorés, ses grands yeux bleus et sa valise cabossée, Gabriella faisait plus jeune que ses vingt-trois ans. On dirait une jeune fugueuse, pensa la femme qui avait ouvert la porte.

— Mme Waterford est-elle là ? demanda-t-elle poliment.

Elle eut l'air interloqué quand la femme répondit que c'était elle... Elle s'était sûrement trompée d'adresse. Le nom de Waterford n'était pas si rare, après tout.

— Je suis désolée, dit la femme d'une voix agréable lorsque Gabriella précisa qu'elle cherchait sa mère.

Un homme grand, bien bâti, aux cheveux grisonnants, fit alors son apparition derrière la maîtresse de maison. C'était le Frank Waterford dont elle avait gardé le souvenir, plus vieux de treize ans.

— Que se passe-t-il ?

Il s'immobilisa en voyant la jeune femme avec sa valise sur le seuil.

— Cette jeune personne cherche sa mère, lui dit son épouse de sa voix de velours. Je crois qu'elle a eu une fausse adresse...

Mais l'homme fronça les sourcils.

— Gabriella ? murmura-t-il, stupefait.

Il l'avait entendue citer son nom — un nom qu'il se rappelait, bien qu'il l'ait à peine connue. Elle avait beaucoup changé, bien sûr... Elle avait grandi.

— Oui... Monsieur Waterford ?

Il lui sourit, sans chercher à dissimuler sa surprise.

— Je voulais voir ma mère...

Elle vit l'homme et la femme échanger un regard d'intelligence. Ils avaient enfin compris de qui il s'agissait.

— ... peut-être ne vit-elle plus ici, poursuivit-elle.

— Non, elle ne vit plus ici, dit-il d'un ton prudent. Entrez, je vous en prie.

Il paraissait plus heureux de la revoir que son propre père. Ils la firent passer au salon. Il voulut lui offrir quelque chose, elle accepta un verre d'eau, et la femme blonde le lui apporta.

— Est-ce que ma mère et vous avez divorcé ? demanda-t-elle nerveusement.

Il hésita un instant. Il n'y avait aucune raison de lui cacher la vérité.

— Non, Gabriella, nous n'avons pas divorcé. Votre mère est morte, il y a quatre ans. J'en suis navré.

Elle le regarda en silence. Ainsi, Eloïse était partie, emportant tous ses secrets dans la tombe. Gabriella sut alors qu'elle ne serait jamais libre.

— Votre père ne vous a rien dit ?

Elle le fixait toujours sans un mot. Il avait un léger accent du Sud, ce qui était normal. Jadis, elle avait entendu sa mère dire qu'il était originaire du Texas.

— Je lui ai pourtant envoyé un faire-part, poursuivit-il. J'ai cru qu'il vous l'avait annoncé.

— J'ai vu mon père, hier, pour la première fois depuis quatorze ans, répondit-elle. Il ne m'a rien dit, non. Il ignorait mon projet de venir à San Francisco.

— Ah bon ? Vous ne viviez donc pas avec lui ? demanda Frank Waterford d'un air abasourdi. Eloïse m'avait affirmé qu'elle avait accepté de lui confier votre garde afin de m'épouser, et qu'il ne l'avait jamais autorisée à vous revoir... D'ailleurs, il n'y avait aucune photo de vous, nulle part dans la maison, à cause de cela. Elle disait que c'était trop pénible pour elle.

Ils étaient formidables, les Harrison ! Il n'y en av. pas un pour racheter l'autre... Le mal qu'ils avaient fa à leur fille était délibéré. Prémédité...

Un soupir franchit les lèvres de Gabriella. Ses parents avaient menti à leurs nouveaux époux dans le seul but de l'écarter de leur existence.

— Il n'y avait pas de photos de moi, monsieur Waterford, pour la bonne raison qu'ils ne m'ont jamais photographiée. Ma mère m'a abandonnée au couvent de Saint-Matthew à New York lorsqu'elle est partie pour Reno. Elle n'est jamais revenue. Elle ne m'a plus jamais donné de ses nouvelles. Tous les mois, elle envoyait un chèque aux religieuses... Ces envois ont cessé le jour de mes dix-huit ans.

— Elle est morte un an plus tard, expliqua-t-il, réunissant enfin les pièces du puzzle. A propos des chèques, elle m'a fait croire qu'elle envoyait des dons aux religieuses. Celles-ci l'auraient jadis recueillie... C'était faux, alors ! Je ne me suis jamais douté qu'elle vous avait laissée là-bas.

Il semblait sincèrement désolé pour Gabriella... Il s'excusait, comme s'il avait pris part à tous ces perfides mensonges... Gabriella ne lui en voulait pas. Elle savait quelle manipulatrice avait été sa mère.

— Comment est-elle morte ?

— Un cancer du sein.

Il la regarda gentiment. Ses grands yeux tristes donnaient envie de la consoler.

— Elle n'était pas... comment dire... faite pour le bonheur, reprit-il avec diplomatie, soucieux de ne pas détruire les dernières illusions de la fille d'Eloïse. Peut-être lui manquiez-vous. Oui, j'en suis sûr.

Gabriella posa son verre.

— J'étais venue pour ça, dit-elle tranquillement. Pour lui poser quelques questions.

— Si je peux vous aider... offrit-il, tandis que sa femme les écoutait avec un intérêt mêlé de sympathie.

— Je ne crois pas. Je voulais lui demander pourquoi elle m'avait abandonnée... et pourquoi...

Sa voix se fêla et elle lutta courageusement contre ses larmes, sous le regard compatissant de ces deux étrangers qui la traitaient avec plus de bonté que ses propres parents.

— ... pourquoi elle avait fait certaines choses avant... avant de me laisser au couvent, balbutia-t-elle.

Il était facile de deviner la souffrance qui se cachait sous ces mots. Frank hocha la tête. Il y avait dans cette histoire plus de douleur et de désarroi qu'il ne l'avait d'abord pensé. Il prit soudain la décision de se montrer honnête. Gabriella méritait au moins cela. Une réponse vraie qu'il était maintenant le seul à pouvoir lui donner.

— Gabriella, je vais être franc avec vous. Cela ne vous plaira peut-être pas, mais je crois que cela vous aidera. Je suis resté marié neuf ans avec votre mère... les pires années de ma vie. J'étais résolu à demander le divorce quand elle est tombée malade. Je suis resté par compassion. On ne quitte pas quelqu'un à l'agonie... Je suis donc resté et je l'ai aidée de mon mieux. Mais c'était une femme irascible, froide, coléreuse, indifférente, encline à la vengeance. Je crois qu'elle n'avait pas une once de bonté. J'ignore quel genre de mère elle fut pour vous, mais j'aurais tendance à penser qu'elle s'est ingéniée à vous détruire autant qu'elle m'a détruit. J'ajouterais que la meilleure chose qu'elle ait faite fut justement de vous laisser à Saint-Matthew... Elle était pleine de haine...

Il s'était exprimé simplement, et sa nouvelle épouse lui tapota affectueusement la main.

— Je regrette sincèrement qu'elle vous ait abandonnée, poursuivit-il, mais d'un autre côté je ne peux pas imaginer que vous ayez pu être heureuse avec elle... Au début de notre rencontre à New York, elle m'a interdit de vous adresser la parole. Je n'ai jamais compris pourquoi. Vous étiez un mignon petit bout de chou et j'adore les enfants. J'en ai cinq au Texas d'un préc-dent mariage. Ils ne nous ont jamais rendu visite tan que j'ai été marié avec elle. Elle les détestait et ils le lui rendaient bien... Je ne les blâme pas, Gabriella. Elle était la méchanceté incarnée. Son oraison funèbre a été la plus courte que j'aie jamais entendu, car personne n'a trouvé quelque chose de gentil à dire sur elle.

Il fit une pause, puis se souvint d'un autre détail.

— Quand nous étions encore à New York, elle m'avait affirmé que vous aviez gâché son mariage avec votre père. Cela aussi je ne l'ai pas bien compris, mais j'ai toujours eu le sentiment qu'elle était jalouse de vous... Et que c'était la raison pour laquelle elle avait laissé votre garde à son ex-mari, comme elle l'avait prétendu. Elle ne voulait pas de vous, mon petit... mais je n'ai jamais pensé qu'elle vous abandonnerait. Je ne l'aurais pas épousée si je l'avais su. Une femme capable d'abandonner son enfant... eh bien, ne mérite pas le nom de mère... Oh, cela ne m'étonne pas d'elle. Durant toutes ces années elle n'a jamais prononcé votre nom. Pas une fois ! J'étais assez naïf pour croire qu'elle avait de la peine. Mon Dieu, quelle horrible histoire !

Quelle horrible histoire, en effet ! Que vos deux parents vous laissent tomber et vous oublient... Alors, elle commença le récit terrifiant de son enfance. Les mauvais traitements, les sévices que sa mère lui infligeait, la passivité de son père. L'hospitalisation. Les hématomes. La haine. Les accusations... Elle raconta longtemps et, lorsqu'elle eut enfin terminé, tous les trois avaient les larmes aux yeux. Frank Waterford lui tenait la main et Jane, sa femme, lui avait entouré les épaules d'un bras protecteur. Ils étaient pleins de générosité, de compassion, de bonté. Tout ce que sa mère n'était pas. Elle avait eu la chance de rencontrer Frank. Celui-ci avait payé cher le plaisir de la fréquenter...

— ... et je voulais lui demander pourquoi elle ne

n'a jamais aimée, acheva Gabriella en essuyant ses larmes.

Elle était venue chercher la clé de l'énigme. La réponse finale. La réponse qu'elle n'aurait jamais. A qui la faute ? A elle ? A ses parents ? Durant toutes ces années d'interrogation, elle avait presque rêvé que sa mère allait s'excuser, lui demander pardon, lui dire qu'elle l'avait passionnément aimée mais n'avait pas su le lui montrer. N'importe quelle explication aurait été meilleure que cette haine implacable qu'Eloïse lui vouait. Gabriella aurait été prête à passer l'éponge sur dix ans de calvaire pour avoir cette explication. Et maintenant, c'était trop tard.

— La réponse est simple, Gabbie, dit Frank. Elle ne pouvait aimer personne. Elle en était incapable. Elle n'avait rien à donner... Je n'aime pas accuser les morts mais — qu'elle repose en paix — c'était une créature foncièrement malveillante, venimeuse comme un serpent. Aucun être humain ne peut être monstrueux à ce point. Aussi détestable. Je croyais que c'était ma faute. Les cinq premières années de notre mariage, j'ai été persuadé que je l'avais déçue, que je n'étais pas à la hauteur ou que j'avais trahi ses espérances. J'ai fini par comprendre que cela n'avait rien à voir avec moi. La faille était en elle... Eloïse se nourrissait de sa propre haine... Ce qu'elle vous a fait est inexcusable. Vous vivrez toujours avec ces cicatrices. C'est à vous de décider si vous avez le courage de lui pardonner ou si vous préférez lui tourner le dos et l'oublier. Mais quelle que soit votre décision, sachez que vous n'y étiez pour rien. N'importe quel être humain au monde, excepté les deux monstres qui vous ont tenu lieu de parents, vous aurait adoré. Vous n'avez pas eu de chance. La réponse est peut-être un peu simpliste. Je n'en vois pas d'autre. Votre mère était une femme horrible. Serait-elle là aujourd'hui qu'elle ne vous donnerait pas la réponse que vous cherchez. Elle était ainsi faite. Elle n'éprouvait aucun amour. Son cœur était sec... Elle était très belle, amusante, spirituelle... début, j'entends. Mais ça n'a pas duré longtemps. S véritable nature s'est montrée dès que nous avons été mariés. Elle n'a pas changé d'un pouce jusqu'à sa mort... Gabbie, je vous le répète, vous n'y êtes pour rien. Vous étiez au mauvais endroit, à la mauvaise heure, dans la mauvaise file le jour où, là-haut, on vous a attribué vos parents.

Le silence retomba. C'était donc cela ? se demanda-t-elle. Aussi simple ? Mais en l'écoutant, elle avait su qu'il disait la vérité. Elle n'y était pour rien... Elle avait obtenu sa réponse. Cela avait été un caprice du destin, un accident, une faille de la nature, la collision de deux planètes qui n'auraient jamais dû se rencontrer. Elle avait été soufflée par l'explosion... Il n'y avait pas d'autre réponse à la question. Eloïse Harrison Waterford n'avait jamais aimé personne. Elle n'avait pas d'amour à donner, pas même à sa propre fille.

Une paix singulière se glissait dans l'âme de Gabriella. Elle avait enfin atteint le bout du chemin. A présent, elle pouvait rentrer. Son odyssée avait duré vingt-trois ans. Il existait des périples plus longs encore. Elle avait affronté son destin. Elle avait eu le courage d'aller chercher les réponses... Ceux qui lui disaient qu'elle était forte avaient raison. Seules les âmes fortes survivent.

Ses hôtes l'invitèrent à dîner. Elle passa avec eux une agréable soirée. L'idée que Frank avait été son beau-père lui plaisait, dit-elle. Jane, quant à elle, était une femme adorable. Veuve également. Mariés depuis trois ans, ils se chérissaient profondément. D'après Jane, Frank était une épave lorsqu'elle l'avait rencontré. Grâce à Eloïse, il détestait toutes les femmes, mais elle y avait mis bon ordre... Il éclata de rire, tandis qu'elle livrait à leur invitée sa version de l'histoire.

— N'en croyez pas un mot, Gabriella ! Jane était une veuve solitaire et je l'ai piquée au nez et à la barbe un vieux millionnaire extravagant de Palm Beach. Je l'ai épousée avant qu'il comprenne ce qui lui arrivait.

Il eut un large sourire.

Ils lui demandèrent de passer la nuit chez eux. Elle ne voulait pas les importuner, répondit-elle. Elle préférait prendre une chambre dans un hôtel près de l'aéroport et repartir le lendemain matin. Ses hôtes insistèrent. Frank affirma qu'il lui devait au moins cela... Sa vie aurait été bien différente, se dit-elle, s'il avait été là, à la place de son père. Quoique ! Sa mère aurait trouvé le moyen de tout gâcher. Non, Frank ne s'était pas trompé. La meilleure idée qu'avait eue Eloïse avait été de laisser sa petite fille au couvent. Sinon, Gabriella aurait succombé un jour à ses mauvais traitements.

Jane l'installa dans une jolie chambre d'amis donnant sur la baie et le pont du Golden Gate. Le lendemain matin, une femme de chambre lui apporta le petit déjeuner au lit... Elle était reçue comme une princesse... Elle appela Peter avant de partir pour l'aéroport. Il n'était pas de garde, pour une fois, et parut enchanté de l'entendre.

Elle lui raconta brièvement son voyage. Sa rencontre avec les Waterford, le décès de sa mère. Finalement elle était contente de ne pas avoir revu Eloïse. Elle s'était rangée à l'avis de Frank Waterford : cela n'aurait rien changé. Eloïse aurait essayé d'achever son œuvre destructrice.

Peter répondit que cela ne l'étonnait pas. Il se déclara ravi d'apprendre que les recherches de Gabriella s'arrêtaient là. Elle semblait vraiment en paix avec elle-même... Elle avait hâte de rentrer, mais il eut une meilleure idée. Il avait quatre jours de congé et San Francisco faisait partie de ses villes préférées.

— Reste là-bas, dit-il. Je viens te rejoindre.

Gabriella hésitait. Ils n'étaient qu'au début d'une amitié... Enfin, elle répondit oui, avec la sensation qu'elle avait tourné le dos aux fantômes. Elle avait fait

la paix avec le passé. Joe, Steve, ses parents. A pré
elle comprenait mieux ce qui s'était produit. Fra
avait raison. Elle n'avait pas eu de chance au tirage a
sort des parents... Gabriella avait été frappée par la foudre. Et pendant toutes ces années, elle avait cru que les malheurs lui arrivaient par sa faute. Les mauvais traitements, la cruauté, l'abandon, le fait qu'ils ne l'avaient pas aimée. Elle s'était rendue responsable de tout. Même du suicide de Joe. Alors qu'en définitive, il avait fait son choix.

— Eh bien, qu'est-ce que tu en dis ? demanda Peter.

Elle sourit en contemplant la vue superbe de chez les Waterford.

— J'en dis que c'est une bonne idée.

Elle méritait d'être heureuse. Et elle voulait se donner une chance... Elle n'était pas destinée à la damnation et au châtiment éternels. C'était la raison pour laquelle elle était venue jusqu'ici, pour alléger les fardeaux que ses parents lui avaient mis sur les épaules. Elle avait réussi. La sentence de mort avait été levée.

— Je prendrai le vol de cet après-midi... Je vais réserver une chambre d'hôtel, dit Peter avec enthousiasme.

Lorsqu'elle annonça la nouvelle aux Waterford, ils insistèrent pour héberger aussi Peter. Ils avaient un sens profond de l'hospitalité. Et ils paraissaient tout à fait sincères.

— J'ai hâte de connaître ce futur gendre, la taquina Frank.

Elle leur avait raconté comment ils s'étaient rencontrés, à la suite de son agression par Steve Porter. Ils avaient été horrifiés, puis avaient déclaré qu'ils voulaient faire la connaissance de Peter.

Quand elle fut partie pour l'aéroport, Frank confia à sa femme qu'il était désolé pour Gabriella. Son enfance avait été un véritable enfer, dit-il. Il s'en voulait de n'avoir rien remarqué chez la petite fille qu'elle était alors, ni chez sa mère monstrueuse. Maintenant, il ıt tout pour qu'elle soit heureuse. Il était ravi de nstater qu'elle avait la tête sur les épaules. Il était emarquable, selon lui, qu'elle ait pu survivre à tant d'épreuves.

— C'est une gentille fille, dit-il à Jane, qui l'approuva d'un hochement de tête, tandis qu'ils traversaient leur jardin pour admirer la vue de la baie qu'ils aimaient tant.

26

L'appareil se posa en douceur sur la piste d'atterrissage, sous le regard de Gabriella. A son excitation de revoir Peter se mêlait une pointe de nervosité. Ils avaient beaucoup parlé à l'hôpital mais, depuis, ils ne s'étaient pas revus... C'est-à-dire depuis trois jours... Elle avait peine à croire qu'en trois jours tant d'événements s'étaient produits, tant de fantômes avaient été affrontés et vaincus. Elle avait traversé l'Amérique dans une quête désespérée, alors que pendant tout ce temps, elle connaissait la réponse à laquelle elle devait la paix de l'esprit. Peter et elle passeraient le week-end chez les Waterford. Ils rentreraient lundi à New York, et la routine recommencerait. Il retournerait à ses patients, elle reprendrait son travail à la librairie.

Elle se tenait un peu à l'écart lorsqu'il descendit de l'avion. Au début, il ne la vit pas. Il regardait droit devant lui. Un sourire illumina ses traits lorsqu'il l'aperçut qui s'avançait vers lui. Une magnifique jeune femme aux grands yeux bleus, aux cheveux blonds qui reflétaient la lumière... Il eut envie de l'embrasser. Mais il l'enlaça par les épaules et ils traversèrent lentement l'aérogare.

Ses yeux étaient moins tristes, remarqua-t-il aussitôt. Elle parlait avec volubilité, paraissait presque heureuse. Son regard avait cette profondeur qu'il avait aimée dès le début, et qui semblait vous aspirer, mais goisse, l'anxiété avaient disparu. Il ralentit le pas n de mieux la regarder.

— Tu m'as manqué, dit-il. L'unité des urgences n'est plus pareille sans toi.

Rien n'était plus pareil. La vie n'était plus pareille. Il s'était fait beaucoup de souci depuis qu'elle s'était envolée pour la Californie.

— Toi aussi tu m'as manqué, Peter.

Elle le regarda elle aussi de ses yeux de femme, ses yeux sages et courageux, qui ne redoutaient plus les hommes.

— Merci d'être venu, sourit-elle.

— Merci d'être venue aux urgences, répondit-il. Et merci d'avoir survécu au malheur pour venir jusqu'à moi.

Il l'avait attendue toute sa vie, sans même le savoir. Toutes ces années, il n'avait jamais aimé personne comme elle. Aucune autre femme ne lui correspondait comme Gabriella. Il voulait la protéger. Elle était forte, elle n'avait peur de rien, mais si jamais elle flanchait, il serait là, prêt à la soutenir. Il l'aiderait à traverser les épreuves. Comme il savait qu'il pouvait compter sur elle. Ils avaient tous deux appris la dure leçon de la vie. La route avait été rude et longue, surtout pour Gabriella. C'était elle le héros de l'histoire, se dit-il en se souriant à lui-même. Elle était descendue aux enfers, elle avait terrassé les démons, et était remontée, indemne. Et maintenant, elle marchait près de lui, altière et courageuse. Les ombres s'étaient dissipées.

Il lui prit la main. Ensemble, ils avancèrent vers la sortie. Il portait son sac sur l'épaule et elle avait enfin gagné sa liberté. Ils n'étaient pas pressés. Ils avaient tout leur temps. Une vie entière. Et pas de fantômes pour les hanter. Ils avaient simplement besoin l'un de l'autre... Gabriella n'avait plus de réponses à chercher. Oui, elle était libre maintenant.

Ils se mirent à marcher dans la lumière diaprée d'août, la main dans la main. Il la regarda de nouveau, et elle eut un rire insouciant. Tout était si simple. chemin avait été tortueux, semé d'obstacles, intermi-ble. Et à présent, tandis qu'elle contemplait la vue d sommet où elle était parvenue, la route lui parut moins rocailleuse. Cela avait été dur pourtant. Et long. Mais au terme du voyage, elle sut qu'elle était arrivée à bon port.

Ce volume a été composé
par Nord-Compo

Imprimé en France sur Presse Offset par

BRODARD & TAUPIN

GROUPE CPI

5338 – La Flèche (Sarthe), le 11-12-2000
Dépôt légal : décembre 2000

POCKET – 12, avenue d'Italie - 75627 Paris cedex 13
Tél. : 01.44.16.05.00